GUY DES CARS

Cette étrange tendresse

Éditions J'ai Lu

GUY DES CARS	*ŒUVRES*
L'OFFICIER SANS NOM	*J'ai Lu*
L'IMPURE	*J'ai Lu*
LA DEMOISELLE D'OPÉRA	*J'ai Lu*
LA DAME DU CIRQUE	*J'ai Lu*
CONTES BIZARRES	
LE CHATEAU DE LA JUIVE	*J'ai Lu*
LA BRUTE	*J'ai Lu*
LA CORRUPTRICE	*J'ai Lu*
LES FILLES DE JOIE	*J'ai Lu*
LA TRICHEUSE	*J'ai Lu*
AMOUR DE MA VIE	
L'AMOUR S'EN VA-T'EN-GUERRE	
CETTE ÉTRANGE TENDRESSE	*J'ai Lu*
LA MAUDITE	*J'ai Lu*
LA CATHÉDRALE DE HAINE	*J'ai Lu*
LE BOULEVARD DES ILLUSIONS	
LES SEPT FEMMES	*J'ai Lu*
LE GRAND MONDE	
SANG D'AFRIQUE	*J'ai Lu*
DE CAPE ET DE PLUME	
DE TOUTES LES COULEURS	
L'HABITUDE D'AMOUR	*J'ai Lu*
LA VIE SECRÈTE DE DOROTHÉE GYNDT	
LA RÉVOLTÉE	
LA VIPÈRE	
LE TRAIN DU PÈRE NOEL	
L'ENTREMETTEUSE	
UNE CERTAINE DAME	

En vente dans les meilleures librairies

Cette étrange tendresse

GUY DES CARS

L'EMPRISE

C'était la maison du silence.

Quand les deux visiteurs avaient été introduits dans le vestibule par le domestique noir, celui-ci s'était incliné sans dire un mot, avant de les précéder dans l'escalier. Ils l'avaient suivi, sachant qu'ils étaient attendus et qu'ils n'avaient aucune question à poser à un serviteur : le cérémonial, institué depuis longtemps dans l'hôtel particulier, devait l'exiger. Arrivés au premier étage, ils étaient entrés dans le grand salon dont la porte s'était refermée : le noir avait disparu. Les visiteurs n'avaient plus eu qu'à attendre. Mais l'un et l'autre éprouvèrent secrètement une étrange impression de malaise.

Le décor était cependant admirable. Les boiseries anciennes s'harmonisaient avec le mobilier. Chaque objet était à sa place : on n'aurait pu en imaginer un autre au même endroit. L'immense tapisserie des Ateliers de Paris, ancêtres des Gobelins, qui ornait le mur « côté jardin » — les visiteurs ne venaient-ils pas de pénétrer chez un homme de théâtre ? — était belle ; la collection des *Chardin,* décorant le mur « côté cour », était rare. Les « Chine » des vitrines, qui encadraient les deux fenêtres, étaient d'une époque antérieure à l'antique dynastie des Ming. Les tapis, recouvrant la moquette grise, étaient de Perse. Tout était choisi... Mais une tristesse solennelle se dégageait de l'ensemble. Il n'y avait pas de fleurs.

Si l'on n'apercevait pas le moindre grain de poussière sur les guéridons, on n'y trouvait pas non plus ces quelques indices de désordre qui prouvent qu'une demeure est douillettement habitée.

Cela sentait le Musée : un curieux temple de l'art qui n'avait certainement pas été conçu pour la délectation du simple touriste. A l'exception de quelques rares privilégiés, personne ne devait être admis dans ce sanctuaire profane où tout semblait avoir été imaginé par un cerveau qui devait s'y complaire dans une solitude égoïste et presque désespérée. Il y avait surtout, rendant l'atmosphère pesante, le silence : un silence écrasant... Aucun bruit ne parvenait de l'extérieur. A travers les hautes baies à croisillons, on apercevait la Seine qui coulait, majestueuse et monotone. Le « plan lointain » semblait être fait d'une toile de fond grise qui représentait les vieux immeubles bordant les quais de Paris aux alentours de l'île Saint-Louis.

Les visiteurs, qui ne se ressemblaient guère — l'un était corpulent et chauve, l'autre maigre et affublé d'une chevelure évoquant un peu une perruque — étaient restés debout, au centre du salon, comme s'ils craignaient de s'asseoir dans des fauteuils qui devaient être signés. L'un d'eux cependant, le maigre qui était aussi le moins âgé, finit par demander, non sans hésitation :

— Il y a longtemps qu'Il habite ici ?

— Pourquoi parlez-vous aussi bas ? Nous ne sommes pas dans une sacristie !

— J'ai l'impression de me trouver dans les coulisses authentiques de cet Art dont nous vivons, vous et moi...

— C'est assez vrai : l'antre de la création dramatique ! Pour répondre à votre question, j'ai toujours connu notre grand homme résidant ici. Il y a vécu longtemps avec sa mère, une dame. Depuis qu'elle n'est plus, voici une dizaine d'années déjà, il est seul... ou presque !

— Que voulez-vous dire ?

— Vous verrez...

— Quel âge peut-il avoir ?

— Il n'a pas d'âge ! Et cela importe peu puisque je n'ai pas souvenance de l'avoir vu changer d'aspect : il semble qu'il n'ait jamais été très jeune et qu'il ne sera jamais très vieux... Les seuls points de repère sont les dates de création de ses pièces : je pense les connaître mieux que personne !

— Vous les avez toutes montées dans votre théâtre ?

— Sauf trois qu'il a préféré donner tout de suite à la Comédie-Française. Mais il l'a regretté : l'orgueil d'être joué dans l'illustre Maison ne paie pas ! Il est toujours temps d'inscrire une pièce au répertoire du Français quand sa carrière s'est épuisée ailleurs : c'est une consécration de la valeur de l'œuvre, qui sommeillera glorieusement dans une sorte de Conservatoire d'où on l'exhumera de temps en temps pour un public d'abonnés... Oh ! Je suis tranquille : un jour ou l'autre, toutes ses pièces finiront dans ce Panthéon de l'art dramatique. N'a-t-il pas réussi à devenir presque un classique de son vivant ?

— Personne ne met en doute qu'il soit le plus grand de nos dramaturges actuels.

— Un « grand » qui fait recette : ce qui est plus rare !

— Et infiniment agréable pour vous, mon cher directeur !

— Je le reconnais : avec lui, ça marche toujours. Il n'y a pas une de ses pièces qui n'ait tenu chez moi au moins une année à l'époque de sa création. Ajoutez-y les reprises qui ont toutes eu de longues séries, les tournées, les adaptations dans de nombreux pays : cela fait de notre homme le plus rentable des auteurs. Il connaît à fond son métier.

— Pourquoi ne pas dire son art ?

— Mon cher, cet art n'est profitable pour un directeur de théâtre que s'il s'appuie sur le métier... C'est dans ce salon qu'il m'a lu toutes ses nouvelles pièces quand il les estimait au point. Il s'assoit toujours dans ce fauteuil et moi dans celui-ci...

— Qui assiste à cette première lecture ?

— Lui et moi : c'est suffisant. Il se méfie des indiscrétions : il n'a pas tort.

— Et il ne vous est jamais arrivé à l'un et à l'autre, malgré votre longue expérience réciproque, de vous tromper sur la qualité de l'une de ces œuvres ?

— Je vous répète qu'il ne me confie une pièce que quand il la sait de qualité. Mon jugement se limite strictement à deviner si ce sera un succès d'argent.

— Et c'en fut toujours un ?

— Oui.

— A vous deux, vous faites une rude équipe !

— A laquelle il faut pourtant ajouter un troisième homme indispensable : le metteur en scène. Cette fois, c'est vous que nous avons choisi d'un commun accord. Les mises en scène que vous avez déjà réalisées avec un réel brio, votre tempérament, votre sensibilité surtout vous désignaient tout naturellement pour diriger les répétitions de *La Voleuse*.

— Je vous remercie de ce choix. Pour moi, c'est un honneur...

— Après cela, vous serez définitivement consacré comme étant le premier de tous nos jeunes metteurs en scène. Vous avez raison : c'est un honneur ! Ce n'est pas tout le monde qui peut se vanter d'avoir eu la confiance d'un auteur tel qu'André Forval ! Et c'est d'autant plus flatteur pour vous qu'il m'a dit ne vous avoir jamais rencontré.

— C'est la vérité.

— Mais il avait soigneusement suivi votre travail en allant voir en cachette — c'est sa manie : il n'aime pas qu'on le reconnaisse dans une salle de spectacle — les mises en scène que vous avez réalisées pour les pièces de ses confrères... Les choses se sont passées très vite : ce n'est pas moi qui ai avancé votre nom, mais lui. Hier matin, il m'a téléphoné de très bonne heure en me disant : « Que penseriez-vous de Skermine pour mettre en scène *La Voleuse ?* Je crois que ce serait l'homme qui sentirait le mieux cette pièce. » J'ai aussitôt approuvé et je vous ai convoqué à mon théâtre.

— Vous m'avez remis le manuscrit à midi.

— Et vous êtes revenu, enthousiasmé, à trois heures, n'ayant pas pris le temps de déjeuner, pour pouvoir le lire.

— Je venais de vivre l'un des plus beaux drames d'amour qui ait jamais été écrit ! Sincèrement, je crois que c'est là sa plus grande pièce.

— Chacune de ses pièces l'est jusqu'à la création de la suivante !

— Ce qui est assez troublant avec cet homme est que l'on ne parvient pas — si on ne le connaît pas personnellement — à se faire la moindre idée de sa personnalité à travers son œuvre ?

— Même quand vous le connaîtrez, ce sera pareil ! On ne peut pas le deviner... Il est comme son âge : il n'a pas de visage... Autrement dit, il les a tous ! A chaque fois que l'on a cru le découvrir vraiment tel qu'il est, il vous échappe par une sorte de pirouette de l'esprit qui vous déroute... Avec lui, vous ne savez jamais très bien où vous en êtes ? S'il vous estime ou s'il vous méprise ? Vous vous en apercevrez au cours des répétitions où il saura se montrer tour à tour odieux ou charmeur, mal élevé ou poli, coléreux ou doux, pratique ou rêveur...

— Et amoureux ?

Le gros homme eut un moment d'hésitation avant de répondre :

— Ne cherchez donc pas à percer le grand mystère de la vie privée d'un créateur ! Ces gens-là ont le droit d'aimer sans rendre de comptes à personne... J'ai beau avoir près d'un demi-siècle d'expérience théâtrale et avoir monté plus de cent pièces, je ne suis pas encore capable de comprendre le véritable personnage qui se cache sous un dramaturge. Tel auteur, qui n'écrit que des pièces gaies, est un être désabusé et sinistre ; tel autre, qui ne parvient pas à s'évader du drame scénique, est le plus souriant des bonshommes dans la vie. C'est étrange...

— Lui pourtant n'a pas la réputation d'être un homme très gai ? On le dit même misogyne. Donc il est bien l'homme de ses pièces qui ne sont toujours que des crises douloureuses.

— Je ne suis pas persuadé que ceux qui, comme lui, n'écrivent que des pièces d'amour, en sont tellement pourvus eux-mêmes ! J'ai même l'impression qu'il est très pauvre d'amour... Peut-être est-ce la vraie raison pour laquelle il semble s'accrocher désespérément à certaines amitiés assez insolites que la majorité des gens ne parvient pas à comprendre et qu'on lui reproche parfois... Mais qui a le droit de le juger ?

— Ferait-il du refoulement ?

— Chut ! Maintenant, mon cher Skermine, vous parlez trop haut ! D'une seconde à l'autre, il va paraître par cette petite porte que vous voyez à droite de la tapisserie et qui donne directement sur son cabinet de travail. Comme toujours, il sera revêtu de sa robe de chambre, à la teinte bordeaux, qui semble inusable ! Elle est comme lui : elle ne vieillit pas... Depuis le temps que je viens ici, j'ai fini par connaître certaines de ses habitudes et quelques-uns de ses goûts. Surtout ne fumez pas en sa présence, il a horreur de cela !

— Tout habitué des lieux que vous soyez, vous ne semblez pas vous y sentir beaucoup plus à l'aise que moi ?

— C'est assez exact. A chaque fois que je reviens dans cette maison, le même phénomène se produit : pendant les premières minutes, qui suivent mon arrivée, j'ai encore en moi les réserves d'assurance que j'ai apportées de l'extérieur mais, très vite, elles fondent pendant l'attente... Car il y a toujours une attente dans ce salon ! Ce serait à croire qu'il le fait exprès pour que le visiteur puisse bien s'imprégner de « son » atmosphère à lui : ainsi, quand il paraît, il est déjà à demi gagnant !

— C'est là un vieux truc d'homme de théâtre qui sait à la fois faire désirer et appréhender la première apparition du personnage principal de la pièce : c'est une manière habile d'exciter l'intérêt longtemps à l'avance. Notre grand homme est un malin !

— Dès qu'il sera là, ce sera lui qui attaquera : il se réserve toujours la première réplique du dialogue... Et souvent, celle-ci se transforme en un long monologue qui lui permet de vous dire tout ce à quoi il attache de l'importance. Ses mots sont justes, ses phrases lapidaires : du très grand théâtre ! On en a le souffle coupé et on reste abasourdi. On est obligé d'approuver. Sa victoire est alors complète.

— En somme, il triomphe partout ?

— Le plus effrayant, c'est qu'il vous devine avant même que vous n'ayez prononcé une seule parole. Même s'il ne vous a pas vu depuis des mois, on a l'impression qu'il connaît exactement le fond de vos pensées. Et quand c'est la première fois qu'il vous rencontre, il vous dit des choses telles que l'on en arrive à se demander s'il n'est pas fakir ? J'ai toujours pensé qu'il devait y avoir, dissimulés un peu partout dans le salon, des microphones qui lui permettaient de savoir ce que ses visiteurs pensaient de lui avant même de les voir ! Cela expliquerait assez bien la raison de l'attente qu'il impose à tout le monde...

— Mais ce serait indigne !

— Ça pourrait quand même lui apporter d'excellentes répliques pour ses pièces futures...

— Si ce que vous dites est vrai, mon cher directeur, il est maintenant fixé sur notre compte !

— Il y a longtemps que je ne me fais plus aucune illusion sur ce qu'il pense réellement de moi !

— Et le valet de chambre noir, il n'est jamais plus loquace ?

— Il est muet de naissance. Avouez qu'il n'y a qu'un homme de théâtre pour avoir eu cette trouvaille : un nègre qui entend tout mais qui ne peut rien répéter.

— Il pourrait écrire ce qu'il a entendu ?

— Faites confiance à Forval : il a dû le choisir illettré ! Ce serviteur silencieux se prénomme Ali : c'est à peu près tout ce que je sais de lui.

— Il l'a depuis longtemps à son service ?

— Trois ou quatre années... Un jour, on l'a vu ouvrir la porte et, comme il était splendide dans son genre — vous l'avez bien remarqué : une statue taillée dans l'ébène — personne n'a osé poser de questions...

Skermine demanda très bas, cette fois :

— Vous croyez que c'est à ce point ? Qu'il y aurait du vrai dans la réputation qu'on lui a faite ?

— Je ne sais rien. C'est une réputation que l'on donne à quatre-vingt-dix pour cent des auteurs : elle est généralement due à ceux qui ne les connaissent pas ! C'est pourquoi je ne lui attache aucune importance. Tout ce que je puis vous confier *mezzo-voce*, pour achever de vous éclairer un peu et surtout pour vous éviter de faire des gaffes, c'est que je ne lui ai jamais connu la plus petite aventure féminine. Je n'ai pas rencontré non plus, ce qui est rare, une seule de ses interprètes — et Dieu sait s'il en eut de belles ! — qui ait pu se vanter qu'André Forval lui ait fait la cour. Par contre, ces mêmes cabotines, qui ont le plus grand tort de se croire un doux péril permanent parce qu'elles sont actrices, ne se gênent nullement pour dire, avec une pointe de regret, en parlant de lui : « Ce n'est pas étonnant que je ne l'intéresse pas !... » Vous m'avez compris ?

La petite porte venait de s'ouvrir doucement. Ce ne fut pas celui dont on parlait qui parut, mais un adolescent.

Un garçon brun, élancé, racé.

D'immenses yeux noirs, qui semblaient toujours

habités par une sorte de fièvre, dévoraient le visage dont la noblesse était accentuée par la régularité des traits. La bouche, étonnamment sensuelle, paraissait prête à goûter à toutes les voluptés ; à poser toutes les questions sur toutes les curiosités de la vie. Les mains étaient longues, leurs attaches fines. Il n'y avait aucune lourdeur, aucune vulgarité, aucune niaiserie aussi dans ce jeune homme auquel il était difficile de donner un âge exact. La taille et une certaine aisance de manières pouvaient faire croire qu'il approchait de la majorité mais quelques hésitations, frisant presque la timidité, laissaient penser qu'il n'avait peut-être pas dix-huit ans. La candeur qui enveloppait la perpétuelle interrogation du regard, renforçait encore l'idée de grande jeunesse... Ce qui surprenait le plus quand on le voyait pour la première fois — comme ce fut le cas ce jour-là pour Skermine — était sa prodigieuse beauté. C'était à croire que le Créateur de toutes choses et de tout être ait voulu réaliser en lui un chef-d'œuvre physique. Une beauté indiscutable : sans être tout à fait mâle — l'adolescent manquait peut-être encore de carrure d'épaules ? — elle n'était pas, non plus, efféminée. Une sorte de beauté androgyne, à la fois troublante et pure, qu'il était impossible de définir : mieux valait la subir telle qu'elle se présentait avec la force d'une jeunesse éclatante.

La voix enfin était chaude, vibrante, agréable. Elle rompit le silence, revenu dans le salon dès que la petite porte s'était entrouverte, pour dire au gros homme :

— Monsieur Langlois, mon parrain sera là dans quelques instants. Je suis chargé de vous faire patienter, ainsi que Monsieur...

Les présentations furent faites par le directeur :

— Alexys Skermine, qui va mettre en scène la nouvelle pièce d'André Forval... Monsieur... Excusez-moi, mais je n'ai jamais su votre nom ?

— On ne m'appelle que par mon prénom. Vous le connaissez : Alain...

— Alors, monsieur Alain... J'ignorais que vous étiez parent d'André Forval ?

— Nous ne sommes pas parents. Je suis seulement son filleul. Mais, comme il a su se montrer très bon pour moi et que je n'ai pas connu mes parents, je le considère un peu comme s'il était mon père. Bien que je l'appelle « parrain », pour moi il est beaucoup plus que cela...

— Ce doit être merveilleux pour vous d'avoir un tel guide dans la vie ?

Le jeune homme ne répondit pas directement et demanda au metteur en scène :

— Vous aimez *La Voleuse ?*

— Qui n'aimerait pas cette pièce admirable ! Je vous envie d'être le premier lecteur des œuvres de votre parrain...

— C'est bien vrai : je suis le tout premier puisque c'est moi qui les tape à la machine, scène par scène, au fur et à mesure qu'elles naissent.

— Il ne les tape donc pas lui-même ?

— Il a horreur de la machine à écrire et de son crépitement de mitrailleuse.

— Il existe cependant des machines silencieuses ?

— Il ne les aimerait pas davantage ! Il dit qu'une machine est toujours stupide et qu'elle ne travaille que parce que la volonté ou le génie de l'homme l'exige. Tandis que, selon lui, la main de l'écrivain n'est pas paresseuse : elle n'hésite pas à biffer, à raturer, à récrire un mot, une réplique, une scène, tout un acte même, jusqu'à ce que ce soit parfait. Si vous voyiez les manuscrits qu'il me confie, ils sont couverts de corrections ! Pour moi ce sont parfois de véritables puzzles que je dois déchiffrer et reconstituer ! Combien de fois ne l'ai-je pas entendu dire, quand je lui rapportais les pages écrites de sa main avec leurs doubles que je venais de taper : « Cette pièce ne m'appartient déjà plus complètement ! Tu l'as lue et la machine l'a digérée... Ensuite, elle sera transposée par la voix et par le jeu des acteurs qui la livreront à des milliers de spectateurs : ce seront ces étrangers finalement qui prendront chaque soir possession de ce qui fut ma pièce... Tu verras qu'un jour, je finirai par écrire une pièce que tu n'auras pas le droit de lire, ni personne ; une pièce qui n'aura qu'un seul exemplaire, mon manuscrit ! Et parce qu'on ne la jouera jamais, elle restera bien à moi ! »

— Voilà une idée assez égoïste, remarqua Langlois, que nous ne pouvons que déplorer ! Quand on a le talent de votre parrain, on n'a pas le droit de le garder pour soi tout seul. On se doit d'en faire profiter les autres...

— Et il faut reconnaître, mon cher directeur, dit Skermine en souriant, que vous vous y entendez à merveille pour faire participer « les autres » aux joies que nous apporte notre auteur ! A raison de douze cents spectateurs par représentation... C'est bien, n'est-ce pas, le nombre de places de votre théâtre ?

— Douze cent quatre-vingt-huit exactement, en comptant les strapontins.

— Admirable précision ! Eh bien, douze cent quatre-ving-huit « participants », cela fait beaucoup de propriétaires de la pièce à la fin de la saison !

— Ne dois-je pas remplir ma mission de directeur ? dit le gros homme avant de s'adresser à nouveau à l'adolescent : Si je comprends bien, vous servez maintenant de secrétaire à votre parrain ?

— Je ne lui « sers » pas de secrétaire : je le suis.

— J'ai pourtant souvenance de lui avoir connu, il y a quelques années, une secrétaire femme, Mlle Solange, qui lui était très dévouée ?

— Elle est partie peu de temps avant mon arrivée.

— En somme, plus de femme autour de lui ! Il a raison : elles sont bavardes. Vous savez aussi la sténographie ?

— Oui, mais elle ne m'est guère utile ici.

— Cependant, pour le courrier ?
— Le courrier ? Il n'y en a jamais !
— Comment cela ? Un auteur aussi illustre qu'André Forval ne reçoit pas de lettres de ses innombrables admirateurs ?
— Il en reçoit des dizaines par jour mais comme il ne les lit jamais, il n'y répond pas et il n'y a donc pas de courrier !
— N'avez-vous pas eu la tentation d'avoir envie de répondre à sa place ?
— Oh, si ! Mais il ne me le pardonnerait pas !
Le visage ouvert et avenant du jeune homme s'était brusquement refermé et figé dans une expression d'impassibilité indifférente. Toute velléité de sourire en avait disparu. Seule l'intensité du regard de feu n'avait pas diminué, mais elle s'était concentrée dans la direction de la petite porte qui venait de se réouvrir...

André Forval était sur le seuil.
Il apparut exactement tel que le directeur l'avait décrit au metteur en scène : sans âge, sans visage marquant, sans personnalité définie.
Vêtu de la robe de chambre bordeaux, il ne semblait ni grand ni petit ; ni obèse ni maigre ; ni beau ni laid. Il était quelconque, sans rien de spécial qui aurait permis de le distinguer au milieu d'une foule d'anonymes. Malgré une cinquantaine bien sonnée, la chevelure était abondante, mais on ne la remarquait même pas : ce n'était qu'une chevelure grise. Les traits du visage n'étaient pas assez accusés pour que celui-ci fût intéressant au premier abord. Le regard était difficile à comprendre : reflétait-il l'intelligence ou le néant ? L'amitié spontanée ou l'inimitié instinctive ? L'indulgence ou la sévérité ? L'orgueil ou l'humilité ? La force ou la faiblesse ? Un regard perpétuellement changeant qui devait pouvoir exprimer tous les sentiments et tous les états d'âme sans qu'aucun fût définitif ou même tout à fait sincère.

Pour celui dont c'était la première rencontre avec l'auteur illustre, la déception était complète. Mais Skermine — dont le métier était d'essayer de comprendre des caractères pour pouvoir les mettre en scène — se demandait si toute cette médiocrité apparente de l'individu n'était pas une « mise en scène » savamment étudiée pour permettre à son auteur de camoufler sa véritable personnalité ? S'il en était ainsi, le personnage, qui venait d'entrer dans le salon, était bien le plus extraordinaire de tous ceux qui avaient été créés par le dramaturge André Forval...

N'était-il pas parvenu à ce que même sa voix fût anonyme, sans éclats, ni douce, ni forte, ni agréable, ni désagréable ? Une voix que l'on était pourtant contraint d'écouter dès qu'elle commençait à parler... Parce que le miracle se produisait : elle ne disait que des choses intelligentes. L'homme devenait alors le plus éblouissant des interlocuteurs.

Pour ceux qui — tel Langlois, le directeur — le connaissaient depuis longtemps, ce n'était jamais le même homme qui entrait dans le jeu. Sous l'unique appellation d'André Forval, c'était un personnage toujours nouveau qui savait s'adapter exactement à ceux qu'il avait en face de lui, à ses partenaires d'un moment, au milieu, au décor... A lui seul, il était toute la comédie et tout le drame, tout le théâtre de la vie. Il était aussi le plus prodigieux des acteurs : l'homme-protée, l'artiste étourdissant dans les rôles de composition immédiate et les transformations ultra-rapides : celui que l'on pouvait rencontrer dix fois de suite sans jamais le reconnaître, sans jamais le retrouver...

Et l'on s'apercevait que, pour pouvoir jouer avec une telle perfection des rôles aussi variés et aussi différents, l'homme — qui, au premier abord, avait paru devoir rester toujours voué à la médiocrité — possédait une immense culture générale et peut-être même une érudition illimitée ? Il n'y avait plus qu'à l'écouter : le flot de richesses verbales se déversait.

submergeait tout, faisait disparaître autour de lui ce qui avait semblé brillant avant qu'il ne s'animât. Face à lui, c'était les autres qui devenaient ternes.

On comprenait aussi que ces trésors de pensée et de sensibilité faisaient la qualité de ses pièces : ne pouvant et ne cherchant même pas à atteindre directement tout le monde par sa seule parole, il utilisait, avec une prodigieuse habileté, les voix de ses interprètes pour répandre dans différentes langues, devant des millions d'auditeurs accourus dans des théâtres, ses propres idées. Et celles-ci séduisaient, enchantaient, parce qu'elles étaient presque toujours axées sur le thème éternel de l'amour. Il était l'homme des pièces d'amour, le porte-parole des amoureuses exigeantes ou déçues, des amants passionnés et insatisfaits...

Le théâtre n'était pour lui qu'un vaste moyen d'expression. Le cinéma, la télévision, la radio avaient largement puisé dans son œuvre mais il avait toujours fait preuve d'une certaine méfiance à l'égard de ces moyens mécaniques de reproduction de la pensée. De même qu'il ne commençait à s'animer intensément que lorsqu'il était en présence d'un auditeur, de même il voulait que la vie s'exprimât devant cet immense auditoire inconnu qui avait nom « le spectateur ». Et seul, selon lui, le théâtre, avec ses acteurs en chair et en os et son contact direct avec une salle vibrante, pouvait apporter la réalité.

Il y avait à la base, servant de tremplin à la foule de personnages qui naissaient en lui et qu'il créait de toutes pièces, deux êtres diamétralement opposés : celui qui semblait ne s'intéresser à rien tant qu'il restait volontairement dans une sorte de léthargie anonyme et celui qui mettait tout en œuvre pour convaincre les autres à l'instant même où il s'évadait de sa torpeur. Il y avait le mort-vivant et celui qui aimait répandre la vie.

Il avança, sans hâte, dans le salon. Il ne tendit la

main à personne : la démagogie de ce geste inutile devait lui répugner. Mais il n'y avait aucune morgue dans cette réserve.

Comme Langlois l'avait annoncé, il « attaqua » le premier et, à partir de cette seconde, Skermine se sentit subjugué.

— Je suis enchanté, dit-il, de savoir que vous acceptez, mon cher Skermine, de mettre ma pièce en scène.

— Mais, Maître, c'est moi que devrais vous remercier !

— Ne m'appelez pas « Maître » : c'est ridicule ! Quand j'avais écrit ma première pièce, je l'avais adressée, non sans appréhension, à un auteur dramatique alors en renom, en lui demandant s'il consentirait à la lire pour me donner son opinion. Il me retourna le manuscrit le soir même, accompagné d'un billet où il me disait : « *Vous avez eu le plus grand tort de commencer votre lettre par ce mot* « *Maître* » *que je déteste ! Vous mériteriez que je mette à mon tour sur cet envoi : Archi-Maître André Forval... Et vous deviendriez aussitôt ridicule pour le facteur et pour votre concierge ! N'oubliez jamais que le ridicule tue un auteur ! Ne voulant pas accroître cette première impression désastreuse que j'ai à votre endroit, je n'ai pas voulu lire votre manuscrit. Je ne le ferai que le jour où vous m'appellerez Monsieur, comme tout le monde.* » Je n'ai jamais renvoyé aucun manuscrit à cet auteur, dont le seul malheur a été de disparaître trop longtemps après ses œuvres qui ont été enterrées avant lui ! Mais je lui garde une reconnaissance infinie pour la leçon de simplicité qu'il m'a donnée. Donc, si nous le pouvons, cher monsieur Skermine, essayons, vous et moi, de rester nous-mêmes ! Ce ne sera qu'à cette condition que nous parviendrons à faire du bon travail ensemble.

Pendant qu'il parlait, Skermine l'avait observé avec une curiosité grandissante.

— Qu'est-ce que vous avez ? demanda brusquement Forval. Vous m'étudiez avec une telle minutie que ce serait à croire que vous avez l'intention de me mettre en scène, moi aussi ?

— Ce serait mon plus beau titre de gloire ! Malheureusement pour moi, vous n'avez pas besoin de metteur en scène : vous vous suffisez à vous-même...

Cette réponse amena un léger sourire sur les lèvres sceptiques du dramaturge qui continua, plus aimable :

— Maintenant, je vous écoute tous les deux au sujet de cette « découverte » dont Langlois m'a parlé ce matin au téléphone.

— Comme j'ai appris, commença le directeur, à connaître certaines de vos réactions, je ne vous reparlerai de notre « découverte » que si vous me redites que vous maintenez formellement votre décision de faire interpréter le principal rôle féminin — disons même le rôle essentiel de *La Voleuse* — par une artiste nouvelle et complètement inconnue ?

— Mon cher, je n'ai pas pour habitude de changer d'avis. Mais encore faut-il que cette artiste réponde exactement au physique et à la personnalité du rôle.

— Elle est votre *Voleuse !* affirma avec force le directeur.

— C'est aussi votre avis, monsieur Skermine ?

— Oui.

— A vous deux, vous ne devriez pas pouvoir tellement vous tromper.

Langlois, toujours prudent, demanda encore :

— Vous n'avez pas de regrets au sujet d'Edwige Maniel ?

— Aucun. C'est une remarquable comédienne qui parviendrait certainement à s'accommoder du rôle mais, pour cette pièce, elle aurait à vaincre deux obstacles redoutables : elle a presque trop de métier — ce qui ôterait de la vérité au personnage — et elle est un peu âgée.

— Elle est tellement adroite ! En scène, elle fait encore illusion...

— C'est justement ce que je ne veux pas : l'illusion ! Il me faut la réalité que seule une femme de vingt-cinq ans pourra apporter.

— L'âge exact de notre découverte, murmura Skermine.

— C'est déjà un bon point pour elle. N'oublions pas qu'elle aura en face d'elle Paul Vernon, qui fait à peine trente ans en scène. Lui est bien l'homme de son rôle... D'ailleurs, n'est-il pas, de loin, notre meilleur jeune premier dramatique ? Et je pense que son nom, rendu doublement célèbre par la scène et par l'écran, pourrait contribuer à intensifier le mouvement de curiosité du public sur celui de l'inconnue qui tiendra la tête d'affiche au-dessus du sien... Langlois, vous avez bien spécifié cette clause dans le contrat de Vernon ?

— Il l'a acceptée. Je dois avouer que cela n'a pas été tout seul ! Il est susceptible, le monsieur !

— Quand il s'agit de leur place sur l'affiche, tous les comédiens sont pareils ! Aucun intérêt pour moi... Il devrait s'estimer très heureux que j'aie bien voulu lui confier ce rôle.

— Il l'est ! C'est bien pourquoi il a fini par signer ! Seulement, mettez-vous à sa place : il est intrigué... Pour qu'un auteur, tel que vous, réserve la grande vedette à une débutante, il est en droit de supposer que vous avez une femme prodigieuse à révéler. D'autant plus que le rôle de la femme est écrasant.

— Je veux une inconnue, c'est tout ! Un couple d'artistes aussi célèbres qu'une Edwige Maniel et qu'un Paul Vernon ne m'apporte rien ! On les a déjà vu jouer quatre fois ensemble dans des pièces d'autres auteurs : c'est beaucoup trop ! D'autant plus que c'étaient des œuvres assez quelconques, où leur présence était indispensable pour appâter le public hésitant... Ce n'est nullement nécessaire pour ma pièce : ce sera d'abord elle que l'on viendra voir, et ses interprètes par surcroît.... Ne pensez surtout pas, messieurs, que ce soit là chez moi un orgueil déplacé mais j'ai sincèrement l'impression d'être devenu — depuis longtemps déjà — la première, disons l'unique vedette de mes pièces. N'est-ce pas votre avis ?

Le directeur et le metteur en scène approuvèrent d'un hochement de tête. Il continua, sûr de lui :

— Une mauvaise pièce n'a jamais été sauvée par de grands acteurs, tandis qu'une bonne pièce se défend toujours, même si elle n'est jouée que par des artistes assez médiocres. Ce qui ne veut pas dire que « notre » inconnue doit être banale. Je la veux, au contraire, absolument extraordinaire ! Quand me l'amenez-vous ?

Langlois eut une courte hésitation avant de répondre :

— Ce ne serait peut-être pas la bonne méthode pour que vous puissiez avoir une opinion valable...

— Mais puisque vous m'avez dit, au bout du fil, qu'elle n'avait jamais fait de théâtre, on ne peut donc pas aller la voir à son insu pour se faire une première idée ?

Le directeur hésita une seconde fois avant d'avouer :

— C'est-à-dire que vous pourriez la voir mais pas exactement dans une pièce de théâtre puisqu'elle n'en a, en effet, jamais joué... Elle fait actuellement un tour de chant...

— Une femme de music-hall ? Ah ça, vous êtes fous, tous les deux ?

— Plutôt une femme de cabaret... Oh ! de tout petit cabaret ! Elle passe dans un établissement à peu près aussi inconnu qu'elle...

— Où cela ?

— A Montparnasse... Cela se nomme *Les Idées Noires !*

— Avec un nom pareil, il ne doit pas être très gai, ce cabaret !

— Il est même sinistre...

— Et la femme, comment se nomme-t-elle ?
— Olga...
— Olga quoi ?
— Olga tout court... Avant son apparition, on l'annonce ainsi : « La belle Olga »...
— Ce serait de parfait mauvais goût sur l'affiche de ma pièce.
— Elle a sûrement un nom de famille quelconque, mais nous avons trouvé que c'était peut-être superflu de le lui demander avant que vous ne l'ayez vue. Et puis, un nom de théâtre, ça se fabrique !
— Pas si facilement que vous le pensez, Langlois ! Comment est-elle ?
— Très belle ! Rousse, avec des yeux verts... Je vous répète qu'elle est votre *Voleuse !*
— Qu'est-ce qu'elle fait exactement dans ce cabaret ?
— Je vous l'ai dit : ce qu'elle croit être « un tour de chant ».
— C'est mauvais ?
— Très mauvais ! Mais cela n'a aucune importance : elle obtient un triomphe !
— Un triomphe dans ce beuglant inconnu ?
— Un triomphe par rapport aux autres artistes qui y sont sifflés, dit posément le metteur en scène. C'est d'ailleurs un établissement où il doit être plutôt malaisé de faire un succès...
— Pourquoi ?
— La clientèle...
— Qu'est-ce qu'elle a donc de particulier, cette clientèle ?
— Elle ne vient pas spécialement là pour applaudir les artistes.
— Et « la belle Olga » arrive quand même à se faire écouter ?
— Parce qu'elle est très belle ! répéta le directeur. Ce qui est assez sympathique, c'est qu'elle semble se moquer éperdument de ce succès. Elle ne s'occupe

pas du tout du public pour lequel on dirait même qu'elle a le plus profond mépris.

— Sans doute est-ce la raison pour laquelle le public s'intéresse à elle : il lui arrive parfois d'aimer qu'un artiste ne lui fasse aucune concession... Messieurs, je l'avoue : vous m'intriguez... Mais comment diable avez-vous déniché cette femme dans un endroit pareil ?

— C'est Skermine qui en a eu l'idée.

— Je vois, Langlois, que vous dégagez déjà vos responsabilités ! Parlez, Skermine...

— Cela s'est fait par le plus banal des hasards... Voici une semaine environ, j'ai été dîner chez de vieux amis qui habitent Montparnasse. En sortant de chez eux, je suis passé devant l'entrée de ces *Idées Noires,* dont je n'avais pas plus entendu parler que vous. Une entrée, je l'avoue, qui fait très misérable, avec un éclairage miteux au néon et un portier famélique — dont l'uniforme se limite à une casquette galonnée d'or et trop grande pour sa tête — qui a pour mission de s'époumoner en disant aux rares passants de la rue déserte : « Dans quelques instants, la belle Olga ! Le champagne n'est pas obligatoire. Consommations à des prix raisonnables. » Après avoir entendu une invite aussi tentatrice, qui fleure le racolage, on se doute un peu de la clientèle que l'on va trouver à l'intérieur de l'établissement... Malgré cela, j'y suis entré... Peut-être parce que ça sentait la misère ? L'enseigne aussi me fascinait. N'évoque-t-elle pas à la fois l'inquiétude et le désastre, le mal et la désespérance ? Quand je franchis la porte, j'eus droit à un large coup de casquette de l'homme famélique... Mais presque aussitôt je crus étouffer, tellement la salle était enfumée : une odeur de mauvais tabac et d'alcool frelaté prenait à la gorge. Je me croyais brutalement transporté dans l'un de ces bouges de port que l'on ne trouve plus que dans des films éculés. C'était à peine croyable de me dire que j'étais encore à Paris ! Comme je le pressentais, la clientèle était des plus quelconques : des représentants de commerce échoués là avec l'idée qu'ils menaient la grande vie, des étudiants débraillés, beaucoup d'hommes mal rasés... On n'y trouvait pas de femmes, à l'exception de quelques entraîneuses pitoyables qui allaient de table en table pour essayer de pousser les clients à la consommation... Un maître d'hôtel — ou du moins un individu qui se prenait pour tel parce qu'il avait la chance de porter un habit râpé — s'avança vers moi : « Une bonne table pour Monsieur ? Bien placée près de la scène ? » Après avoir décliné son offre, je m'installai sur le seul tabouret, encore libre, du petit bar situé à gauche de la salle. Derrière ce bar, se tenait un personnage insensé : imaginez une sorte de colosse bestial, portant de courtes moustaches à la manière des séducteurs du cinéma muet, le cheveu noir et lisse, vêtu d'une blouse de barman à la blancheur douteuse... Un colosse à la voix grasseyante et pateline, qui essayait de se faire « commerciale » pour amadouer la clientèle, aux yeux à la fois bovins et méchants qui observaient tout ce qui se passait dans la salle : je compris que la veste crasseuse n'était destinée qu'à cacher l'idendité du véritable patron de l'établissement... Et quand je dis patron, je suis plutôt poli ! Plusieurs fois, au cours de la soirée, j'entendis le « maître d'hôtel » et le « portier » l'appeler avec un respect, mêlé de crainte : « Monsieur Raoul... » Et M. Raoul tonnait derrière son comptoir : « Tu ne vois donc pas, triple idiot, qu'ils n'ont plus rien dans leurs verres à la table 6 ? Flanque-leur d'office une deuxième tournée.... Ils trouveront bien le moyen de payer !.... Et la Mado, qu'est-ce qu'elle fiche à la table 12 ? Ils devraient déjà en être à la troisième bouteille ! Si elle ne connaît pas son métier, celle-là, elle n'a qu'à f... le camp ! » Quand je commandai une modeste bière à M. Raoul, il me jeta un regard où se lisait tout le mépris du monde... Je n'avais plus qu'à attendre sagement sur mon tabouret.

— Nous aussi, Skermine ! remarqua André Forval, qui dissimulait mal un certain agacement.

— Je sais, mon cher auteur, que je vous fais un peu attendre mais il m'a paru indispensable de vous décrire d'abord l'atmosphère et l'ambiance du lieu où s'exhibe votre future interprète... Peu à peu, je finis par me familiariser avec la demi-obscurité : au fond de la salle, qui n'est d'ailleurs pas grande, j'entrevis une estrade surélevée, masquée par un rideau noir. L'encadrement de cette « scène » de fortune est fait d'un motif décoratif en staff poussiéreux, d'assez mauvais goût, sur lequel sont peinturlurés des corps de femmes nues entrelacées ; au sommet de cet encadrement et juste au-dessus du centre du rideau fermé, la mauvaise fresque aboutit à un étrange démon qui a un visage de fille et dont les ailes sont noires. Je compris que c'était la matérialisation de l'enseigne de l'établissement... A droite de la scène, un maigre orchestre — composé d'un pianiste, d'un saxophoniste et d'un batteur — déversait des flots de rengaines, ponctués par le bruit des soucoupes et des verres. Un nombre respectable de « demis » vides, accumulés sur le couvercle crasseux du piano, expliquait comment les musiciens parvenaient à trouver l'inspiration pour continuer à jouer dans un tel brouhaha. Toutes les cinq minutes, la clientèle scandait en chœur le prénom « Olga... Olga ! » avec une impatience grandissante. Ils n'étaient tous là que pour la belle Olga... Et il y eut une exclamation de satisfaction générale quand le rideau s'ouvrit enfin... Mais celle-ci se transforma bientôt en cris de réprobation féroces. Ce n'était pas Olga qui occupait la scène mais un malheureux illusionniste, qui dut exécuter son numéro sous de véritables huées : un spectacle atterrant ! Je ne respirai que lorsque le rideau se fut refermé sur un geste de désespoir de l'artiste. La salle, insensible à cette détresse, continuait à scander de plus en plus fort : « Olga ! Olga ! » Quelques instants plus tard, le rideau se rouvrit :

ce n'était pas encore la belle Olga — qui, décidément, semblait mettre son point d'honneur à se faire désirer — mais une strip-teaseuse... Comme la fille était loin d'être laide, le désappointement fut de courte durée et un silence relatif se fit pendant son numéro qui s'intitulait : « Le strip-tease littéraire ».

— Qu'est-ce que vous dites ? rugit André Forval.

— Mais oui, mon cher auteur... C'était ainsi qu'une voix éraillée avait annoncé la fille dans un microphone... Ce n'était qu'un demi-mensonge : quand le rideau s'était ouvert, la jolie personne semblait envoûtée par la lecture d'un roman... Mais, peu à peu, sans abandonner le livre qu'elle tenait dans sa main droite et sur lequel son regard restait rivé dans une lecture passionnée, elle commença à se déshabiller progressivement en ne se servant que de sa main gauche. Ce qui prouve qu'une fille adroite peut très bien avoir, en même temps, deux activités diamétralement opposées ! Lorsqu'elle nous apparut complètement dévêtue, à une toute petite exception près, elle laissa tomber le livre pour cacher de ses deux mains, dans un geste de vierge effarouchée, la partie la plus mystérieuse de son anatomie... Et le rideau se referma, cette fois, sur des tonnerres d'applaudissements !

— C'est insensé ! grommela Forval. Je me demande quelle lecture cette fille avait choisie pour faire ce genre de travail ?

— Mais elle a pris bien soin de nous montrer la couverture du livre... Vous ne devinez pas ? Celui dont le titre seul résume tout, aujourd'hui comme hier : *Les Liaisons Dangereuses*...

— Il y a vraiment des gens pour assister à de pareilles exhibitions ?

— On s'y bouscule ? Les amateurs considèrent que le strip-tease est une nouvelle forme de l'art !

— Et votre belle Olga, a-t-elle enfin apparu ?

— Oui... Ce fut le vrai triomphe ! Elle avait bien

choisi son moment : la strip-teaseuse avait créé l'ambiance...

— A qui ressemble-t-elle, cette Olga ?

— A personne ! C'est bien ce qui fait son succès... Mais je préfère ne pas vous la décrire : vous pourriez être déçu ! Il vaut mieux que vous jugiez par vous-même.

— Pour cela, il faudrait me rendre, moi aussi, dans ce beuglant ?

— Comme je l'ai fait hier soir sur les conseils de Skermine ! avoua le directeur.

— Votre opinion ?

— Skermine a raison : cette femme est *La Voleuse !*

— Vraiment ? Et vous avez pensé cela, tous les deux, en la voyant se déshabiller comme sa camarade ?

— La belle Olga n'est pas une strip-teaseuse ! Si elle vous entendait la juger ainsi, je crois que vous la vexeriez horriblement !

— Pour connaître ainsi sa mentalité, c'est donc que vous lui avez parlé, Skermine ?

— Je m'en suis bien gardé ! Elle ne sait même pas que nous existons, Langlois et moi. Mais vous êtes assez psychologue, mon cher auteur, pour savoir qu'il n'est pas nécessaire de parler avec une femme pour connaître ses pensées ! Il suffit de contempler la belle Olga pour comprendre qu'elle ne se prend pas pour n'importe qui !

— Dans ce bouge ?

— Sa présence en un tel lieu est, à mon avis, un mystère que nous éclaircirons peut-être un jour. Mais ce dont nous pouvons être certains, c'est que — même si vous la jugez incapable ou indigne de vous interpréter — elle ne restera pas longtemps aux *Idées Noires !*

— Alors qu'y fait-elle, si elle ne s'y déshabille pas ?

— Je vous l'ai dit : elle y chante !

— Belle voix ?

— Pas de voix ! Ecoutez-vous quelquefois la radio, mon cher auteur ?
— Je m'en garde bien !
— Si vous aviez commis ce péché, vous vous seriez aperçu que la seule chose que l'on demande aux chanteuses, à notre époque, est de ne pas avoir de voix ! Ce sont plutôt des diseuses !
— Et elle « dit » bien, votre découverte ?
— Non ! répondit vivement Skermine. Elle ne sait rien faire d'autre que d'être elle-même... Mais ce n'est déjà pas si mal !
— En somme, une personnalité ?
— Une vraie !
— Elle tient longtemps la scène ?
— Si ça ne dépendait que du public, elle y resterait pendant toute la nuit ! Mais la fille n'est pas sotte : après avoir débité trois chansons — pas une de plus ! — elle disparaît. Ses admirateurs ont beau la rappeler, trépigner, tempêter, siffler même... Tout est inutile : la belle Olga connaît l'art suprême de se faire désirer encore plus après qu'avant ! J'avoue que moi-même, je suis parti aussitôt après son numéro ; le sinistre établissement, livré à sa seule clientèle, n'offre plus aucun attrait... On a même l'impression que privé d'Olga, le bouge a perdu ses attraits démoniaques ! Pendant que je rentrais chez moi, je me sentais comme obsédé : pour moi, les *Idées Noires*, c'était d'abord cette femme... Quelques jours passèrent jusqu'à ce que notre ami Langlois m'eût convoqué, hier matin, pour me remettre le manuscrit de votre nouvelle pièce. Quand je le retrouvai l'après-midi pour lui dire à quel point votre œuvre m'enthousiasmait, il m'annonça que votre plus grand désir était de voir une inconnue interpréter le rôle principal... Aussitôt — je ne sais trop pourquoi ? — la silhouette, le visage, la voix même de la femme entrevue se superposèrent, dans mon esprit, à votre héroïne. La vision avait une telle force que je n'imaginai plus d'autre *Voleuse* que cette Olga ! Et je conti-

nue à ne voir qu'elle ! Cela peut paraître insensé, mais c'est ainsi ! C'est pourquoi j'ai entraîné presque de force, dès hier soir, notre directeur au cabaret... Croyez bien qu'avant de voir la créature, il m'a accablé de tout ce que vous-même, mon cher auteur, avez encore le droit de me dire puisque vous ne la connaissez pas.

— J'étais furieux ! reconnut Langlois. J'avais tellement l'impression que ce Skermine, avec son entêtement de Slave, allait me faire perdre mon temps !

— Mais, quand vous êtes ressorti de l'établissement, vous aviez changé d'avis ? dit le metteur en scène souriant.

— C'est vrai ! Il avait raison, ce diable d'homme ! André Forval, vous devez voir cette femme ! Elle est aussi bouleversante que votre héroïne, dont elle a sûrement tous les défauts !

— Et ses qualités ? demanda Forval.

— Vous savez très bien que vos héroïnes n'ont jamais de qualités, mon cher auteur ! Ce serait à croire que c'est vous aussi qui avez créé cette Olga de chair !

Il y eut un long silence avant que le dramaturge ne parlât :

— Il est certain, messieurs, que cette femme vous a complètement conquis ! Elle n'en a que plus de mérite car, l'un et l'autre — ceci étant dit sans chercher nullement à vous vexer — donnez plutôt l'impression d'être des hommes n'ayant plus rien à apprendre des femmes ! J'avoue que c'est amusant !

Et, pour la première fois depuis le début de l'entretien, il se retourna vers l'adolescent qui avait assisté, muet et impassible à leur conversation comme si sa présence avait été négligeable.

— Tu les as entendus, petit ?

— Oui.

— Ne penses-tu pas qu'ils sont complètement fous ?

— Je ne sais pas...

— C'est vrai : j'oubliais... Tu ne sais jamais rien

quand je te pose une question ! Et pourtant tu sais une foule de choses puisque je te les ai apprises ! Seulement Monsieur les garde jalousement pour lui !

Le visage, déjà très pâle de l'adolescent, sembla blêmir davantage mais il sut rester silencieux.

— Par moments, tu es exaspérant ! grommela Forval. Et ils sont tous comme toi dans ta génération ! C'est la nouvelle mode : ils se taisent pour faire croire qu'ils pensent ! Mais si vous saviez, messieurs, à quoi ils pensent ! A rien ou à eux, ce qui revient au même... Ils se contentent de se regarder vivre parce qu'ils sont convaincus d'être les seuls personnages intéressants au monde ! Leur orgueil les tue ! Tu pourrais quand même me dire si tu m'imagines allant dans ce lupanar ?

— C'est vous seul qui décidez toujours, parrain... Alors ? Pourquoi me demander mon avis ?

— Parce que les sorties nocturnes, petit crétin, sont plus de ton âge que du mien ! Mon cher Langlois, si ça se savait qu'André Forval a été vu dans votre beuglant, je deviendrais la risée de tout le monde !

— Vous vous occupez du qu'en-dira-t-on, un homme tel que vous ?

— Je me moque des sottises que l'on peut dire sur moi, mais je me méfie de la mémoire de ceux qui leur attachent de l'importance !

— En tout cas, je puis vous garantir, affirma le directeur, que personne au monde ne pourra se douter de votre présence aux *Idées Noires :* votre nom n'y sera prononcé que si vous le désirez.

— Mais pourquoi, après tout, cette fille ne viendrait-elle pas faire ce que vous appelez « son tour de chant » ici, devant moi ?

— Ce serait une double erreur pour elle et pour vous, dit Skermine. En supposant même que nous parvenions à la décider à se déplacer, elle serait automatiquement prévenue, donc beaucoup moins naturelle que dans ce cabaret où elle doit se sentir chez elle... N'oubliez pas non plus que, même pour une artiste chevronnée, vous êtes un personnage plutôt impressionnant ! A plus forte raison lorsqu'il s'agit, comme c'est le cas, d'une débutante... Et vous-même risqueriez de ne pas la voir telle qu'elle est réellement : la première fois, il faut que vous la découvriez, comme nous, dans son ambiance... Après avoir lu votre pièce avec beaucoup d'attention, j'y ai longuement réfléchi : le thème fondamental n'en est-il pas celui d'un femme belle, mais assez quelconque — presque vulgaire sous sa splendeur insolente — qui parvient peu à peu, grâce à sa prodigieuse sensualité, à arracher un homme au monde raffiné et cultivé dans lequel il vit depuis sa jeunesse, pour l'entraîner vers une déchéance totale ? Et lc jour où elle a atteint ce résultat, elle retourne — triomphante et parfaitement satisfaite — vers son « milieu », dont elle ne peut se passer, en laissant l'homme seul, désemparé, marqué pour le restant de ses jours ? C'est bien cela, votre pièce ? C'est bien elle, votre héroïne ? Très justement, vous l'avez appelée *La Voleuse*... Mais la pièce aurait pu avoir un autre titre, qui lui aurait tout aussi bien convenu : *La Destructrice*... Mon cher Maître — ne m'en veuillez pas si je vous appelle à nouveau ainsi, mais ce n'est pas par flagornerie : je le pense sincèrement ! — vous avez peut-être écrit là l'œuvre la plus déchirante de toute votre carrière, la plus impitoyable aussi sur l'égoïsme de la femme... Eh bien, il suffit de regarder et d'écouter cette Olga pour comprendre qu'elle exhale tous les égoïsmes du monde !

— Skermine, si vous le vouliez, vous seriez un merveilleux acteur : vous parviendriez à convaincre, à vous seul, des salles entières ! Mais je vous préfère encore comme metteur en scène : la description colorée, que vous venez de nous faire du cabaret, prouve qu'aucun détail ne vous échappe. Dans mon esprit, c'est un excellent point en votre faveur : je me félicite de plus en plus de vous avoir confié cette mise en scène... Alain ? — il s'adressait à nouveau à l'adolescent — qu'est-ce que « nous » décidons ?

Le jeune homme répondit avec douceur :

— Je crois, parrain, que vous devriez suivre les conseils de ces messieurs...

— Toi aussi ? Alors, c'est une conspiration ? Tout le monde se ligue contre moi !

Il hésita encore :

— Vous savez pourtant tous combien il me répugne de sortir tard le soir... Vers quelle heure votre femme-prodige passe-t-elle ?

— Minuit environ.

— L'heure à laquelle le sommeil m'est le plus profitable ! Si vous, messieurs les gens de théâtre, n'êtes que des oiseaux de nuit, sachez que je suis à ma table de travail tous les jours à six heures du matin pour écrire quelques-unes de ces répliques de pièces qui vous font vivre...

— Il vous arrive pourtant, remarqua Langlois, de ne rentrer parfois qu'à une heure du matin quand vous allez assister aux répétitions générales ?

— Je ne vais jamais aux Générales, ni aux Premières... Pour voir la pièce d'un confrère, j'attends toujours qu'elle ait dépassé la trois centième : c'est déjà un premier critérium et cela limite considérablement mes sorties !

— J'avoue, reconnut le directeur, ne vous avoir jamais vu non plus assister à la générale de l'une de vos propres pièces ! Vous préférez attendre ici que je vienne vous en apporter le compte rendu. Bien souvent, j'ai regretté votre absence ces soirs de triomphe où des salles délirantes acclament votre nom dès qu'il est annoncé à la fin de la représentation. Je n'ai jamais compris que vous puissiez vous priver de pareils moments d'émotion...

— De cabotinage ! devriez-vous dire. Vous ne voudriez tout de même pas que par ma présence — qui ne rajoutera rien à la valeur de la pièce — j'aille quémander des congratulations à ce détestable public des

Générales, qui a tout vu, qui est blasé, qui ne m'applaudit que par snobisme alors qu'il me jalouse un peu plus à chaque nouveau succès ? Je préfère laisser à mes interprètes la totalité des applaudissements : pourquoi leur voler quelques parcelles de la juste récompense dont ils ont besoin ?... Qui sait, messieurs ? Peut-être qu'un jour prochain, on applaudira ainsi cette Olga ailleurs que dans un beuglant ?

— Ce qui signifie que vous acceptez d'aller la voir ?

— Eh oui ! Je capitule...

— Vous ne le regretterez pas ! Quand cela ?

— Le plus tôt sera le mieux pour ne pas retarder les répétitions, au cas où, moi aussi, je me sentirais touché par la grâce de cette belle inconnue ! Que diriez-vous de ce soir ?

— Je cours retenir une table ! s'écria Skermine.

— Mais que ce ne soit pas à mon nom, surtout ! Ce soir, je me contente de n'être que votre invité... le cousin de province qui vient découvrir les splendeurs de la capitale... Vous m'avez bien compris ? Personne ne doit savoir. Personne !

— C'est promis. Aimeriez-vous qu'avant de nous rendre là-bas, nous dînions dans un restaurant, pour tuer le temps ?

— Non. J'ai suffisamment de travail pour savoir m'occuper en vous attendant. Passez me prendre vers onze heures et demie... Et toi, ça t'amuserait de venir avec nous ?

Pour la troisième fois, il s'était adressé au jeune garçon qui répondit sans hésiter, presque avec enthousiasme :

— Oh, oui !

— Une telle spontanéité, messieurs, ne laisserait-elle pas supposer que ce garçon s'ennuie à mourir ici ?

— Non, parrain, mais ça me changerait un peu...

— Après tout, peut-être as-tu raison ! Demain matin, tu n'as pas de cours trop matinal à la Faculté ?

— Non.

— Il faut vous dire, messieurs, qu'Alain vient de commencer sa vie d'étudiant : une première année de licence de Lettres...

— Déjà ? fit Langlois.

— Il est grand temps ! A son âge, j'étais déjà en deuxième année...

— Oh ! Vous, c'est différent ! remarqua le directeur. Vous deviez être un as ?

— Et pourquoi voulez-vous que mon filleul n'en soit pas un ? Alain a tout ce qu'il faut pour aller très loin...

— Auteur dramatique, peut-être ? demanda Skermine.

— Ce n'est pas une vocation que l'on peut se transmettre aisément de parrain à filleul ! De plus, je ne lui souhaite pas d'être habité par le démon de la dramaturgie... Par aucun démon d'ailleurs, à l'exception de celui qui le poussera à vouloir sans cesse accroître sa culture générale et ses connaissances... Seulement, est-ce un démon ? ou un ange qui n'est pas noir ? Je pense, messieurs, que nous nous sommes tout dit. A ce soir...

Il avait sonné : le serviteur parut.

— Ali, reconduis ces messieurs.

Ce fut fait avec le même cérémonial qu'à l'arrivée, dans le même silence...

Dès que Langlois et Skermine se retrouvèrent dans la voiture du directeur, celui-ci dit :

— J'ai l'impression que nous progressons... L'avantage de cette fille, c'est qu'elle ne coûtera rien et, comme je lui aurai donné sa première chance, je spécifierai dans le contrat que je conserve une option privilégiée sur elle pour les cinq premières pièces qu'elle jouera. Je ne risque absolument rien : si André Forval la choisit pour *La Voleuse*, elle est lancée... seulement, la voudra-t-il ? Il s'est quand même bien fait tirer l'oreille avant de se décider à aller la voir !

— Mettez-vous à sa place : il a écrit une pièce

admirable pour laquelle nous lui présentons une femme impossible !

— C'est bien pourquoi elle lui plaira : Forval est tout le paradoxe du théâtre !

— Notez bien que quand je dis qu'elle est « impossible », cela ne veut nullement dire qu'elle ne soit pas capable d'être le personnage ! Au contraire : elle l'est ! Puisqu'il voulait à tout prix une inconnue, j'ai joué le jeu... Le seul point qui m'inquiète, c'est que j'ai un peu l'impression qu'André Forval est un homme qui prend radicalement — et presque par principe — la contrepartie de tout ce qu'on lui suggère, de tout ce qu'on lui propose.

— Vous êtes dans l'erreur : le bonhomme est beaucoup trop intelligent pour être systématiquement « contre »... Même s'il n'est pas de votre avis, il fera d'abord semblant de s'y ranger et ce ne sera que, progressivement, à coups de pattes de velours qu'il parviendra très facilement, mon cher Skermine, à vous faire comprendre que vous n'êtes qu'un imbécile !... Parce qu'en fin de compte — et j'ai été mieux placé que personne depuis plus d'un quart de siècle pour m'en apercevoir ! — c'est toujours lui qui a raison. C'est pourquoi il a le dernier mot ! Vous verrez pendant les répétitions ! Vous bougonnerez, vous tempêterez, vous le maudirez, vous le haïrez et finalement vous reconnaîtrez qu'il est dans le vrai ! Si la belle Olga est réellement la femme du rôle, comme nous le pensons vous et moi, il lui donnera le rôle. Si elle ne l'est pas, il le sentira et il nous dira pourquoi.

— Même s'il trouve qu'elle est sa *Voleuse*, ne craignez-vous pas qu'il nous en veuille d'avoir découvert sa future interprète avant lui ?

— Puisqu'il nous en a chargés !

— Cet homme-là, faire vraiment confiance à quelqu'un ? Mais, mon cher directeur, il y a en lui toutes les méfiances de la terre ! Je suis déçu : je pensais que vous le connaissiez mieux que moi !

— Je dois trop le connaître pour avoir conservé

sur lui un jugement rationnel... Mais vous, qui venez de le voir pour la première fois, quelle impression vous a-t-il faite ?

— Celle d'un homme qui sait très bien ce qu'il veut ; un point, c'est tout... Dites-moi : il assiste aux répétitions ?

— A toutes ! Il ne disparaît qu'une heure avant la Générale.

— Ça promet ! Soyez franc : quand on met en scène et qu'on l'a à côté de soi, ça ne doit pas être facile, le travail ?

— C'est odieux !

— Merci de cet aveu... Ça va être gai ! Enfin, j'en ai vu d'autres avec des auteurs qui, eux, n'avaient pas de talent... Je crois que je préfère quand même l'intelligence odieuse...

— Skermine, vous qui êtes un bon psychologue, qu'est-ce que vous pensez du filleul ?

— Sympathique, ce garçon...

— C'est tout ?

— Vous voudriez que j'exprime à haute voix ce que vous pensez tout bas ? A quoi cela servirait-il ? Dans ce domaine, mon cher, on n'est jamais sûr de rien ! Je reconnais que ce jeune Alain est beau, très beau... Mais ça ne veut rien dire !

Pendant qu'ils échangeaient leurs impressions sur le « filleul », André Forval ne se gênait nullement pour donner à l'adolescent son opinion sur ceux dont il venait de recevoir la visite :

— Ce directeur est bien comme la plupart de ses confrères actuels : un timoré qui ne prend aucun risque et qui n'a jamais d'opinion. Pour le choix de ma future interprète, il se retranche prudemment derrière son complice, le metteur en scène... Je ne me suis jamais fait d'illusions sur les raisons pour lesquelles il monte toutes mes pièces : parce qu'elles ont du succès ! Mais il ne risquerait jamais l'aventure avec un auteur débutant... Autrefois, les directeurs de théâtre étaient presque des messieurs ; aujourd'hui, ce ne sont plus que des loueurs de salles ! Et encore, je m'estime très heureux d'avoir affaire à un homme ! Sur une quarantaine de théâtres à Paris, il y en a près de trente qui sont dirigés par des femmes ! La plupart d'entre elles sont d'anciennes comédiennes qui se sont fait « offrir » leur théâtre par un vieil admirateur — ce doit être le cadeau de rupture ! — en se disant que, même si le public ne veut plus d'elles, elles continueront à s'imposer à lui en se réservant un rôle dans chaque pièce qu'elles montent ! Et, si elles ne peuvent vraiment plus se montrer sous les feux de la rampe, elles veulent signer les mises en scène. Les malheureux auteurs doivent subir stoïquement les caprices ou les humeurs de ces dames : l'une, qui a largement dépassé la soixantaine, s'obstine à vouloir encore interpréter les rôles de jeune première... Telle autre refuse d'engager dans son théâtre une comédienne, qui serait excellente pour un rôle, uniquement parce qu'elles ont eu jadis des rivalités amoureuses... Et l'on n'en sort plus ! Il y a même maintenant des petites poules qui se font offrir un théâtre après le vison, le collier de perles, la voiture et l'appartement : le fait de posséder un théâtre leur confère le droit de se ranger sous la bannière des starlettes. Elles ne connaissent rien au difficile métier de directeur mais ça ne les empêche pas d'avoir des prétentions ! Elles trouvent généralement leurs commanditaires parmi les entrepreneurs de construction : les immeubles en fibrociment, ça paie... Quand le bâtiment va, tout va ! Piètres directrices ! Pauvre théâtre ! Plus tard, n'écris jamais de pièces, mon petit Alain : il n'y aura plus personne pour les monter !

— Ne m'avez-vous pas dit que votre père vous avait donné le même conseil ?

— Oui. Il détestait les directeurs de théâtre, mais pas pour les mêmes raisons que moi : il était critique ! Il détestait d'ailleurs tout le monde... Moi le premier ! C'est bien pourquoi je n'ai jamais écouté ses conseils... Par contre, j'ai eu la chance d'avoir en ma mère un soutien prodigieux : une femme admirable qui sut être artiste dans tous les domaines, avant même d'être mère !

Il se tut. A chaque fois qu'il évoquait — et c'était fréquent — le nom de la disparue, il en était ainsi : une grande ombre semblait traverser brusquement le lieu où il se trouvait. C'était comme si la morte s'échappait de l'au-delà pour venir le conseiller, le protéger même... Il semblait oublier complètement, pendant quelques instants, ses interlocuteurs : plus rien ne comptait pour lui que la chère présence indéfinissable et impalpable. Cela l'ancrait encore davantage dans la pensée qu'il n'y a plus de morts aux moments où le souvenir des vivants les ressuscitent...

Cet état d'âme était-il déclenché en lui par le seul culte intuitif qu'un fils continue à porter, malgré la séparation d'une tombe, à celle qui lui a donné la vie ? Ou bien était-il l'un de ces hommes qui ne parviennent jamais à s'évader tout à fait de l'influence maternelle, l'un de ces innombrables pour qui la seule robe, qui a vraiment compté, est celle de leur mère ? Quand il prononçait son nom, c'était le moment où il était le plus émouvant, le plus vrai aussi.

Alain le savait mais il avait du mal à comprendre la mystérieuse profondeur d'un tel attachement, n'ayant pas connu ses parents et spécialement sa mère décédée quand elle l'avait mis au monde. Le sentiment familial ne l'avait jamais effleuré.

André Forval sembla faire un effort pour s'arracher au passage mystérieux de l'ombre maternelle, et pour reprendre :

— Je crois que je préfère la mentalité de cet Alexys Skermine. Je ne le connaissais que par sa réputation de metteur en scène. Heureusement pour lui, il est très supérieur à cette réputation : avant de n'être qu'un homme de théâtre, il semble être un « homme » tout simplement. Il sait voir les gens et les choses sans passion : tels qu'ils sont. Il a aussi ses idées : ce qui n'est pas mal. Il est entêté : il l'a prouvé en réussissant à nous entraîner successivement, Langlois et moi, dans ce cabaret ! Enfin ses origines slaves lui donnent un certain charme... Quelle impression t'a-t-il faite ?

— Je ne sais pas...

— Tu continues à ne jamais savoir ! Mais, mon petit, à ton âge, j'avais déjà mille et une opinions sur les autres ! Le plus souvent, elles étaient erronées mais cela n'avait aucune importance : la vie s'est chargée de les rectifier dans mon esprit beaucoup plus vite que ma volonté ! Un garçon de ton âge qui n'a pas d'opinion est certain dc nc pas réussir... Tu m'entends ? Il te faut le souffle créateur, sinon tu ne feras que copier ces aînés que tu sembles déjà mépriser ! Et j'en arrive à préférer l'insolente injustice des jeunes à notre égard plutôt que de les voir accablés par un renoncement précoce ! Sérieusement, penses-tu qu'un jour tu seras capable de faire preuve d'enthousiasme ?

— Je l'espère...

— Après tout, tu ne m'as jamais dit ce que tu aimais vraiment ? Tes études ? Le confort que tu as trouvé ici ? Moi peut-être ?... M'aimes-tu un peu, mon petit Alain ?

— Je vous suis très reconnaissant de tout ce que vous avez fait pour moi depuis trois années...

— C'est très bien la reconnaissance... Mais c'est un sentiment qui manque de chaleur !

— Sans vous, je n'aurais pas pu continuer mes études. Je ne serais rien...

— Tu n'es pas encore grand-chose mais ça viendra... à condition que tu consentes à m'écouter ! Sais-tu que je suis très ambitieux pour toi ? Mais, par moments, je me demande si toi, tu l'es vraiment ! Un garçon de ton âge, qui n'a pas d'ambition, part vaincu dans la vie... Souviens-toi de l'état d'esprit dans lequel tu étais quand nous avons fait connaissance...

— Il y avait de quoi ! J'étais sûr de ne pas réussir à mon baccalauréat !

— Et tu l'as passé brillamment !

— Parce que vous vous êtes occupé de moi : vous m'avez redonné du courage.

— Tu ne le regrettes pas, j'espère ?

— C'est vrai : c'est fou ce que j'ai appris de choses auprès de vous !

— C'est assez normal : tu ne m'apportais que ta jeunesse !

— Et vous, parrain, votre immense expérience humaine.

— Parrain ! Tu te souviens aussi quand je t'ai dit, au bout de quelques jours, de m'appeler ainsi ? C'était préférable à l'égard d'étrangers, tels que ce gros Langlois, qui sont toujours prêts à se mêler de ce qui ne les regarde pas et qui sont surtout incapables de comprendre une amitié comme la nôtre...

L'adolescent l'écoutait, songeur, pendant qu'il continuait :

— Il y a des gens qui voient le mal partout... Le drame, c'est qu'ils classent sous cette étiquette infamante tout ce qui les dépasse ou qui bouscule les pauvres petits « principes » auxquels ils s'accrochent, on ne sait trop pourquoi ! Qu'y a-t-il cependant de plus noble et de plus durable que l'entière communion d'idées et de pensées entre deux hommes d'une génération différente ? N'est-elle pas faite à la fois d'estime et d'indulgence ? De vraie tendresse aussi ?... Pour moi, mon petit, tu es réellement un « filleul », tu es plus qu'un parent parce que j'ai pu te choisir au lieu de subir une présence qui m'aurait été imposée par des liens familiaux... La famille, c'est très beau tant qu'elle ne devient pas abusive ! Aussi suis-je très heureux de t'avoir auprès de moi depuis ces trois dernières années... Mais je me demande souvent, avec une réelle inquiétude, si tu n'es pas malheureux ici ? Parle...

— Vous savez bien que je vous admire trop pour pouvoir m'ennuyer ne serait-ce qu'un instant auprès de vous.

— Ne fais pas de grandes phrases ! T'es-tu jamais dit que si tu étais à peu près seul dans l'existence, avant notre rencontre, je l'étais largement autant que toi ? Pour toi, bien sûr, c'était triste mais ce n'était pas irrémédiable : tu avais devant toi le temps !... Et, quand on a ton âge, tôt ou tard on arrive à se faire des amis... Mais moi ! J'étais déjà un vieux bonhomme : ma solitude était beaucoup plus inquiétante que la tienne.

— N'en êtes-vous pas un peu responsable ?

— Je me le suis souvent demandé, mais je ne le pense pas...

— C'est vous cependant qui restez enfermé chez vous et qui ne voulez voir personne...

— Je suis prêt à rencontrer tous ceux qui m'apportent autant que je leur donne...

— Vous ne leur donnez rien : vous les étudiez simplement... Et je ne crois pas que l'on puisse se montrer généreux à l'égard de ceux que l'on a trop devinés...

— Judicieuse réflexion ! Mon petit Alain deviendrait-il bon psychologue ? Ce serait prodigieux ! Sais-tu que j'apprécie de plus en plus ta présence ? Peu à peu, elle m'a permis de me relever du coup terrible que fut pour moi la disparition de ma chère maman ! Tu es venu avec toute ta magnifique insouciance. Très vite tu t'es révélé être pour moi — et sans même que tu t'en sois rendu compte — une nouvelle sève ; le tonique indispensable sans lequel on devient le personnage le plus pitoyable de la terre : « le » vieillard ! Le souci de t'armer, pour aider à ta réussite future, m'a contraint à me pencher à nouveau sur ces études classiques que l'on a trop tendance à oublier. Il faut que cela continue pour nous deux, longtemps ! J'ai maintenant l'impression merveilleuse d'avoir, auprès de moi, quelqu'un qui ne demande qu'à prolonger mon œuvre et qu'à continuer peut-être, quand je ne serai plus, à me garder dans le merveilleux coffret de ses souvenirs ? Dis-moi que je ne me trompe pas ?

La question était spontanée, presque angoissée, exigeant la réponse amie mais l'adolescent se borna à dire :

— Pourquoi toujours parler de votre disparition ? Elle vous hante donc tant que cela ? Moi, pas !

— Forcément, tu es jeune !

— Vous aussi !... A certains moments, vous l'êtes même plus que moi, vous le savez.

— Tu es bien gentil... Je sens que tu es mon allié : le seul ! En échange de ce que tu m'apportes, j'essaierai de tout mettre en œuvre pour que tu sois l'un des hommes les plus remarquables de ta génération... J'ai toujours pensé qu'entre les mots « parrain » et « filleul » — même s'ils ne sont employés, comme c'est notre cas, que pour empêcher les ragots des autres — il y avait une affinité presque plus grande qu'entre les mots « père » et « fils »... Existe-t-il un père qui ait été choisi par son fils et un fils n'est-il pas très souvent un remords vivant pour son père ? Franchement, aurais-tu aimé m'avoir pour père ?

— Je ne crois pas...

— J'aime cette franchise ! Rassure-toi : je saurai ne rester que ton ami... Tu ne te doutes pas que si, tout à l'heure, j'ai joué l'homme qui se laisse convaincre par les arguments assez faibles d'un directeur de théâtre et d'un metteur en scène, ce n'est pas tellement parce que je crois dans le talent de leur fille soi-disant miraculeuse ! J'ai pensé plus simplement que cela t'amuserait d'aller ce soir dans ce beuglant et que ça te changerait des longues soirées passées ici dans ma seule compagnie... Ça te fait plaisir ?

— Certainement...

— Et ça te prouve que je ne songe pas uniquement qu'à moi comme tu semblais le laisser entendre tout à l'heure... Que je ne sois qu'un affreux égoïste, c'est possible après tout... Mais j'aurai quand même connu deux personnes qui l'étaient plus que moi...

— Qui cela ?

— Tu as l'air d'en douter ! Eh bien, apprends que, de ces deux admirables égoïstes, la première personne fut ma mère qui — toute sa vie durant — a voulu me garder pour elle seule... C'est d'ailleurs assez grandiose, l'égoïsme d'une mère ! Ça peut même être féroce !... Le second égoïste, c'est toi !

— Moi ?

— Mais oui, mon petit Alain ! Ton égoïsme n'a pas de limites... Et, comme la plupart des jeunes, tu ne t'en rends même pas compte ! Tu te crois toujours une victime ou un éternel incompris... C'est pourquoi on te pardonne ! Je crois même que tu me plais ainsi : ça te va bien l'égoïsme, ça te donne une sorte de carapace, ça t'habille d'un peu de cynisme... Pourtant, n'oublie jamais : si un jour — que je ne souhaite pas ! — l'un de nous devait piétiner sans pitié les sentiments de l'autre, ce serait sûrement toi !

★

Les Idées Noires répondaient exactement à la description qu'en avait faite Skermine. Dans l'atmosphère déjà empuantie, l'arrivée des quatre nouveaux clients n'avait été un événement que pour le maître d'hôtel qui s'était empressé de la signaler au patron, trônant toujours derrière le comptoir du bar, par cette remarque :

— Je ne sais pas d'où ils viennent, ceux-là ! Mais ce ne sont pas des habitués...

La réponse était aussitôt venue, pratique :

— C'est une raison de plus pour les pousser à la consommation : je les ai repérés à leur entrée. Ils ont du fric : surtout le gros ! Ce sont sûrement des industriels de province en goguette : le petit jeune homme doit être le fils de celui qui a les cheveux grisonnants... Ils ont dû se tromper d'établissement et je serais bien étonné si on les voyait revenir une autre fois !

— Pourtant, le maigre est déjà venu deux fois...

— Vous en êtes sûr ?

— Absolument.

Le regard du patron clignota pour observer plus attentivement les nouveaux venus. Il finit par dire :

— Je me suis demandé à un moment si ce n'étaient pas des flics ? Mais il y en a un qui est trop jeune... De toute façon, pas de scrupules avec eux ! Qu'est-ce qu'ils ont commandé ?

— Du whisky.

— Une boisson qui leur va bien... Comptez chaque verre au prix d'une bouteille de mousseux.

— Ils s'y connaissent peut-être et ils vont s'apercevoir qu'il n'est pas de premier choix, « votre » whisky !

— Vous n'êtes pas ici pour donner votre avis sur la qualité des consommations... Et, dès qu'ils seront servis, envoyez-leur des entraîneuses... Les moins bêtes évidemment : Simone, Mado, Lily... On ne sait jamais ! Quatre hommes seuls, ça peut rechercher des femmes...

Les quatre arrivants firent nettement preuve d'une certaine méfiance à l'égard du breuvage qui venait de leur être servi.

— Ils n'ont pas l'air de vouloir même y toucher ! revint dire, désespéré, le maître d'hôtel.

— Des prétentieux ! grommela le patron. Envoyez-leur les filles ! On va bien voir...

Ce fut également un échec et les trois créatures durent s'en retourner vers l'obscurité d'où elles auraient mieux fait de ne pas sortir.

— Que voulaient donc ces jeunes personnes ? demanda Forval.

— Faire leur métier ! répondit évasivement Skermine.

— Mon cher, vous n'aviez nullement exagéré : le lieu est sinistre !

Après avoir jeté un regard circulaire sur la salle mal éclairée, André Forval observait maintenant avec une certaine curiosité amusée les occupants des tables voisines.

— Et la clientèle ? Qu'en pensez-vous ? demanda Langlois à mi-voix.

— Ce serait à croire qu'un metteur en scène comme notre ami l'a placée là pour faire de la figuration...

Le « spectacle » venait de commencer : selon l'habitude, dont il finirait bien un jour ou l'autre par prendre son parti, l'illusionniste ne put terminer son numéro et quitta la scène sous les huées. La stripteaseuse lui succéda, le livre en main. Pendant toute la durée de son exhibition, André Forval demeura impassible. Tour à tour, Langlois et Skermine l'observaient le plus discrètement possible pour tenter de surprendre une réaction sur le visage, mais ce fut en vain : l'homme de théâtre conservait le masque de l'homme anonyme qui enregistre passivement.

Dès que le rideau se fut refermé, les habitués commencèrent à scander : « Olga ! Olga !... » Les lumières s'éteignirent à nouveau, le rideau se réouvrit et elle apparut enfin.

Ce fut aussitôt le silence : la seule vision de cette femme avait suffi pour opérer le miracle. Ce qui étonna le plus André Forval fut qu'après le tapage grandissant, qui avait précédé son apparition, il n'y avait pas eu un seul applaudissement au moment où elle s'était montrée. Le dramaturge ne pouvait pas savoir qu'il en était toujours ainsi : l'insolente beauté de la fille était telle que ceux qui la dévoraient du regard, ne trouvaient même plus la force, ni le temps d'applaudir. Plus rien ne comptait que la vision fascinante : c'était à croire que la fille disposait à sa volonté du fluide magique qui impose le silence.

Skermine, qui la voyait cependant pour la troisième fois, dut faire un effort pour s'arracher, lui aussi, à l'emprise collective et continuer à étudier le comportement de celui qu'il avait réussi, à force de persuasion, à amener dans un tel lieu. Mais une fois encore, André Forval demeurait impassible. Aucune émotion, aucune expression d'étonnement ou de désillusion ne se lisaient sur le visage resté volontairement terne. « Décidément, pensa le metteur en scène, cet homme est très fort ! Il sera toujours pour moi un mystère. Sa maîtrise sur lui-même est totale : il sait se contrôler. » Par contre, il n'en était pas de même du jeune Alain.

La bouche entrouverte, l'adolescent semblait complètement vaincu par le fluide : comme tous les autres spectateurs, à l'exclusion d'André Forval, il subissait — dans une sorte d'extase — l'indéniable « présence » de la femme merveilleuse. Le visage du jeune homme était comme transfiguré, marqué tour à tour par la fièvre, le désir, la passion naissante... Il n'y avait pas à s'y tromper — Skermine en était sûr — c'était, chez Alain, la découverte à la fois prodigieuse et insensée de la FEMME.

Et le regard du Slave alla tout naturellement de l'adolescent à la femme qui lui apparut encore plus étrange, plus désirable que les deux premières fois. Ce soir, toute la sensualité du monde était en elle. Et cependant, elle portait la même robe bleu nuit moulant ses hanches de déesse et laissant entrevoir, à travers une longue échancrure faite intentionnellement sur le côté, une jambe parfaite gainée dans un bas noir qui la rendait agressive.

Dominant tout ce bleu de la nuit, la chevelure rousse, riche de ses reflets fauves et relevée sur la nuque, était comme un défi. Une chevelure faite d'insolence, soutenue par la morgue d'un regard glauque où semblait ne filtrer qu'un seul sentiment : le mépris des admirateurs. Sans doute était-ce parce que tous se sentaient méprisés par la Beauté, qu'ils étaient subjugués, domptés.

La bouche aux lèvres charnues, savamment dessinées par le pinceau du maquillage, venait de s'entrouvrir pour chanter... Un chant ? Plutôt un long murmure d'amour, une plainte rauque exprimant tous les désirs et déjà toutes les lassitudes... Peu importaient les paroles : ce qui comptait, c'était la bouche.

Autour de cette tache de sang vivante, il y avait la pâleur exsangue du visage : contrairement à la plupart des peaux de rousse, celle d'Olga n'était ni laiteuse ni mouchetée, mais pâle, tellement pâle et diaphane que l'on pouvait croire la fille déjà mourante...

Quand la première chanson fut terminée, la salle — qui ne l'avait écoutée qu'avec le désir — applaudit dans une véritable frénésie. C'était comme si une tornade bienfaisante et prometteuse d'innombrables lendemains s'était abattue sur le triste cabaret. Et cela dura longtemps, parut même interminable à André Forval qui, lui, n'applaudissait pas mais qui était cependant contraint de subir... La fille, elle, savait rester calme : la moue de mépris paraissait s'être accentuée légèrement autour de la bouche pendant l'ovation à laquelle elle était habituée. Ses lèvres, maintenant silencieuses, semblaient dire : « Je sais que ma chanson n'offre aucun intérêt, que ses paroles sont quelconques, que sa musique n'est qu'une rengaine comme une autre... ce qui vous plait, c'est ma façon de vous la murmurer... Il y a tant de filles, dans d'autres cabarets ou sur des scènes, qui chantent exactement la même chanson ! Mais aucune ne me ressemble ! C'est pourquoi vous me préférez... Puisque cela vous fait plaisir, applaudissez-moi tant que vous le voudrez ! Saoulez-vous de ces hommages que vous me décernez ! Ma beauté y a droit mais moi, personnellement, ça me laisse indifférente : ça ne me fait ni froid ni chaud. Quand vous serez fatigués de m'acclamer, vous vous tairez... Alors seulement, parce que c'est prévu dans mon tour de chant, je vous offrirai une deuxième rengaine... »

Après la deuxième chanson, ce fut un nouveau triomphe. Puis il y en eut une troisième sur laquelle se referma le rideau. La salle eut beau supplier ou menacer, la belle Olga ne reparut plus. Skermine l'avait bien dit : elle connaissait l'art suprême de se faire désirer encore plus après qu'avant ! Au moment où le rideau commençait à se refermer, elle n'avait même pas eu un sourire de gratitude pour ceux qui l'acclamaient. Il n'y avait d'ailleurs pas eu la moindre expression de détente pendant les trois chansons d'amour : depuis longtemps, la vie avait dû se charger de faire payer cher à cette fille sa beauté et de lui ôter toute velléité de sourire.

Langlois s'était retourné vers Forval pour lui demander ce qu'il pensait de la jeune femme mais la question resta sur ses lèvres : l'auteur dramatique ne regardait pas en direction de la scène à laquelle il semblait avoir tourné volontairement le dos. Son regard était fixé, avec une prodigieuse intensité, sur le visage de l'adolescent qui, lui, paraissait ne pas pouvoir détacher ses yeux de la vision qui venait d'être masquée par la chute du rideau. Le directeur ne put s'y tromper : l'expression, qu'il venait de surprendre dans le regard d'André Forval, avait quelque chose de douloureux, presque de tragique. Ce fut d'ailleurs très rapide car, presque aussitôt, le faciès retrouva son impassibilité et les yeux leur indifférence voulue. Mais ces quelques instants avaient suffi pour révéler à Langlois la véritable nature des sentiments très cachés que nourrissait l'homme de théâtre pour son jeune protégé. Langlois avait tout vu dans ce regard rapide comme l'éclair : la dureté de la possession, l'amertume d'une semi-défaite, la peur de perdre quelque chose de plus fort que l'amitié... Skermine aussi avait vu et, pendant les quelques secondes, son sang s'était glacé à la pensée qu'André Forval ne devait faire aucune concession, ni admettre le moindre partage dans ses passions les plus secrètes...

Ce fut lui cependant qui trouva la force de ramener tout le monde à la réalité en disant d'une voix qu'il voulut enjouée mais qui sonnait faux :

— Eh bien, eh bien ! Qu'est-ce qui se passe, jeune homme ? On est dans l'extase ?

Ces quelques mots suffirent pour que le garçon sortit de son rêve, et comme tous ceux qui sont brutalement réveillés, il mit quelques secondes à réaliser à nouveau où il se trouvait. Alors il rougit, comme s'il avait honte de s'être laissé ainsi surprendre, comme s'il regrettait surtout que d'autres — qui n'étaient pas de son âge — aient pu deviner ce qui se passait dans son cœur. Voulant conserver, malgré tout, son merveilleux secret d'adolescent, il répondit vite :

— Il ne se passe rien, absolument rien !

Son visage perdit toute sa fiévreuse intensité pour retrouver l'effacement dans lequel le directeur et le metteur en scène l'avaient déjà vu s'enfoncer brusquement, quelques heures plus tôt, au moment où celui qu'il appelait « parrain » était entré dans le salon... Les deux personnages, l'aîné et le cadet, étaient redevenus anonymes, quelconques, comme si la crise douloureuse n'avait jamais existé. Aussi Langlois se risqua-t-il enfin à poser à Forval la question qui régissait toute la soirée :

— Quelle est votre impression ?

Il y eut un court temps avant que ne vînt la réponse :

— A vrai dire, messieurs, je n'en ai pas encore... Par certains côtés je comprends votre enthousiasme à l'égard de cette créature dont la beauté est indéniable... Par d'autres, je suis assez perplexe... Si vous le voulez bien, laissons passer la nuit pour le temps de la réflexion. Venez tous les deux chez moi demain après déjeuner : je vous répondrai... Maintenant, je pense que ce « festival » est terminé ?

Il s'était déjà levé ; les autres l'imitèrent. En sortant du cabaret, Langlois paya rapidement le maître d'hôtel qui s'était précipité et qui revint vers le patron, après leur départ, pour dire :

— J'avais bien deviné que ce n'étaient pas des clients comme les autres : ils n'ont même pas attendu leur monnaie !

— Ils n'ont pas applaudi une seule fois Olga, rugit le gros homme.

— Si : le petit jeune a applaudi...

— Il ne compte pas, lui ! Ça se voit tout de suite ! Tandis que les trois autres, ce sont sûrement des types importants... Si jamais ils reviennent, je vous garantis que je les obligerai à applaudir « mon » Olga, ne serait-ce que par politesse et pour faire comme tout le monde ! Quels mufles !

Et, après avoir désigné la salle encore pleine :

— Dans ce métier, on ne parvient pas à se créer une clientèle sélecte... Et pourtant ! Olga, ce n'est pas du premier choix ?

Le retour vers la demeure de l'île Saint-Louis, dans la voiture de Langlois, avait été silencieux. Le directeur se demandait : « Ce n'est pas du tout certain qu'il veuille de cette fille pour interprète » ; Skermine se répétait : « Plus je la vois, cette Olga, et plus je suis persuadé de ne pas m'être trompé » ; l'adolescent était repris à nouveau par son rêve ; quant à André Forval, il était impossible de connaître ses pensées.

Lorsqu'il se retrouva seul avec Alain en haut de l'escalier, il dit avec douceur :

— Bien qu'il soit déjà tard, j'ai à te parler. Viens dans mon cabinet de travail.

Alain le suivit sans enthousiasme.

Forval prit tout son temps pour retirer son manteau et s'installer derrière son immense bureau devant lequel le jeune homme restait debout.

— Tu ne t'assois pas ?

— Je l'ai été toute la soirée.

— A ton aise !... Mon petit, je ne te cacherai pas plus longtemps que tu m'as étonné ce soir... Comme je te l'ai dit cet après-midi, je n'avais accepté cette invitation assez saugrenue que parce que j'avais l'impression qu'une sortie t'amuserait... Mais, contrairement à mes espoirs, tu ne t'es pas du tout amusé !

— Je vous assure...

— N'assure rien ! Le contraire aurait d'ailleurs été surprenant : cet établissement, qui se veut « de plaisir » malgré son titre sinistre, est véritablement lugubre. La clientèle en est médiocre et le spectacle d'une banalité affligeante. Moi aussi, je m'y suis ennuyé à mourir... Toi, c'est un peu différent : tu ne t'y es pas amusé parce que tu y as souffert...

— Moi ?

— Mais oui ! Une découverte, comme celle que tu viens d'y faire, apporte toujours une certaine souffrance à ton âge. Nous avons tous passé plus ou moins par-là. Est-ce que je me trompe à ton sujet ?

— Je... Je ne sais pas.

— Tu sais très bien, mon petit. Ne mens pas : tu viens de découvrir la FEMME avec tout ce que ce mot comporte d'attirant, de mystérieux et aussi d'inquiétant. Je ne t'ai jamais vu dans un pareil état d'excitation... J'aurais préféré que tu fisses une telle découverte ailleurs et surtout avec une autre créature !

— Mais qu'est-ce que vous allez chercher ?

— Je te répète de ne pas me raconter d'histoires, sinon aucune conversation ne sera plus jamais possible entre nous. Jusqu'à présent, en te facilitant la poursuite normale de tes études et en t'assurant le confort nécessaire, je n'ai accompli qu'une toute petite partie de mon devoir. J'ai l'intention de continuer en t'armant complètement pour l'existence : c'est pourquoi je te mets en garde contre cette femme et, en principe, contre toutes les femmes !

— Vous les détestez, je le sais ! Ça transparaît dans toutes vos pièces...

— Je les juge simplement telles qu'elles sont.

— Toutes vos héroïnes sont des monstres !

— Elles sont vraies ! Réponds-moi franchement : la femme t'intéresse donc ?

— Tout autant que vous puisque vous ne pouvez pas vous empêcher de la peindre, pièce par pièce...

— Elle n'offre pour moi un intérêt que comme rouage indispensable de la société.

— Dites plutôt comme une marionnette que vous savez animer grâce à un mécanisme très subtil...

— Une marionnette qui est toujours l'ennemie de l'homme, mon petit.

— Et vous ? Vous êtes donc son ami ? Les héros de vos pièces ne sont que des pantins entre les mains des femmes.

— Parce qu'en effet la plupart des hommes sont des pantins ! Mais je ne veux pas que toi, tu en sois un ! Tu as en toi toutes les forces, toutes les indépendances ! Tu n'as pas le droit de te laisser asservir !

— C'est pourtant ce que voudriez faire de moi ! Je vous ai dit que je vous estimais et que j'avais à votre égard une immense reconnaissance pour tout ce que vous m'avez appris depuis ces trois années... Mais vous ne pouvez savoir ce que c'est que de vivre perpétuellement auprès de vous ! Vous avez du génie mais vous êtes aussi un tyran qui devine, qui décide, qui ordonne... Tous doivent obéir ! Cet après-midi encore, nous étions trois pantins dans votre salon : le gros Langlois qui est toujours prêt à vous lécher les pieds parce que vous faites la fortune de son théâtre, le metteur en scène qui n'attend qu'après votre pièce pour asseoir définitivement sa réputation artistique, moi...

— Toi ?

— Moi qui, depuis trois ans, n'agis ici qu'en véritable esclave. Je me sens exactement au même niveau que votre domestique muet... Bien sûr, officiellement je suis « le secrétaire » mais je ne me fais aucune illusion sur ce que les autres pensent ou disent de nous ! Pour eux, je ne suis que l'ami... le petit ami !

— Tais-toi !

— Et pourtant il n'y a rien entre nous ! Il n'y aura jamais rien que l'admiration sincère.

— Je me fiche de ton admiration, mon garçon ! Ce que je veux, c'est ton esprit, ton âme, tes pensées, ton cœur.

— Vous ne l'aurez jamais ! Ou alors il faudrait vous y prendre autrement : m'aider à résoudre mes propres problèmes avant de ne penser qu'à satisfaire votre besoin de domination perpétuelle ! Vous ne vous êtes donc jamais demandé si l'atmosphère que l'on respire autour de vous n'était pas insupportable ? J'en ai assez !

— Alors va-t'en !

— Vous savez très bien que je ne sais pas où aller, que je n'ai plus de famille, que je suis seul... Et vous en profitez !

— Revenons à cette femme, veux-tu ?... Elle te plaît ?

— Elle est belle...

— Et après ? Il y en a des milliers comme elle ! D'abord elle est vulgaire : ce n'est qu'une fille... Mais ça t'est égal ! A ton âge, quand une fille vous plaît, on croit toujours que c'est le grand amour... Et c'est là où ça devient grave. Si tu savais, mon enfant, comme cela peut être dangereux, un premier amour déçu !

— Qui vous dit que c'est mon premier amour ?

— Tes yeux ! Ils ne savent pas mentir... Heureusement ! Puisque nous sommes en pleine franchise, vas-y carrément : tu n'as encore jamais eu de rapports avec une femme ?

— Ça vous ferait plaisir de le savoir ?

— Cela ne m'en ferait aucun mais je serais désespéré à l'idée qu'à ton âge tu as déjà connu des déceptions !

Il y eut un silence. L'adolescent, dont le regard

net n'avait cessé de le regarder en face, finit par dire avec un calme qui surprit son interlocuteur :

— Je crois que vous êtes encore plus dangereux que je ne le pensais...

— Si tu as peur du danger, fuis-le !

— Je ne m'en irai pas ! Parce que vous avez encore des devoirs à mon égard : c'est vous-même qui me l'avez dit ! Vous vous considérez comme étant pour moi plus qu'un père, donc vous devez agir comme le ferait le meilleur des pères !

— Il y a des pères qui s'occupent très bien de l'éducation de leurs fils sans les avoir cependant à côté d'eux... C'est cela que tu veux ?

— Vous en seriez incapable ! Si je n'étais pas là, rivé à votre existence, vous me remplaceriez aussitôt par un autre...

— Je t'ai dit que tu étais injuste : ne deviens pas ingrat...

— Vous pensez me connaître comme vous croyez deviner tout le monde, mais moi aussi, je vous ai étudié : dans votre vie, dans votre comportement, dans votre œuvre... Nous sommes à égalité.

— Tu le crois sincèrement ?

— Oui. Il y a une chose aussi que j'ai découverte le jour même où nous avons fait connaissance... Vous vous souvenez : c'était à la terrasse de ce petit café du Quartier Latin... J'étais désespéré à l'idée que je ne pourrais plus poursuivre mes études et qu'il me fallait trouver tout de suite un emploi quelconque pour pouvoir simplement manger... Vous m'avez parlé avec beaucoup de gentillesse : j'ai cru d'abord que vous compreniez ma détresse mais, très vite, j'ai réalisé que votre détresse à vous était encore plus grande que la mienne... Que, malgré votre nom, malgré vos triomphes, malgré votre fortune, vous étiez seul... absolument seul ! Vous vous raccrochiez à moi comme à une bouée de sauvetage... Peut-être retrouviez-vous en moi le souvenir de ce jeune homme que vous avez dû être autrefois ? Peut-être aussi ressentiez-vous le besoin de vous arracher au souvenir, à la fois merveilleux et obsédant, de cette mère que vous veniez de perdre et qui avait su être tout pour vous : la conseillère, l'amie, la confidente, presque l'amante ? Depuis sa disparition, vous étiez un homme perdu... Et brusquement, le hasard a voulu notre rencontre. Vous-même me l'avez dit des dizaines de fois : je vous rapportais une jeunesse enfuie... J'avais besoin de votre aide mais je vous étais devenu indispensable !

— Et tu as compris tout cela dans les premières heures de notre rencontre ?

— Je crois que oui.

— Mais alors notre association — quel mot affreux ! — n'est basée que sur une double tromperie ?

— Pas en ce qui me concerne : je vous ai jamais menti. Vous ai-je dit que je vous aimais ? Non ! Je me suis toujours borné à vous répéter que je vous admirais et que je vous estimais... Aujourd'hui je parle parce que vous m'avez poussé à bout...

— A cause de cette fille ? Tu vois bien qu'elle est déjà notre pire ennemie !

— N'importe qui l'aurait été s'il s'était immiscé dans ce que vous venez d'appeler notre « association ». C'est vous seul qui avez faussé les rouages d'une amitié qui devait rester durable en vous imaginant que je pourrai vous aimer de la même façon que vous m'aimez...

— Tais-toi, je t'en prie !

— Vous ne m'aimez plus seulement avec l'affection d'un aîné ou la tendresse d'un père. Il y a quelque chose de plus dans votre cœur, quelque chose qui vient de votre véritable nature et contre quoi votre cerveau lutte désespérément. De jour en jour, je vous sens rôder autour d'une idée fixe...

— Va te reposer : tu dis des sottises. Bonsoir.

— Vous ne vous couchez pas ?

— J'ai du travail... Un travail urgent.

— Alors bon courage !

Le jeune homme avait déjà la main sur la poignée de la porte.

— Alain, dit l'homme dans un souffle.

— Oui, parrain ? répondit l'adolescent en se retournant.

— Nous n'allons tout de même pas nous quitter sur cette brouille ?

— Ça ne dépendra que de vous.

— Que dois-je faire ? Je t'écoute...

— Si vous voulez que j'oublie tout, il faut que vous me disiez dès ce soir si vous avez l'intention, malgré cette soi-disant vulgarité qui vous choque en elle, de confier le rôle à Olga ?

L'homme blêmit :

— Tu y reviens ?... A mon tour de te poser une question : toi qui connais ma pièce mieux que personne, as-tu vraiment l'impression qu'elle est capable de l'interpréter ?

— Pourquoi pas ? Votre *Voleuse* n'est-elle pas « vulgaire », elle aussi ?

— Ce mot t'a frappé, n'est-ce pas ?... Ecoute : si tu m'avoues si, oui ou non, tu as déjà eu des rapports avec une femme, je te dirai immédiatement ce que je compte faire de cette fille.

— Du chantage ?

— Si tu veux...

L'adolescent eut une longue hésitation et finalement il lâcha :

— Eh bien, non ! Je n'ai jamais connu de femme ! Vous êtes content ?

— J'en étais sûr !

Le visage crispé de l'homme s'était détendu. Ce fut presque dans un sourire qu'il ajouta :

— Et si jamais tu devais en connaître une, tu aimerais qu'elle fût du genre de cette fille ?

Le jeune homme baissa la tête sans répondre. L'homme murmura alors avec douceur :

— Eh oui ! On fait comme ça des rêves...

— Vous la ferez jouer ?

— Comme tu es amoureux d'elle, mon petit ! Si vite ! Tu n'as donc jamais rencontré jusqu'à ce jour de femme ou de jeune fille qui t'ait paru plus intéressante que ce genre de créature ? Parmi tes camarades étudiantes ou autres ?

— Je déteste les petites jeunes filles.

— Ça aussi, c'est de ton âge. Seulement, tu as tort d'oublier qu'à notre époque la majorité d'entre elles ne sont plus des jeunes filles. Elles jouent le rôle, c'est tout.

— Justement elles jouent... Tandis qu'une vraie femme n'a plus le temps de jouer.

— Avec des gamins de ta génération ? Tu crois cela, nigaud ? Tu ne t'es pas aperçu comme cette Olga jouait avec toute la salle ? Une vraie cabotine !

— Donc une artiste ! Elle sera *La Voleuse ?*

— En échange de ton aveu, je te promets de lui donner sa chance.

— Merci.

— Ne me remercie pas trop tôt ! Peut-être souffriras-tu encore plus quand tu la verras jouer ? Va dormir...

— Bonne nuit, parrain...

★

Quand l'adolescent se retrouva dans sa chambre, il ne parvenait plus à mettre de l'ordre dans ses pensées. Parce qu'il n'était pas un ingrat, il s'en voulait de s'être montré aussi amer avec celui qu'il continuait, malgré tout, à considérer comme étant son unique allié, comme étant aussi le seul homme qui lui avait donné spontanément la chance de pouvoir poursuivre les études qu'il aimait et pour lesquelles il avait la conviction d'être né. Mais cette rencontre avait-elle été véritablement une chance pour lui ? N'aurait-il pas mieux valu que même seul au monde et très jeune, trois années plus tôt il eût été mis devant la nécessité de gagner sa vie ? N'étaient-ils pas légion ceux pour qui pareille école de la vie s'était présentée alors qu'ils se croyaient le droit d'avoir tous les espoirs, de faire tous les rêves ? Et, parmi eux, ceux qui avaient vraiment la volonté d'arriver, n'avaient-ils pas accepté les métiers les plus humbles uniquement pour passer le cap difficile et n'en réussir que mieux après ? N'importe quel garçon de dix-huit ans, se trouvant à la place d'Alain, aurait été perplexe.

Son âme aussi pouvait être dans l'angoisse. Lui, dont le fond était sincèrement honnête et dont le cœur était encore net, ne parvenait pas à comprendre l'attitude inquiétante de celui qu'il n'osait même plus qualifier, dans le silence de ses pensées, du nom réconfortant de « Parrain ». Etait-il possible qu'un être de la classe d'André Forval lui ait mis l'odieux marché en main ? Ne lui avait-il pas promis de n'accorder sa chance à la fille de rêve que s'il lui faisait le plus grand aveu de sa jeunesse ? N'était-ce pas monstrueux ?

Le jeune homme s'en voulait maintenant d'avoir avoué qu'il n'avait jamais encore connu la femme. Confusément, il savait avoir donné une arme maîtresse à celui qui n'était déjà plus, dans son esprit, tout à fait un allié mais presque un ennemi. Cela, il l'avait senti après l'aveu, quand le visage blême de l'homme s'était transformé brusquement en un sourire de satisfaction, quand la voix avait cessé d'être sarcastique pour reprendre des intonations douces, trop douces...

Le parrain devenu l'adversaire ? Mais oui, parce qu'il y avait — se dissimulant sous une apparence de bonté — une passion féroce, exclusive, déchaînée. Passion capable d'aller jusqu'à l'extrême limite de la cruauté mentale pour écraser l'ennemi... Ennemi qui n'était pas lui, Alain, mais la silhouette d'une femme ensorcelante qui s'était dressée brusquement dans le halo des projecteurs, sur l'estrade d'une obscure boîte de nuit.

Olga ? Avec sa subtilité, sa sensibilité exaspérée et toujours en éveil, son don démoniaque de divination immédiate, Forval avait flairé d'un simple regard le sentiment nouveau et irraisonné que l'apparition de la fille aux yeux glauques avait fait naître dans le cœur de l'adolescent. En un éclair de pensée, le redoutable psychologue avait tout compris. Et instantanément il avait dû souffrir : la jalousie était venue étayer la souffrance, la rendant atroce.

C'était fou mais c'était ainsi.

Pour qu'une femme eût été la cause d'un pareil bouleversement chez un homme aussi maître de lui et de ses passions, il fallait que cette femme fût terriblement dangereuse... Dangereuse ? Elle l'était. Alain le sentait d'instinct sans pouvoir cependant définir la nature du danger. Il ne le cherchait même pas, tellement il était encore fasciné par la merveilleuse apparition. La seule chose dont il était sûr, c'était qu'il venait de rencontrer le visage de la FEMME alors qu'il était à mille lieues de penser faire ce soir-là une découverte aussi essentielle. Jamais, lui qui ne se préoccupait que de ses études, il n'aurait pu imaginer que le destin voulait que la découverte se fît en un tel endroit ! Quand André Forval lui avait demandé si cela lui ferait plaisir de sortir le soir, il avait répondu « oui » d'enthousiasme uniquement parce qu'il se sentait jeune et que, comme tout jeune, il avait une furieuse envie de s'amuser. Dans sa réponse, il n'y avait eu aucune pensée trouble. C'était le destin seul qui avait voulu qu'il en fût autrement.

Il se sentait déjà le prisonnier de la belle image. Dans le silence de sa petite chambre, il revoyait chaque détail, chaque geste, chaque attitude d'Olga. Le désir s'était éveillé avec la force brutale, capable de tout arracher, que seuls possèdent les sentiments très jeunes. C'était comme si Olga était encore devant lui, auprès de lui, dans la chambre... Le regard l'appelait, la chevelure de feu l'éblouissait, la bouche méprisante et moqueuse attisait sa sensualité encore en sommeil, le corps — moulé dans la robe bleu nuit — exhalait la chaleur... Alain n'était plus seul : il vivait déjà avec celle dont il ne soupçonnait même pas l'existence quelques heures plus tôt. Il rêvait... Et peu à peu, le besoin impérieux de la possession — qu'il n'avait encore jamais connu — s'insuffla dans tout son être, pénétra en lui à un tel degré que ses tempes battirent et que sa chair frémit d'impatience. Il avait la fièvre, sa première fièvre d'amour...

La force de cette présence imaginée était si grande qu'elle balayait le souvenir de l'odieuse conversation avec Forval, même le souvenir du bienfaiteur... Il ne restait plus que la FEMME triomphante.

L'adolescent n'avait-il pas déjà dans son cœur, pour le soutenir dans la lutte sans merci qu'il allait devoir livrer contre un cerveau démoniaque, la présence secrète de celle qui n'était qu'une femme de chair et dont les lèvres écarlates semblaient murmurer : « Tu as enfin atteint l'âge d'homme. Moi seule pourrai te révéler complètement à toi-même. Laisse faire la vraie nature ! Ne te laisse pas prendre au mirage de la pensée ! Méfie-toi d'une intelligence qui saura, pour te séduire, enrober ses vices cachés d'une telle poésie que tu ressembleras à ces papillons qui, à peine débarrassés de la chrysalide, se brûlent à vouloir frôler une lampe étincelante. »

Mais, malgré la musique de ces mots, le garçon ne parvenait pas à se débarrasser complètement de ses inquiétudes. Instinctivement, il regarda l'heure. Ce n'était pas possible ? Déjà trois heures du matin ! Le rêve, qui lui avait cependant paru si court, avait-il duré aussi longtemps ?

Une curiosité, plus forte que la volonté d'évasion, le poussa à rejoindre le salon sans faire le moindre bruit. Il traversa, dans la nuit, la grande pièce silencieuse. Arrivé devant la petite porte, donnant sur le cabinet de travail, il retint sa respiration : un rais de lumière filtrait sur le tapis. Et il comprit que l'homme travaillait vraiment comme il l'avait dit.

Mais à quel étrange labeur pouvait-il se livrer à une heure semblable, lui qui avait toujours eu pour principe de dormir tôt pour pouvoir œuvrer à l'aube ?

Doucement, très doucement, l'adolescent rejoignit sa chambre où il ne put s'endormir, sachant que, dans le cabinet de travail, le cerveau d'acier devait être en train de forger l'arme géniale qui lui permettrait de remporter la plus éclatante des victoires sur celle qu'il avait toujours considérée comme étant sa pire ennemie, la FEMME, et qui, depuis quelques heures, se prénommait Olga.

Langlois et Skermine furent exacts au rendez-vous du lendemain. A peine venaient-ils d'être introduits dans le salon qu'Alain y pénétrait à son tour en annonçant, selon le cérémonial habituel :

— Mon parrain vous prie de l'excuser : il sera là dans quelques instants...

— Et vous venez nous tenir compagnie ?

— On ne peut rien vous cacher, monsieur le Directeur !

— Serait-ce indiscret de vous demander si vous êtes déjà au courant de sa décision ? demanda Skermine.

— Je l'ignore. M. Forval est resté enfermé dans son cabinet de travail depuis notre retour hier soir et je ne l'ai pas vu. Il m'a simplement dit tout à l'heure, par le téléphone intérieur qui va de son cabinet à ma chambre, de vous accueillir.

— Ça lui arrive souvent de s'enfermer ainsi ?

— Encore assez...

— Et de ne pas dormir ?

— Le plus étonnant — vous pourrez le constater dans quelques instants — c'est qu'après de pareilles nuits d'insomnie, il paraît tout aussi frais et dispos que s'il sortait de son lit ! Cette fièvre de travail nocturne le prend généralement quand il est sur le point de terminer une nouvelle pièce : c'est un peu comme s'il avait hâte d'en finir...

— Vous n'allez tout de même pas nous dire qu'il a déjà eu le temps d'en écrire une nouvelle après *La Voleuse ?*

— Avec lui, on ne sait jamais : son potentiel créateur est immense !

La porte du cabinet de travail s'était ouverte : André Forval parut, revêtu de son éternelle robe de chambre. Il était souriant :

— Mes amis, je vous félicite pour votre exactitude...

Puis, se tournant vers Alain :

— Bonjour, mon petit. T'es-tu bien reposé, au moins ?

Mais, sans attendre la réponse, il continua à l'intention de ses visiteurs :

— Voici ma décision en ce qui concerne cette femme... Elle a certainement des qualités scéniques dont l'une des plus importantes est « la présence ». Je ne parle pas seulement de sa beauté, qui l'empêchera partout de passer inaperçue, mais aussi de ce qui se dégage de sa personnalité très réelle... Seulement, de là à lui confier d'emblée le rôle de *La Voleuse,* il y a un pas... Et je pense que cette jeune femme, sans aucune expérience d'une grande scène, ne parviendra à le franchir que si elle consent à se prêter à un petit essai...

— J'allais justement vous le proposer, dit Skermine.

— J'étais certain d'avance, mon cher, que nous serions du même avis ! répondit Forval avec une ironie à peine dissimulée.

— Quelle scène particulière de votre pièce désirez-vous qu'elle apprenne et qu'elle répète pour pouvoir la jouer devant vous ? demanda le directeur. Personnellement, je pense que la grande scène du deuxième acte constituerait peut-être le meilleur banc d'essai ? Si elle s'en tire, c'est qu'elle est capable de jouer toute la pièce. N'est-ce pas votre opinion ?

— Je vous interdis formellement de lui donner même à lire le manuscrit de ma pièce. C'est trop tôt et un rôle aussi écrasant risquerait de l'affoler. N'oublions pas, messieurs, qu'elle n'est qu'une fille de cabaret dont l'exhibition actuelle se limite strictement à trois mauvaises chansonnettes... Non, il ne faut pas tenter tout de suite une expérience aussi redoutable pour elle... Sachons nous montrer compréhensifs à son égard et — pourquoi ne pas l'être au moins une fois ? — même indulgents...

En prononçant ces derniers mots, son regard avait croisé volontairement celui de l'adolescent qui se sentit aussitôt rempli d'inquiétude. Alain savait que l'indulgence était un sentiment ignoré par Forval ! Pour qu'il en parlât avec une telle désinvolture, c'était que le piège sournois, où Olga trébucherait à coup sûr, était maintenant prêt.

L'homme sortit de l'une des poches profondes de sa robe de chambre des feuillets dactylographiés :

— Voilà, messieurs... J'ai écrit cette nuit une scène spéciale à deux personnages que vous remettrez à cette jeune femme pour qu'elle la travaille avant de la jouer devant moi. Vous voyez : ce n'est pas très long... Quelques pages... Et pour qu'il n'y ait aucune indiscrétion, je les ai tapées moi-même à la machine : ce qui ne m'est encore jamais arrivé ! Prenez-les, Langlois.

— Savez-vous que c'est étonnamment bien tapé ?

— Vous trouvez ? Au fond, je crois être assez fier de cette performance : notez bien que je savais depuis longtemps me servir d'un clavier mécanique mais cela m'a toujours fait horreur ! Pour un homme qui n'a aucune pratique, ça peut aller... J'ai pensé que votre « protégée » aurait un mal fou à lire mon écritude... Alain, qui la connaît cependant, hésite plus d'une fois ! N'est-ce pas vrai, mon petit ?

— J'aurais très bien pu la taper comme toutes vos pièces ! répondit le jeune homme.

— Tu ne vas pas nous faire croire que tu es vexé ? La susceptibilité n'est pas encore de ton âge... Et je tiens absolument à ce que personne d'autre que vous deux, Langlois et Skermine, connaisse cette scène en dehors de celle qui doit l'interpréter. C'est promis ?

— Vous avez notre parole.

— Il faudra pourtant qu'une quatrième personne en prenne connaissance pour donner la réplique à la belle Olga... Vous demanderez à Paul Vernon d'avoir la gentillesse de le faire le jour où elle auditionnera devant moi. Il ne peut nous refuser ce service puisque c'est lui qui doit interpréter le principal rôle masculin de *La Voleuse*. Ce sera même excellent pour cette femme de jouer ainsi avec celui qui sera peut-être son futur partenaire si elle répond à ce que j'attends d'elle.

— Elles doivent être plutôt rares, remarqua le directeur, celles qui peuvent se vanter d'avoir eu, pour leur donner la réplique dans une première audition, un comédien de la classe de Paul Vernon !

— Naturellement, vous lui direz qu'il n'est pas question pour lui d'apprendre la scène ! Il n'a qu'à la parcourir juste avant l'audition et qu'à la lire quand ils la joueront. Avec lui on peut être tranquille : il connaît son métier... Bien entendu aussi, je compte sur vous, Skermine, pour débrouiller cette fille et la mettre un peu en scène... Pas trop cependant ! Puisqu'elle semble posséder une nature, laissons-la le plus possible jouer d'instinct : on verra bien... Ah ! non, Langlois ! Je vous interdis de lire cette petite scène inédite ici... Vous la découvrirez dans votre bureau directorial avant de la passer à Skermine : je tiens essentiellement à vous réserver la surprise de cette lecture...

— Vous pouvez être certain que j'y trouverai ce même plaisir que j'ai toujours eu à chaque fois que vous avez bien voulu me confier un manuscrit.

— Ne parlez pas trop tôt ! Vous serez peut-être très déçu, mon cher directeur ! Et vous êtes dans l'erreur si vous vous attendez à quelque chose d'extraordinaire... C'est, au contraire, une scène toute simple : une scène d'amour naturellement, mais...

comment dirai-je ? Presque une scène de tous les jours entre deux amants qui s'adorent... Je n'ai même pas pris la peine de donner des noms à mes deux personnages : lui, c'est LUI et elle, c'est ELLE... Vous voyez : c'est très banal !... Ah ! Une dernière question à laquelle doit nous répondre Skermine : combien de temps estimez-vous qu'il faille pour que « notre » débutante soit prête à auditionner ?

— Quelques jours au plus... Je compte procéder avec elle de la façon suivante : dès ce soir, je vais tâcher de la joindre pour lui lire la scène à seule fin qu'elle puisse bien comprendre l'esprit dans lequel elle doit la jouer. Ensuite je la lui laisse pour qu'elle l'apprenne par cœur : c'est indispensable. Comme ce n'est pas long, elle la saura d'ici quarante-huit heures. Ensuite je la ferai travailler seule avec moi mais, la veille de l'audition, je demanderai à Paul Vernon de venir répéter quand même une fois avec elle. Ainsi je serai plus sûr pour le lendemain.

— Mettons donc que tout cela demande une semaine au plus, calcula Forval. Nous ne pouvons d'ailleurs pas attendre davantage : les répétitions de *La Voleuse* doivent commencer le plus tôt possible. Et nous ne pouvons le faire que quand nous aurons pris la décision finale, après audition, dans un sens ou dans l'autre. Si la femme est bien, vous établissez immédiatement son contrat, Langlois... Si, au contraire, elle est médiocre, il faudra aussitôt vous mettre en campagne pour trouver une autre interprète.

— Où désirez-vous qu'ait lieu cette audition ? demanda le directeur.

— Mon cher, certainement pas aux *Idées Noires !* Ce serait mauvais pour tout le monde : la fille y a trop pris l'habitude de s'y croire chez elle ! Et ce qui peut porter dans ce cadre restreint pourrait ne rien donner sur une vraie scène. Enfin, je n'imagine pas très bien l'ambiance que pourrait avoir cette boîte de nuit vide pour une audition qui n'a rien à voir avec un tour de chant ! L'audition doit se passer dans votre théâtre, Langlois... là où sera joué *La Voleuse.* J'y viendrai spécialement... Voulez-vous que nous fixions dès maintenant l'audition pour vendredi prochain quinze heures ?

— C'est parfait. Nous vous y attendrons tous.

— Tous ? Prenez vos précautions, messieurs, pour qu'il n'y ait pas la moindre indiscrétion ! Personne ne doit savoir, ni parmi les artistes, ni dans le personnel de votre théâtre, ni surtout dans la presse toujours assoiffée d'échos ou de potins des coulisses, que je fais passer cette audition. Ils annonceraient aussitôt, sans même nous en demander l'autorisation, qu'André Forval va lancer une nouvelle Sarah Bernhardt ! Ce serait catastrophique si nous jugeons que la fille ne peut décemment pas créer ma pièce. Et si elle est bien, je me réserve le droit de déclarer moi-même, dans une interview d'avant-première, pourquoi je l'ai choisie. Déclaration qui doit arriver comme un coup de tonnerre pour créer le grand mouvement de curiosité indispensable sur notre découverte. Donc, il ne faut dans la salle, le jour de l'audition, que nous trois... Pardon : nous quatre ! J'oubliais ce pauvre Alain...

— Il faudra aussi mon régisseur pour les éclairages, remarqua Langlois.

— Même pas ! Vous connaissez suffisamment votre théâtre pour être capable de les régler vous-même... Maintenant, messieurs, je vais aller me reposer. Vous avez dormi cette nuit, mais pas moi ! Oui, les scènes les plus simples sont presque toujours les plus difficiles à écrire... Cela peut paraître assez insensé d'avoir mis tant d'heures à inventer quelques répliques pour une jeune personne qui ne sera peut-être même pas capable de les débiter correctement ! Mais précisément, parce que j'ai vu et entendu chanter — s'il est permis d'employer un verbe aussi divin pour qualifier une acrobatie qui n'avait rien de vocal — cette inconnue, j'ai pensé qu'il fallait lui donner le moyen de se défendre avec un texte conçu exactement pour elle, « taillé sur mesure ». Nous n'avons plus qu'à lui souhaiter bonne chance ! Au revoir, mes bons amis. Nous ne nous reverrons que vendredi...

Au moment de pénétrer dans le cabinet de travail, il se retourna pour dire au directeur :

— Langlois ! Une recommandation importante : ne perdez pas ces feuillets ! C'est l'unique exemplaire de la scène ! Je n'ai pas pris la peine de glisser des carbones entre les pages pour avoir des doubles et j'ai jeté mes brouillons manuscrits au panier... Alain, raccompagne nos amis jusqu'au rez-de-chaussée.

Pendant la descente de l'escalier, le jeune homme n'avait qu'une idée : demander au directeur de lui laisser jeter un rapide coup d'œil sur la mystérieuse scène d'amour — la première, depuis trois années qu'il remplissait les fonctions de secrétaire, dont il n'avait pas été le tout premier lecteur. Mais il n'osa pas.

Quand il revint seul au premier étage, une autre pensée le hantait : pourquoi André Forval avait-il fait preuve d'une telle défiance à son égard ? Pourquoi avait-il préféré utiliser lui-même la machine détestée plutôt que de lui confier le manuscrit à taper ? Il n'y avait qu'une réponse : Forval avait dû trouver pour cette scène des répliques qu'il ne voulait pas que son « filleul » pût connaître avant le moment de l'audition. De terribles répliques capables de détruire dans l'esprit de ses auditeurs celle qui les prononcerait ! Pour qu'un auteur d'une telle expérience ait passé une partie de la nuit et toute la matinée, enfermé dans son cabinet, à ce travail en somme assez court, chaque mot devait avoir été réfléchi, pesé, calculé...

Il fallait à tout prix connaître le contenu de cette scène qui serait pour la jeune femme le plus implacable des tests. Et Alain ne pourrait être renseigné que par Forval lui-même. Aussi devait-il se montrer habile, humble, charmant... Résolu à tout, il frappa discrètement à la porte du cabinet.

— Entre ! cria la voix de Forval qui l'accueillit avec une réelle bonne humeur en demandant : « Content ? »

— Content de quoi, parrain ?

— Mais... de ce que j'aie tenu ma promesse ! Maintenant la dame de tes pensées n'a plus qu'à se mettre au travail en suivant les directives de Skermine. Elle ne peut pas être entre de meilleures mains : l'homme est habile et a été le premier à la découvrir. Je suis persuadé que, pendant ces huit jours, il mettra tout en œuvre pour qu'elle soit parfaite à l'audition.

— Je vous en veux, parrain... dit doucement l'adolescent.

— Encore pour notre discussion ? Tu es rancunier, mon garçon ! Je croyais que tout cela était déjà oublié... Personnellement, je ne me souviens de rien !

— Pour cela, vous avez été très gentil... Je vous en suis reconnaissant.

— Oh ! Je t'en supplie, mon petit Alain, accroche une fois pour toutes le mot « reconnaissant » au vestiaire ! Je t'assure que tu l'emploies trop ! Alors, qu'est-ce qui ne va pas encore ?

— J'ai un peu de peine...

— C'est normal : tu es amoureux !

— Ne vous moquez pas ! Ma peine vient de ce que, pour la première fois, vous n'avez pas eu confiance en moi.

— J'ai toujours confiance en toi ! Et j'ai raison : jamais tu n'as été aussi franc que cette nuit !

— Pourquoi alors vous être donné tant de mal sur la machine à écrire et ne pas m'avoir confié la scène à taper ? J'ai une grande habitude des carbones : vous auriez eu au moins six exemplaires.

— Je n'y tenais pas ! Je n'en voulais qu'un... cette scène ne sera jouée qu'une seule fois et ne mérite nullement d'être conservée pour la postérité ! Elle ne vaut que pour l'utilisation précise qui va en être faite...

— J'aurais tant aimé la lire...

— Je te vois venir... La lire pour savoir comment j'ai compris la véritable personnalité de la belle Olga ? Eh bien, tu es trop curieux, mon garçon ! Attends huit jours : tu auras peut-être une déception.

— Je ne comprends pas ?

— Mais oui : dans une semaine, quand tu verras et entendras cette fille sur la scène, tu la découvriras peut-être enfin telle qu'elle est réellement et non pas telle que tu l'imagines actuellement dans tes rêves ! Huit jours, c'est très long... Il s'en passe, des choses, en huit jours ! Surtout à ton âge !

Le jeune homme le regardait, incrédule. Si André Forval se figurait qu'il allait changer d'avis en si peu de temps, il se trompait ! Alain était sûr que, dans huit jours, il trouverait la femme encore plus belle, encore plus désirable... Dans huit jours ? Mais il serait fou d'elle !

L'homme l'observait, amusé :

— Je sais ce que tu penses en ce moment... Inutile de me le dire ! Et parlons d'autre chose... ! J'ai modifié mes projets pour cet après-midi : au lieu d'essayer de dormir, ce qui me rend toujours malade quand je le fais à cette heure, je vais sortir prendre l'air. Une bonne et longue marche me fera beaucoup de bien ! Le temps est admirable... Je ne te propose pas de m'accompagner : j'ai l'impression que tous les lieux où je pourrais t'emmener aujourd'hui t'ennuieraient ! Sais-tu ce que tu devrais faire ? Profiter de mon absence pour mettre un peu d'ordre dans ce cabinet de travail... Je finis par me noyer moi-même sous l'accumulation de mes papiers ! Classe-moi tout ce qui traîne dans des chemises, mais fais-le avec assez d'habileté pour que je retrouve immédiatement les documents chaque fois que j'en aurai besoin... Tu as tout le temps : je ne serai pas de retour avant sept heures... Bon courage !

— Parrain... Sincèrement, croyez-vous qu'Olga saura jouer la scène écrite pour elle ?

— Tu m'en demandes trop... Je le souhaite : ça simplifierait les choses en nous faisant gagner du temps. Je veux que *La Voleuse* passe au plus tard dans trois mois. Personnellement, j'ai fait tout ce que je pouvais pour elle...

Le jeune homme commença à mettre de l'ordre sur l'immense bureau, encombré de papiers de toutes sortes. Comme André Forval le lui avait demandé, il classa les dossiers dans des chemises sur lesquelles il inscrivit l'essentiel de ce qu'elles contenaient. Mais son esprit était ailleurs ; son travail était machinal. Avec précaution, il avait entrouvert la seconde porte du cabinet, donnant directement sur le palier de l'escalier, pour entendre tout ce qui s'y passerait... Et il guettait le moment où Forval descendrait pour sortir.

Enfin il l'entendit dans l'escalier puis ce fut avec un véritable sentiment de soulagement qu'il écouta le bruit de la porte de la rue qui se refermait. Blotti derrière les doubles-rideaux de l'unique fenêtre du cabinet, il regarda s'éloigner le long du quai de Bourbon la silhouette emmitouflée dans une pelisse que l'homme affectionnait tout particulièrement et qu'il endossait chaque fois qu'il partait faire ce qu'il appelait « une promenade hygiénique ». Avec le feutre aux bords rabattus et la canne, André Forval ressemblait à beaucoup d'autres que l'on ne trouve que dans ces parages et qui passent le plus clair de leur après-midi à hanter les casiers des bouquinistes.

Alain se savait enfin seul — le serviteur muet ne comptant pas dans son esprit — pour pouvoir rechercher en toute tranquillité le manuscrit original. Il lui répugnait d'être contraint d'employer un tel procédé mais puisque André Forval s'était refusé à raconter lui-même la scène, il ne lui restait que ce moyen pour la connaître avant le jour de l'audition. Une force secrète, supérieure à son désir d'honnêteté, le poussait à agir : sa passion naissante pour Olga l'exigeait.

Forval avait bien dit à Langlois : « J'ai jeté mes brouillons manuscrits au panier. » Il n'y avait donc qu'à se baisser et, même si les feuillets étaient déchirés en morceaux, Alain trouverait la patience de reconstituer le puzzle dans sa chambre... Mais le panier était vide ! Forval avait donc menti sciemment.

Le jeune homme courut à la cheminée. Là, il comprit tout de suite : ces quelques cendres de papier carbonisé, dans cette cheminée purement décorative et où nul n'avait jamais vu flamboyer la moindre flamme, étaient tout ce qu'il restait des originaux. L'homme avait attaché une telle importance à ce que son protégé ne pût les lire qu'il avait préféré les brûler ! C'était un texte sans aucune importance, avait-il également dit... Et brusquement, le garçon comprit que tout, depuis ce geste destructeur, avait été méticuleusement prévu par le dramaturge : son soi-disant besoin d'aller prendre l'air, l'ordre donné à Alain de ranger les papiers traînant sur le bureau, cette façon de dire avec négligence : « Tu as tout le temps : je ne serai pas de retour avant sept heures », même les cendres de papier qu'il n'avait pas cherché à faire disparaître... Il savait que le garçon mettrait à profit sa solitude pour faire des recherches... C'était le cerveau machiavélique qui avait créé tout doucement la situation dans laquelle se trouvait actuellement l'adolescent. Et, tout en faisant sa promenade, il devait bien s'amuser, le génie, à l'idée de la déconvenue d'Alain devant le petit tas de cendres !

Eh bien, puisque c'était lui qui l'avait voulu, l'amoureux irait jusqu'au bout ! Il continuerait à chercher, il fouillerait partout, il n'hésiterait pas à mettre tout sens dessus dessous... Qui sait ? Rien ne prouvait d'une façon absolue que les cendres fussent celles du manuscrit ?

La recherche commença, fébrile, d'abord désordonnée, plus méthodique au bout de quelques instants. Les tiroirs du bureau furent visités un par un, soigneusement, mais sans succès. Ensuite ce fut le tour des étagères qui ne livrèrent pas plus le secret. Toutes les cinq minutes le garçon, en sueur, courait à la fenêtre pour voir si, par hasard, la silhouette ne se profilait pas à nouveau le long du quai, revenant intentionnellement à l'improviste pour surprendre l'indiscret dans sa basse besogne. Mais la rue était toujours déserte.

Il restait encore cette petite bibliothèque dans laquelle Forval avait pris l'habitude de ranger tous les manuscrits de ses propres pièces. Pour lui, c'était le meuble le plus sacré du musée, la véritable armoire aux trésors, la matérialisation de toute sa raison de vivre, la preuve tangible aussi de son génie créateur... L'adolescent ouvrit la bibliothèque ; tous les titres des pièces — qui avaient fait le tour du monde — étaient là, dansant devant ses yeux dans une sarabande de succès fantastique... Et tous étaient des qualificatifs de l'état d'âme ou du défaut dominant d'une héroïne... Pas un seul de ces titres, très discrets et très simples, ne désignait un homme ! Ce n'était jamais LE mais LA... *La Folle, La Menteuse, La Vipère, L'Ambitieuse*... Toutes des créatures impossibles ! Des femmes au comportement monstrueux et pour qui l'homme — cette éternelle victime dans l'esprit du dramaturge — n'était qu'un jouet dont elles se servaient pour satisfaire leurs instincts, leurs appétits, leur besoin de domination et qu'elles n'hésitaient pas à briser quand le mécanisme ne les intéressait plus... L'adolescent connaissait toutes ces pièces, à la fois terribles et admirables : c'était Forval lui-même qui l'avait obligé à lire celles qu'il avait écrites avant que n'eût lieu leur rencontre. Les autres, Alain les avait tapées à la machine scène par scène, réplique par réplique : il les connaissait par cœur, toutes à l'exception de la scène destinée à Olga... C'était peut-être là ce qu'il y avait de plus enrageant et de plus insensé ! Parce qu'enfin aucune de ces héroïnes ne l'avait attiré avant Olga... Olga qui, à elle seule, pouvait réunir si elle le voulait — le garçon en était certain — tous les défauts voulus par Forval : la folie, le mensonge, l'hypocrisie, l'ambition... Toutes les qualités aussi, dont l'auteur ne parlait jamais et, parmi elles, la plus grande de toutes : la Beauté.

Bientôt Olga serait *La Voleuse*. Il le fallait ! Et ce serait juste : n'était-elle pas déjà en train de voler un garçon jeune à l'homme mûr ? Aucune femme au monde n'interpréterait mieux le rôle qu'elle ! *La Voleuse ?* Le manuscrit original était là, le dernier à droite sur le rayon de la bibliothèque avant un espace encore vide qui semblait déjà attendre les manuscrits futurs... D'autres titres, tous plus méprisants les uns que les autres à l'égard de la femme, viendraient s'aligner pour compléter l'étrange série. Et cela durerait jusqu'au jour où Forval n'aurait plus le souffle créateur. Mais sa vitalité, ses réserves cérébrales étaient telles qu'il parviendrait à fabriquer de nouvelles héroïnes jusqu'à sa dernière seconde de vie, jusqu'à ce que la mort enfin vînt mettre un terme à sa farouche volonté de destruction systématique de celle qu'il ne voyait qu'en ennemie. Ce jour-là, les portes vitrées ne s'ouvriraient plus : le meuble sacré deviendrait l'un de ces joyaux que l'on regarde avec respect et que tous les bibliophiles du monde rêvent de posséder. A moins que les portes ne se réouvrissent une dernière fois pour livrer, aux hasards d'une vente fabuleuse, les trésors un à un ? Il n'y avait aucun héritier. Qui aurait les moyens de payer tous ces manuscrits au prix de leur véritable valeur ? Ils seraient dispersés...

Le manuscrit de *La Voleuse ?* Comment le jeune homme n'y avait-il pas songé plus tôt ? N'était-ce pas la cachette rêvée, l'écrin prestigieux dans lequel l'auteur avait dissimulé la scène maudite ? Elle ne pouvait être que là...

Les mains tremblantes, l'adolescent prit le manuscrit et, presque aussitôt, s'échappant de leur mystère, des feuillets glissèrent : ils étaient placés entre la première page où s'inscrivait — de l'écriture large de Forval — le titre *La Voleuse* et la seconde où la même plume rageuse avait inscrit sous la nomenclature « Personnages » les noms, prénoms et l'âge des héros du drame.

Les feuillets n'étaient pas manuscrits mais dactylographiés. Une nouvelle fois, André Forval avait trompé tout le monde : il avait utilisé le carbone et tapé en double la scène destinée à Olga. Cela avait paru très surprenant qu'un auteur, aussi amoureux de tout ce qu'il écrivait, eût couru le risque de confier à un unique exemplaire — qui pouvait être perdu pendant la semaine de répétitions — le fruit de tout le travail d'une nuit d'insomnie ! Comme toujours, il avait pris ses précautions : le double était là. En tout, cela faisait cinq pages de dialogue. Il n'y avait aucun titre et simplement, au-dessus de chaque réplique, les mots alternés : ELLE, LUI, ELLE, LUI...

Fasciné, Alain commença une lecture fiévreuse. Quelques minutes plus tard, il était effondré. Il comprenait enfin pourquoi Forval n'avait pas voulu le mettre dans le secret : pour interpréter convenablement une scène pareille, il fallait des acteurs prodigieux, presque des géants !

Jamais une Olga, ni aucune débutante, quels que soient son tempérament ou ses dons naturels, ne pourrait s'en tirer ! Chaque réplique était une véritable chausse-trape, chaque mot devait être mûrement pensé avant d'être prononcé. Ce n'était plus étonnant que le dramaturge eût passé des heures et des heures à écrire la scène : peut-être l'avait-il refaite vingt fois avant de lui donner sa facture définitive ? Toute l'immense connaissance de son art, toute sa prodigieuse science du dialogue, André Forval les avait employées. Et cela avait été fait avec une telle habileté, avec une telle rouerie, qu'un lecteur non averti aurait pu croire que c'était la plus banale des scènes d'amour.

Scène d'amour plus vraie que la vérité, n'employant intentionnellement que des mots du langage courant, ne se situant ni dans le temps ni dans un lieu déterminé. Elle pouvait être jouée dans n'importe quel décor ou sans décor, dans n'importe quel costume, n'importe où... Elle pouvait aussi s'emboîter dans n'importe quelle pièce à condition que ce fût une pièce d'amour. C'était l'éternel dialogue de deux amants qui s'aiment et qui se haïssent en même temps, qui ne trouvent rien d'autre à se jeter à la face que des banalités mais — dans leur cœur — chacune de ces banalités prend des résonances insoupçonnées. C'était tout l'amour du monde en quelques répliques. Ces quelques feuillets dactylographiés étaient peut-être le plus grand chef-d'œuvre qu'ait jamais conçu l'auteur illustre ?

A aucun moment, dans ce que devait dire la femme, ne transpirait la personnalité qu'Alain croyait avoir découverte en Olga. Il n'y était question ni de beauté, ni de fascination, ni même de séduction. N'importe quelle femme — à condition qu'elle fût une grande actrice — pouvait dire ces choses. Cela indiquait-il qu'André Forval n'avait réellement rien ressenti de « la présence » d'Olga et qu'il ne la considérait que comme une femme ressemblant à des milliers d'autres ? Le jeune homme croyait encore l'entendre dire : « *Tu voudrais lire cette scène pour savoir comment j'ai compris la véritable personnalité de la belle Olga ?... Attends huit jours : tu auras peut-être une déception.* »

Celle-ci était totale parce que justement Forval — qui avait pourtant affirmé, à Langlois et à Skermine, avoir « taillé sur mesure » pour Olga — semblait n'avoir rien écrit là spécialement pour elle. C'eût été trop beau, et nullement dans sa nature d'égoïste, qu'il lui eût facilité la tâche ! La jeune femme ne pourrait jamais se défendre : dès la première réplique — et malgré tous les efforts de Skermine ou même de l'excellent partenaire qu'elle allait avoir — elle partirait battue. Et comme elle serait mauvaise à l'audition, elle n'aurait pas droit au rôle beaucoup plus facile au fond, parce qu'il était vertébré dans une pièce solidement charpentée, de *La Voleuse*. C'était exactement le but qu'avait recherché le dramaturge : l'effondrement de la belle Olga devant Langlois et Skermine, qui croyaient avoir fait en elle une découverte, et surtout devant lui, Alain, son amoureux... Forval devait déjà la haïr pour s'être donné la peine de mettre au point un instrument de destruction aussi raffiné !

L'effondrement ? L'adolescent ne pouvait l'admettre. Sans réfléchir davantage — parce qu'à dix-huit ans on pense toujours avoir le temps de réfléchir plus tard — il se raccrocha à une idée qui venait de germer dans son cerveau. Idée peut-être un peu folle, étant donné son âge et la personnalité très spéciale de la jeune femme, mais qui pouvait se défendre : l'effondrement n'aurait pas lieu si Olga prenait la chose au sérieux. C'était à lui, Alain, de lui faire comprendre que tout son avenir était en jeu : si elle se montrait parfaite à l'audition, elle obtiendrait le rôle de *La Voleuse* et, le soir de la générale, elle deviendrait célèbre ! Alors sa carrière serait faite, une vraie carrière qui lui apporterait une gloire et une fortune qu'elle n'aurait jamais pu espérer dans la médiocrité du sordide cabaret où elle se faisait désirer par un piètre public. Dans l'esprit d'Alain, c'était un véritable scandale, une profanation, qu'une femme aussi belle pût se commettre en un pareil lieu ! *Les Idées Noires*, c'était l'enfer ; une pièce d'André Forval, c'était le chemin d'accès au Paradis.

Pour être parfaite à l'audition. Olga devait travailler d'arrache-pied jusqu'à l'heure H... Et ce serait lui, l'amoureux sincère, son seul véritable ami, qui l'aiderait à travailler ! Il la ferait répéter en cachette de Skermine... Après tout, ce Skermine n'était qu'un individu gagnant sa vie à faire des mises en scène ! Pour lui, ce n'était qu'un métier comme un autre ! Il n'avait pas la flamme d'amour qui, seule, peut engendrer le miracle. Il saurait se montrer consciencieux, parce qu'il devait aimer son métier, mais ce n'était pas suffisant dans le cas présent : il fallait d'abord aimer Olga ! Langlois, lui, n'était qu'un épicier du théâtre qui avait déjà dû calculer que l'engagement d'une inconnue lui coûterait beaucoup moins cher que celui d'une actrice connue. C'était l'unique raison pour laquelle il soutenait Olga... Peut-être aussi pour faire semblant d'épouser, pendant quelques jours, les idées du dramaturge qui exigeait une femme inconnue ? Mais que pourrait faire à un Langlois l'effondrement d'Olga à l'audition ? Aidé de son complice Skermine, il trouverait rapidement une autre débutante que Forval accueillerait d'un œil d'autant plus favorable qu'elle éliminerait celle qui plaisait à Alain. Même si elle n'était pas bonne comédienne, Forval parviendrait bien — pour parachever son œuvre de jalousie — à lui trouver quelques qualités... Peut-être même ne lui ferait-il pas subir la moindre audition ? Ou, si cela était, il lui ferait interpréter tout de suite une scène de *La Voleuse.* La scène diabolique n'avait été conçue que pour éliminer Olga ! Et la nouvelle femme deviendrait vite, grâce à la baguette magique du grand fabricant André Forval, une artiste consacrée. Olga, la merveilleuse Olga, continuerait à débiter ses pauvres chansons dans le triste cabaret...

La machine à écrire était là. Ce serait tellement plus rapide de taper la scène, même en plusieurs exemplaires, que de la recopier à la main ! C'était un risque à courir : qui durerait un quart d'heure tout au plus. Alain pouvait taper très vite, s'il le voulait... Quand ce serait fait, il remettrait dans leur cachette, entre les deux premières pages du manuscrit de *La Voleuse,* les feuillets dactylographiés par Forval. Ainsi, quand il reviendrait de sa promenade calculée, il ne s'apercevrait de rien. Oh ! son premier soin, en rejoignant le cabinet de travail, serait d'aller directement au meuble sacré. Mais tout serait en place. Et il penserait : « Le piège n'a pas fonctionné : mon texte est toujours là. Décidément ce petit Alain n'a pas fini de me dérouter ! Il est moins curieux que je ne l'aurais cru... A moins qu'il ait déjà cessé d'être amoureux après tout ce que je lui ai dit pour le détacher de cette fille ? »

Alain avait beau être jeune, sa sensibilité exaspérée — ajoutée aux années d'une enfance solitaire pendant laquelle il avait eu le temps de mûrir beaucoup plus vite que ceux de son âge — lui faisait comprendre que c'était ce personnage-là qu'il devrait jouer à l'avenir pour tromper la méfiance permanente d'un Forval : le garçon qui a connu son premier émoi réel à la vue d'une très belle femme mais qui n'est quand même pas dénué de bon sens au point de négliger ses études. Il ne parlerait plus que de ses études et jamais d'Olga ! Si un jour l'homme, intrigué, lui demandait :

« — Tu ne me dis plus jamais rien de cette belle créature ? »

Il répondrait aussitôt, désinvolte :

« — Laquelle ?

« — Mais celle que tu croyais l'unique, mon petit !

« — Olga ?... Voyez-vous, parrain, je n'ai pas oublié ce que vous m'avez dit un soir : « Il y a beaucoup de femmes comme elle. »

Il voyait déjà le visage d'André Forval s'éclairant de l'un de ses sourires ambigus pendant que la voix dirait, satisfaite :

« — C'est merveilleux, à ton âge, comme on enterre vite ce que l'on a cru aimer ! »

Et l'on ne parlerait plus jamais d'*Elle*.

Placer les feuillets et les carbones intermédiaires sur la machine fut un jeu. Les doigts de l'adolescent coururent avec une rapidité fulgurante sur le clavier qui crépitait. Un quart d'heure plus tard, les portes vitrées de la bibliothèque s'étaient refermées sur leur secret et la machine était à nouveau silencieuse sous la housse de cuir. Les doubles pliés étaient soigneusement enfouis dans une poche intérieure du veston.

Il ne restait plus, dans le cabinet de travail, qu'un garçon très calme qui mettait son point d'honneur à parachever les rangements qu'on lui avait ordonné de faire.

Comme il l'avait annoncé, André Forval ne revint qu'à sept heures.

— Encore là ? demanda-t-il en retrouvant Alain dans le cabinet.

— Je viens juste de terminer, parrain... Voici toutes les chemises classées.

— Bravo ! Si tu savais comme c'est agréable pour moi de savoir que tu es un garçon ordonné. Quand j'avais ton âge, je l'étais aussi, mais, avec les années, j'ai fini par me laisser vaincre par la paperasse ! Ne m'imite pas surtout ! Lutte toujours contre l'envahissement de toute chose !

— Vous avez fait une bonne promenade ?

— Excellente, mais je suis exténué... J'ai l'intention de me coucher très tôt. Après une bonne nuit, tout ira bien ! Ce ne sera pas demain que l'on me reprendra à vivre des veilles pareilles ! Je viens de dire à Ali qu'il serve le dîner dans un quart d'heure. Toi aussi, il faut que tu dormes.

— D'autant plus que j'ai un cours très important demain matin à huit heures.

— Tu devrais aller te préparer pour le dîner. Nous nous retrouverons directement à la salle à manger.

Alain avait prévu que cette invite à quitter le cabinet de travail viendrait : dès qu'il aurait quitté la pièce, Forval irait directement vers le meuble aux manuscrits. Et le jeune homme se retint pour ne pas siffloter de contentement à l'idée de ce que serait la déception...

Le repas fut ce qu'il promettait d'être, ce qu'il avait toujours été depuis le premier soir où l'adolescent avait pris place à cette table, face à l'homme solitaire. Il était rare qu'André Forval parlât pendant les repas qui étaient expédiés le plus rapidement possible. Le service, assuré par le serviteur muet, était impeccable, accéléré lui aussi. Plusieurs fois, en sortant de table, Forval avait dit :

— On prétend que l'on ne vieillit pas à table... Je n'en suis pas certain ! Moins on mange et mieux on se porte... C'est fou ce que les gens peuvent perdre de temps à table dans notre pays !

Ce soir-là cependant, l'homme parut faire un effort, pour se montrer, sinon bavard, du moins plus loquace. Il raconta sa promenade qui l'avait entraîné des quais jusqu'aux jardins du Palais-Royal :

— C'est peut-être l'un des lieux de Paris qui prête le plus à la méditation : je crois bien que cet après-midi, j'ai fait quatre ou cinq fois le tour complet de ses arcades. J'aime ces boutiques aux façades un peu vétustes, qui sentent bon le passé... J'aime aussi ce silence, cette absence de voitures et de trépidation, en plein centre de notre capitale ! C'est un peu comme si Paris avait éprouvé le besoin impérieux de ne pas livrer son cœur à tout le monde : le cœur d'une ville, ça se cache comme celui d'un homme... Vas-tu seulement quelquefois dans ce havre de paix ?

— Jamais.

— Tu as le plus grand tort, mon petit : contrairement à ce que tu penses, tu ne t'y ennuierais pas. Tu y ferais les plus beaux rêves d'avenir.

— Oh ! L'avenir...

— Ne t'en désintéresse pas trop ! A ton âge, tu as la chance qu'il veuille bien encore t'attendre...

L'adolescent ne répondit pas. La fin du repas fut morne. C'était avec un réel soulagement qu'Alain quittait toujours la salle à manger. Ce soir, le soulagement était presque une libération : il avait hâte de se retrouver seul avec le projet caressé depuis l'instant où il avait lu la scène destinée à Olga.

— Je te garantis que je ne vais pas être long à m'endormir, dit Forval en lui disant bonsoir. Si je peux te donner un conseil, fais-en autant. Les boîtes de nuit, c'est peut-être charmant mais ce n'est pas encore de ton âge, ni plus tout à fait du mien ! Bonne nuit, mon petit.

Enfermé dans sa chambre, le jeune homme relut attentivement les feuillets dactylographiés de sa main en essayant d'imaginer comment Olga pourrait se comporter dans le personnage de celle qui ne s'appelait qu'ELLE ? Puis il attendit : quand sa montre marqua onze heures, il entrouvrit sa porte avec d'infinies précautions... L'hôtel particulier était silencieux ; tout était éteint. Il y avait longtemps aussi qu'Ali et la cuisinière avaient rejoint leurs chambres. Avant de descendre l'escalier, Alain poussa doucement la petite porte du cabinet de travail, donnant sur le palier. Là aussi, ce n'était que nuit et silence : il entrevit la machine à écrire qui ne livrerait jamais son secret... Ensuite il descendit rapidement, aussi irréel et aussi léger qu'une ombre. Pendant l'attente, il avait eu tout le loisir de penser à cette fugue, la première qu'il faisait depuis qu'il était entré dans cette maison où il venait de prendre subitement conscience d'avoir vécu trois années dans une prison dorée. Sa chance était que quelques semaines après son arrivée, André Forval lui avait dit :

— Voici une clef de la porte d'entrée : ceci pour éviter que tu ne déranges Ali à chaque fois que tu reviendras de tes cours. Tu es de la maison maintenant...

Sur le moment, cette marque de confiance avait paru très naturelle au jeune garçon mais ce n'était que ce soir qu'il pouvait en apprécier le prix. Hanté par l'idée de voler au secours d'Olga, il n'avait même pas pris le temps de réaliser qu'il allait tromper cette confiance. La seule chose qui comptait pour lui était d'avoir la clef. Quand il se retrouva dans la rue, pour la première fois il éprouva une sensation grisante de liberté. Elle lui semblait d'autant plus grande qu'il ne la devait qu'à lui-même : confusément il sentait qu'il venait d'accomplir un geste d'homme. Et il s'éloigna vite. N'était-ce pas l'évasion ?

★

... Une évasion qui le conduisait aux *Idées Noires.*

Arrivé devant l'entrée du cabaret, il eut une courte hésitation mais la vue du portier qui s'apprêtait à lui faire l'invite habituelle, le décida à s'engouffrer dans l'établissement avant que l'homme famélique n'ait eu le temps de parler. Se souvenant du récit de Skermine, il alla directement se jucher sur un tabouret du bar. C'était bien la première fois de sa vie que pareille aventure lui arrivait mais le désir impérieux de revoir la femme rousse, et surtout de l'aider à triompher le jour de l'audition, lui aurait fait accomplir beaucoup d'autres gestes.

Timidement cependant, il commanda une bière au gros homme en veste blanche que Skermine avait dit être le patron. Après l'avoir minutieusement dévisagé pendant qu'il le servait sur le comptoir, « Monsieur Raoul » finit par dire :

— Je vous reconnais, jeune homme... Vous étiez là hier soir avec votre père sans doute ? Le monsieur à cheveux gris ?

— Ce n'est pas mon père, répondit l'adolescent en rougissant. C'est mon patron... Je suis son secrétaire.

— Il les choisit bien jeunes, à ce que je vois ! Il va revenir ce soir ?

— Pourquoi ? Il n'y a aucune raison...

— Ce n'est pas mon avis ! Il a une excellente raison de revenir : Olga...

Alain le regarda, médusé, avant de pouvoir balbutier :

— Qu'est-ce qui vous fait dire cela ?

— Dame ! On dit « jamais deux sans trois »... Ce soir, ce serait plutôt jamais trois sans quatre... Les deux « autres » sont déjà venus tout à l'heure avant même l'heure de l'ouverture. Et ils étaient rudement pressés de me parler ! Maintenant c'est votre tour... Alors il n'y a pas de raison pour que le quatrième, votre patron, l'auteur quoi, ne rapplique pas aussi me faire une petite visite ?

— Ah ? Vous les avez déjà vus ?

— Oui...

— Et ils ont parlé avec... Olga ?

— C'était inutile. Ils m'ont expliqué tout leur bazar...

— Leur bazar ?

— Enfin leur projet de la lancer au théâtre ! Vous n'êtes donc pas au courant ? Pour un secrétaire du grand homme, ça me paraît plutôt bizarre !

— Je suis au courant, en effet, mais je ne pensais pas que vous auriez déjà été informé...

— Olga et moi, c'est du pareil au même ! Je l'ai sous contrat... Elle ne peut rien faire ailleurs qu'ici si l'on ne se met pas d'accord avec moi.

— Vous êtes le directeur de ce cabaret ?

— Le patron, jeune homme ! Il n'y a pas que le vôtre à être « patron » ! Comment s'appelle-t-il donc ? Je n'arrive pas à me mettre son nom dans la tête ! Attendez ; je l'ai écrit quelque part...

Il exhiba de la pochette de sa veste blanche un carré de papier douteux sur lequel il lut :

— Forval... André Forval ! C'est bien cela ! Il paraît qu'il est très connu comme auteur ? Après le départ des deux autres, je me suis renseigné : j'ai téléphoné à un de mes bons copains, Sam... Vous le connaissez ?

— Non.

— C'est pourtant quelqu'un dans le spectacle ! C'est lui qui contrôle presque tous les revendeurs de biffetons.

— De biffetons ?

— De billets quoi ! Vous savez bien : ces types qui sont à l'entrée de tous les théâtres et music-halls pour refiler, moyennant un petit supplément personnel, des places aux spectateurs qui n'ont pas eu le temps de louer à l'avance... Eh bien Sam, c'est le roi de ce truc-là ! C'est un as ! Je le rencontre presque tous les jours aux courses... S'il n'était pas mordu, comme moi, par le turf, il serait riche à milliards ! Depuis le temps que lui et ses sbires opèrent dans le spectacle ! Il a, comme ça, des types à lui qu'il a planqués un peu partout dans les différentes salles : celles où ça marche, bien entendu ! Parce que les autres, ça n'a pas d'intérêt ! C'est vrai : quand la pièce n'est pas bonne et que le théâtre est à moitié vide, vous pensez bien que les gens ne sont pas assez fous pour acheter des biffetons plus cher que le prix marqué ! Mais quand ça bourre, quand c'est plein, c'est un autre business ! Faut que les amateurs y passent et c'est mon petit père Sam qui se remplit les poches ! Vous avez compris le boulot ?

— Je crois.

— Vous êtes jeune mais pas assez bête pour me faire croire que vous l'ignoriez ! Je vous garantis que votre patron doit le connaître depuis longtemps ! D'autant plus que ses pièces — Sam me l'a dit — ça se joue toujours à bureaux fermés et qu'il faut louer des semaines à l'avance... Lui aussi, dans son genre, c'est un as, votre patron ! Alors, comme ça, vous travaillez avec lui ? En quoi ça consiste exactement d'être secrétaire d'un type pareil ?

— Je tape à la machine les pièces qu'il écrit.

— Cela ne doit pas être très foulant ? C'est payé au moins ?

— Pas mal... Je suis logé et nourri.

— Chez lui ?
— Oui.
— Hé, hé ! Sam m'a dit qu'il était drôlement riche. C'est vrai ?
— Les droits d'auteur, ça rapporte... quand ça marche.
— Comme vous le dites : faut que ça marche ! C'est comme dans le cabaret... Ici ce n'est pas la grosse boîte, mais enfin je ne me plains pas trop ! Ce qui me sauve, c'est que je limite les frais tant que ça peut... Un maître d'hôtel et un portier qui vivent sur leurs pourboires, des entraîneuses qui en font autant ou qui se débrouillent après, trois musiciens... Ceux-là, ce sont les plus chers : il faut les payer au tarif syndical !
— Vous avez aussi les artistes ?
— Oh, avec eux, ça ne va pas chercher loin...
— Pourtant, Olga ?
— Elle, c'est différent... Nous avons fait un arrangement spécial... Un peu comme votre patron avec vous : je la loge et je la nourris !
— Chez vous ?
— Chez moi... J'ai bien le droit, non ? Et je n'ai de comptes à rendre à personne, jeune homme ! Je vais même vous raconter quelque chose de drôle : hier, quand je vous ai vus tous les quatre, je vous ai d'abord pris pour des flics ! Mais je me suis dit que vous étiez trop jeune pour en être un ! Alors j'ai pensé que vous étiez le fils de celui qui est votre patron...
— C'est un peu cela : c'est mon parrain...
— Félicitations ! Il est marié, cet homme-là ?
— Non.
— Alors, à l'exception de vous le filleul, il n'a pas de gosses ?
— Non.
— C'est intéressant pour vous, ça ! Il faudra bien qu'il fasse quelque chose de tout son fric... Et vous, on peut dire que vous êtes aux premières loges !

Il avait jeté un nouveau coup d'œil sur le papier crasseux :

— Langlois... Skermine... Les noms des deux autres... Langlois, c'est le gros : le directeur... Sam m'a dit aussi qu'il avait un bon théâtre et que ça marchait rudement bien là-dedans ! Le maigre, c'est celui qui doit mettre la pièce en scène... Il est connu, ce gars-là ?

— C'est le meilleur metteur en scène actuel.

— En tout cas, il n'a pas l'air idiot. C'est lui qui est venu le premier ici : il avait tout de suite repéré Olga... Oh ! Il fallait bien que cela arrivât un jour... Je le lui ai souvent dit à Olga : « Si tu restes ici, tu feras ton trou ! Il vaut mieux être vedette dans une petite boîte que d'être perdue au milieu des filles qui passent au Lido ou ailleurs... C'est vrai : on ne vient pas pour elles, mais pour le spectacle. Les filles sont noyées dans le flot ! Il y en a trop ! » Vous avez vu hier comment le public la réclamait ! Et c'est chaque soir pareil ! Vous verrez tout à l'heure... Qu'est-ce que je vous offre ?

— Vraiment, monsieur...

— Allez ! Laissez cette bière de côté... Un petit whisky ? C'est ça que vous avez tous commandé hier... Mais pourquoi ne l'avez-vous pas bu ? Il est très bon, mon whisky ! On ne vend pas de bibine ici ! C'est comme pour Olga... Je l'ai dit aux deux autres : il fallait l'applaudir !

— Je vous promets que je l'ai applaudie.

— Vous, c'est vrai : je l'ai remarqué... Mais les autres, et votre patron ?

— Il est trop du métier pour applaudir.

— Justement : quand on est du métier, on encourage les artistes ! C'est la règle !

— Et il vient rarement dans un établissement comme le vôtre...

— Ça, les autres me l'ont dit. Ils m'ont même fait comprendre que c'était presque un honneur pour moi que l'illustre auteur ait consenti à se déplacer !

Vous avouerez qu'ils vont un peu fort ! Un honneur ! Mais ma maison est honorable ! Elle a sa clientèle... Regardez : c'est plein tous les soirs...

— A cause d'Olga ?

— S'il n'y avait pas *Les Idées Noires*, il n'y aurait jamais eu d'Olga ! C'est moi qui l'ai faite, « ma » vedette ! Si vous l'aviez connue quand je l'ai rencontrée ! Une cloche ! Une vraie cloche qui crevait la faim par-dessus le marché... Mais ça, c'est une autre histoire...

— Il y a longtemps ?

— Vous êtes trop curieux, jeune homme ! Au fait, comment vous appelez-vous ?

— Alain.

— Moi, c'est M. Raoul... Tout le monde me connaît dans le quartier... Oui, quand vos amis sont arrivés, je les ai plutôt accueillis fraîchement... C'était normal : il y avait de quoi être méfiant ! Des offres et du baratin au sujet d'Olga, j'en ai déjà entendu un bout depuis un an ! Des « Mais qu'est-ce qu'elle fiche ici ?... Si vous m'écoutiez... » et patati, et patata ! Il y en a marre ! Moi, ce qu'il me faut, c'est du concret... Je l'ai fait comprendre à vos copains...

Pendant qu'il racontait, dans son jargon, leur entrevue, l'adolescent pouvait très bien imaginer l'invraisemblable scène dans laquelle tout avait dû se mêler : la vantardise de l'un, le désir d'aboutir des autres, la roublardise de « Monsieur Raoul », la finesse de Skermine...

Quand ils étaient entrés, quatre heures plus tôt, dans l'établissement, Langlois et Skermine avaient trouvé, dans la salle déserte, « le patron », les manches relevées et le mégot aux lèvres, rinçant des verres derrière son comptoir.

— Monsieur Raoul ? avait dit d'emblée Skermine, se souvenant du nom qu'il avait entendu prononcer l'avant-veille par le maître d'hôtel.

— C'est moi. Vous désirez ?

— Vous êtes, monsieur, le directeur de cet établissement ?

— Et après ?

— Si vous voulez bien jeter un coup d'œil sur nos cartes ?

Les deux visiteurs avaient tendu des bristols que le « patron » avait pris sans même se donner la peine d'essuyer ses mains dégoulinantes d'eau.

— Je vous écoute, dit-il après un vague regard sur des noms qui ne lui disaient absolument rien. Le seul détail qui l'avait frappé était, placés sous le nom de Pierre Langlois, ces quatre mots gravés : « Directeur du Théâtre X... »

— M. Langlois, continua Skermine, désirerait vous parler au sujet de l'une de vos artistes : « la belle Olga »...

— Je me doute bien que vous ne revenez pas pour l'illusionniste ! C'est à vous le théâtre ?

— Depuis vingt-cinq ans, répondit Langlois.

— Il est connu.... Moi, je ne vais jamais au théâtre. Je préfère le cinéma : ça me repose. Le théâtre, ça me fatigue : il faut suivre la pièce... Un film, s'il est mauvais, on peut dormir.

— Quelle judicieuse remarque, cher monsieur ! s'écria Skermine. Le théâtre est aussi ardu pour les spectateurs que pour les artistes... C'est pourquoi il existe très peu de grands artistes et surtout de grandes artistes de théâtre... Aussi pensons-nous, M. Langlois et moi, que Mlle Olga...

— Dites Olga comme tout le monde ! Ce sera plus simple, déclara M. Raoul.

— Donc qu'Olga pourrait faire une éclatante carrière à la scène.

— Mais elle y est déjà sur la scène ! C'est moi qui l'y ai mise en la faisant débuter ici.

— Ce qui est tout à votre honneur et qui prouve que vous avez un sens artistique très sûr, enchaîna Langlois. Seulement comprenez-nous : par « carrière à la scène », nous voulons dire une carrière de comédienne...

— Ah, ça ! Comédienne, elle l'est ! J'en sais quelque chose !

— Puisque nous sommes déjà d'accord sur ce premier point, continua vivement Skermine, ne pensez-vous pas que nous pourrions nous entendre sur un second, qui lui permettrait de jouer le principal rôle d'une pièce ? Une très grande pièce du plus célèbre de nos auteurs dramatiques : André Forval...

— Connais pas !

— Vraiment, monsieur Raoul, vous n'avez jamais entendu parler d'André Forval ? Il a cependant eu, depuis plus d'un quart de siècle, des succès retentissants... *L'Hypocrite, La Menteuse, La Vipère...* Ces titres ne vous disent rien ?

— Il me semble... Il y a eu pas mal de publicité ?

— Beaucoup de publicité ! M. Langlois est un directeur fastueux qui n'hésite jamais à faire tout ce qu'il faut pour lancer, non seulement une pièce mais ses interprètes. Ce qui m'autorise à vous dire qu'en ce qui concerne Olga, le maximum serait fait...

— Là, vous commencez à m'intéresser... La publicité à notre époque, il n'y a que cela ! Si j'en avais les possibilités, je vous garantis qu'Olga aurait des lithos qui couvriraient tous les murs de Paris !

— Si elle joue dans le théâtre de M. Langlois, elle les aura... Et, ce qui ne serait pas pour lui déplaire, ni peut-être à vous, elle aurait la tête d'affiche au-dessus de Paul Vernon...

— Paul Vernon ? La vedette de cinéma ? Vous vous fichez de moi ?

— Nous ne nous le permettrions pas.

— Il doit jouer votre pièce ?

— Il a signé son contrat.

— Mais ça change tout !

— N'est-ce pas ?... Puis-je vous poser une question, cher monsieur ? Avez-vous un contrat d'exclusivité avec cette artiste ?

— Un contrat ? D'exclusivité ?... Evidemment !

— ... qui ne lui donne sans doute pas le droit de s'exhiber dans un autre établissement que le vôtre ?

— Il faut bien que je me défende ! Si ce contrat n'existait pas, il y a belle lurette qu'elle serait partie ! Notez bien que j'ai des moyens personnels de la tenir en main... C'est une bonne fille, dans le fond... Seulement elle est comme toutes les femmes, quoi ! Elle a du succès... alors elle finit par croire que c'est arrivé...

— Tout cela est très normal. Mais vous-même êtes assez averti des choses du spectacle pour savoir que ce ne sera « arrivé » pour elle, selon votre expression, que quand les foules feront queue devant des salles de plus de mille places pour l'applaudir... Nous sommes très près de tout cela, monsieur Raoul.

— J'avoue que si vous me faisiez une offre intéressante...

— Ceci est mon domaine, affirma Langlois. Que diriez-vous de cinquante nouveaux francs par jour ?

— Pour un rôle de vedette ? Ce n'est pas un prix ! Vous rigolez ?

— Alors disons soixante-quinze, et n'en parlons plus.

— Elle en veut cent.

— Elle vous l'a dit ?

— Evidemment non puisqu'elle n'est même pas au courant... Seulement il n'y a que moi qui puisse traiter pour elle. Elle fera ce que je lui dirai de faire. Je suis à la fois son directeur et son manager.

— Je préfère le mot impresario, dit doucement Skermine. Dans le vrai théâtre, ça fait plus sérieux... Manager, ça fait un peu boxe ou catch...

Il s'était retourné vers Langlois :

— Mon cher directeur, que pensez-vous des exigences financières de M. Raoul ?

Langlois parut réfléchir douloureusement avant de répondre dans un soupir qui sembla lui arracher l'âme :

— Soit !... Monsieur Raoul, vous voulez ma ruine !

— Voilà déjà une chose réglée, constata Skermine.

— Alors, on signe ? demanda avec précipitation M. Raoul.

— C'est-à-dire que je n'ai pas apporté de contrat avec moi, expliqua Langlois... Je pense que ce serait préférable, si vous le voulez bien, de signer demain à mon théâtre, dans mon bureau. Il faudra, naturellement, qu'Olga vous accompagne : c'est elle qui doit apposer son paraphe au bas des contrats. Mais, si cela vous fait plaisir, vous pourrez très bien le contresigner puisque vous êtes son impresario.

— Ce serait pour quand cette pièce ?

— Pour tout de suite... Enfin les répétitions commenceraient sous huitaine. La Grande Première est prévue pour le début mars. Je vous garantis que ce sera un événement ! Le titre de la pièce vous intéresse-t-il ?

— Oh ! Vous savez : les titres... Enfin, dites toujours...

— *La Voleuse...*

— C'est tout ? dit M. Raoul, assez déçu.

— Vous ne trouvez pas que c'est un très beau titre ?

— « Votre » voleuse, c'est Olga ?

— Naturellement.

— Eh bien vous voulez mon avis vrai ? Pour elle, ce titre-là ne montre pas assez son sex-appeal... Si la pièce s'intitulait par exemple *La voleuse de Monte Carlo,* ce serait plus alléchant...

— C'est une opinion, dit Skermine en jetant un regard complice à Langlois. Quand vous le rencontrerez vous pourrez toujours en parler à André Forval... Ah ! Il y a aussi une petite clause, qui ne change rien à nos accords, mais qui sera quand même spécifiée dans le contrat... Vous comprendrez bien qu'étant donné la qualité de l'œuvre jouée par elle et le renom du théâtre où elle va triompher, il n'est pas possible qu'Olga continue à faire son tour de chant...

— Ici ?

— Ici ou ailleurs ! Cela ferait un double tort non seulement à la pièce mais à l'artiste.

M. Raoul devint cramoisi :

— Ah, çà ! Vous vous fichez de moi ? Vous vous figurez que je vais la lâcher comme ça ? Perdre ma vedette ? Mais c'est elle qui m'amène la clientèle ! Olga partie, *Les Idées Noires* retombent à zéro ! C'est bien simple : si elle part, autant fermer la boîte !

— Croyez-vous ? Vous qui êtes un authentique « dénicheur » de talents, peut être pourriez-vous trouver une nouvelle Olga ?

— Il n'y a qu'une Olga, je le sais !

— Ecoutez, monsieur Raoul, dit Langlois en se faisant conciliant. Parlons chiffres : quelle recette moyenne réalisez-vous quotidiennement ?

— Depuis qu'Olga chante, c'est toujours la même : le maximum !

— De quel ordre est ce maximum ?

— Cinq cents net tous les soirs.

— Qui sont pour vous ?

— Evidemment : il me faut ça pour vivre. C'est mon minimum vital...

— Donc si nous vous donnions à vous, pendant toute la durée du contrat d'Olga, cette somme, vous seriez tranquille ?

— Je serais le roi ! Plus besoin de veiller toutes les nuits !

— Vous les aurez.

— Vrai ?... Mais ce sera en plus du cachet d'Olga ? Ses cent francs sont pour elle.

— A vous deux, en tout, vous nous coûterez six cents par jour... Une vraie fortune ! soupira à nouveau Langlois. Six cents, au bout d'un mois, ça fait dix-huit mille ! Et au bout d'un an...

— Deux cent seize mille ! clama M. Raoul.

— Vous comptez vite ! Quel homme d'affaires ! s'exclama Skermine, admiratif, avant d'ajouter : donc, pour ce prix-là, l'exclusivité totale d'Olga ?

— L'exclusivité, répéta « le patron ».

— Voilà qui est précis ! Un dernier point : vous comprendrez que si nous faisons un tel effort pour une artiste qui, après tout, n'en est encore qu'à ses débuts sur une grande scène, nous soyons obligés, ainsi que l'auteur, de prendre une précaution élémentaire...

— Une précaution ? dit M. Raoul, redevenu méfiant.

— Il est indispensable de faire un essai pour que nous puissions nous rendre compte si réellement Olga peut interpréter un rôle qui est très lourd.

— Je vous dis qu'Olga peut tout faire !

— Nous n'en doutons pas, cher monsieur, mais enfin vous êtes suffisamment artiste vous-même pour comprendre qu'un échec au départ de sa nouvelle carrière serait pire que tout pour Olga ! Comme M. Langlois vous l'a promis, nous signerons le contrat dès demain mais en y mentionnant la réserve expresse qu'il ne deviendra définitivement valable qu'après audition devant l'auteur.

— Une audition ? Je n'aime pas beaucoup ça ! J'en passe tous les jours ici : ça ne donne jamais rien...

— Ça ne donne rien, dit Langlois, parce que les artistes se présentent devant vous dans un répertoire ou avec des numéros qu'ils ont choisis eux-mêmes... La plupart des artistes ne se connaissent pas eux-mêmes ! Dans le cas qui nous intéresse tous, ce sera différent : pour éviter à Olga d'être contrainte d'apprendre tout de suite son rôle de la pièce qui est très long, nous avons pu décider l'auteur à écrire spécialement pour elle une petite scène très courte qu'elle pourra facilement se mettre en tête en une soirée pour pouvoir la jouer, d'ici une huitaine de jours, en audition privée dans mon théâtre. J'ai obtenu de Paul Vernon qu'il consente à lui donner la réplique pour cette audition ; ce qui devrait plutôt vous flatter ainsi qu'elle !

— Evidemment, Paul Vernon...

— Voici la scène, ajouta le directeur en présentant les feuillets que lui avait remis Forval. J'aimerais les remettre en mains propres à Olga pour lui donner déjà quelques petites indications...

— Inutile ! Je m'en chargerai... En ce moment, il ne faut pas la déranger : elle doit encore dormir...

— A cette heure ?

— Elle a besoin de beaucoup de sommeil... Cette nuit, on s'est couché tard : il y a des clients qui n'ont bu jusqu'à six heures du matin qu'à condition qu'Olga restât avec eux... Elle m'a aidé à faire une recette, quoi !

— Les exigences du métier... Alors pouvons-nous compter sur vous, cher monsieur, pour lui remettre cette scène dès son réveil ? Nous vous supplions également de ne pas égarer cet exemplaire qui est unique... Dès qu'Olga saura le texte, notre ami Skermine la fera un peu travailler pour l'intonation et les gestes... La veille de l'audition, Paul Vernon répètera avec elle au théâtre.

— Laissons-lui quarante-huit heures pour se familiariser complètement avec le texte, dit Skermine. Voulez-vous que je revienne ici après-demain ? Quelle heure conviendrait le mieux ?

— Pour qu'elle ait le temps de dormir, disons dix-huit heures.

— Je serai là.

— Cher monsieur Raoul, maintenant que tout est réglé, dit Langlois, il ne me reste plus qu'à vous demander à quelle heure vous serez demain à mon théâtre, avec Olga, pour la signature du contrat que je vais faire préparer par ma secrétaire ? Voulez-vous également dix-huit heures pour que « notre » belle artiste puisse avoir sa dose de sommeil ?

— Ça va... On sera là.

— Nous allons vous demander la permission de nous retirer...

— Vous boirez bien quelque chose ?

— Oh ! non merci : jamais entre les repas.

M. Skermine et moi avons encore beaucoup à faire. Nous nous excusons du temps précieux que nous vous avons pris... Mais avouez quand même que cela valait la peine ? A demain donc, cher monsieur Raoul...

— Messieurs...

L'homme aux manches retroussées se retrouva seul, les feuillets dactylographiés en main. Après les avoir tournés et retournés, il ne tenta même pas de les lire, estimant que ce serait du temps perdu. La lecture, c'était bon pour Olga ! Lui, n'avait-il pas déjà assez « travaillé » en concluant la plus belle affaire de sa vie ? Et il trouva juste de se verser un grand Pernod pour se féliciter lui-même.

— Voilà exactement, dit-il à Alain en terminant son récit, comment les choses se sont passées tout à l'heure...

Le jeune homme avait paru l'écouter avec ravissement. En réalité, il était effondré à l'idée que les intérêts d'Olga étaient défendus par un tel personnage ! Connaissant Langlois, Alain savait que celui-ci avait dû se frotter les mains en ressortant du cabaret et dire à son complice :

« — C'est une excellente opération, mon cher ! De deux choses l'une : ou la fille ne plaît pas à Forval à l'audition et nous ne risquons rien puisque la clause est prévue, ou elle est bien et elle nous revient à six cents francs par jour... Six cents sur lesquel il y en a cent pour elle et cinq cents pour le bonhomme... Je vais faire préparer deux contrats séparés : l'un pour l'engagement d'Olga, l'autre pour le « désintéressement » de M. Raoul... Quand la fille sera devenue ma pensionnaire et aura pris goût à sa nouvelle carrière, je trouverai bien le moyen de la débarrasser de cet ignoble individu en lui faisant valoir que, sans rien faire il gagne cinq fois plus d'argent qu'elle ! Elle comprendra vite ! Dès que la rupture de leur association sera faite, il ne sera plus question de donner un centime au sieur Raoul... Dès lors, cent francs par jour pour une Olga, ce n'est pas cher ! D'autant plus que son contrat sera de longue durée, comme je vous l'ai dit, et pour cinq pièces au moins... Si ce sont toutes des œuvres de Forval, nous en avons pour sept ou huit années... Bonne affaire ! Très bonne affaire, Skermine ! »

— Eh bien, jeune homme ? reprit M. Raoul. Qu'est-ce que vous en dites ?

— Je suis confondu d'admiration pour la façon dont vous avez conclu aussi rapidement cette affaire... Olga doit être très contente ?

— Oui et non... Avec les femmes, on ne sait jamais ! Mais son avis ne compte pas !

— Vous lui avez donné le texte ?

— Oui.

— Qu'a-t-elle dit ?

— Rien. Elle l'a posé sur la table de nuit.

— En somme, elle ne l'a pas lu, ni vous non plus ?

— Elle m'a déclaré qu'elle le lirait ce soir dans sa loge, avant de passer son tour de chant. Comme elle y est en ce moment, ce doit être fait.

— J'aimerais tant connaître son opinion sur cette scène que mon patron a spécialement écrite pour elle et d'où dépend toute sa carrière future !

— C'est vous qui l'avez tapée à la machine ?

Alain eut une seconde d'hésitation avant de répondre :

— Oui...

— J'ai jeté un coup d'œil : c'est du beau travail ! Vous connaissez votre métier.

— Oh ! Vous savez, monsieur, ce qui compte, ce n'est pas tellement la façon dont un texte est tapé mais plutôt ce qu'il y a dedans...

— Quand même ! Dites-moi : les deux autres, je sais pourquoi ils sont venus... mais vous ?

La salle, impatiente, commençait à scander : « Olga ! Olga ! » et le jeune homme faillit répondre : « Pourquoi je suis ici ?... Mais pour la même raison que tous ces gens-là : pour Olga ! » Il sut cependant mentir :

— Par simple curiosité... J'aimerais savoir ce qu'Olga pense de la scène qu'elle doit jouer ?

Le gros homme le regarda, ahuri :

— Vous n'êtes venu que pour ça ? Vous, au moins, vous êtes un pur !... Eh bien, puisque c'est vous qui les avez tapées, ces paperasses, je vais vous faire plaisir... Attendez-moi là... Je vais aller demander à Olga...

— Ne pourrais-je pas l'interroger moi-même ?

— L'entrée des coulisses est formellement interdite au public ! Je ne peux pas faire d'exception, sinon je n'en sortirais plus ! Les loges d'Olga et de la strip-teaseuse seraient envahies ! Ne bougez pas... Je reviens...

Au moment où il allait quitter son comptoir, le maître d'hôtel s'approcha :

— M'sieur Raoul, il y a l'une des entraîneuses qui dit qu'elle est malade...

— Laquelle ?

— Mado...

— Qu'elle rentre se « pieuter » à son hôtel ! Seulement préviens-la : si ça continue demain, pas la peine qu'elle se représente ici ! Un soir, ça va... Deux, c'est trop ! Ce ne sont pas les entraîneuses qui manquent sur le marché ! D'autant plus que celle-là vaut des clous ! Ça fait trois jours qu'elle ne me fait pas un rond de recette...

Alain, de plus en plus songeur, avait écouté ce dialogue rapide entre celui qui s'affirmait de plus en plus n'être vraiment qu'un « taulier » et le piètre subalterne. Pendant la courte absence de son interlocuteur, le jeune homme se demanda comment il avait pu — lui qui n'avait encore jamais mis les pieds dans un établissement de ce genre avant la sortie de la veille — conserver une telle assurance, avoir l'air aussi renseigné sur le milieu du spectacle, écouter enfin les confidences d'un tel personnage ? Plus il regardait la salle « bourrée à craquer » — comme l'aurait dit M. Raoul — et plus il avait l'impression d'avoir déjà passé une partie de son existence, qui n'était cependant pas bien longue, sur ce tabouret de bar ! Tout : l'atmosphère spéciale, l'ambiance trouble, les bribes de conversation vulgaire, le cadre enfin lui semblaient familiers. A aucun moment, il ne s'était senti dépaysé.

Pas un instant il ne chercha l'explication de sa propre métamorphose brutale. Il n'y en avait cependant qu'une : Olga... Cette femme, à laquelle il n'avait cessé de rêver depuis la première seconde où il l'avait vue et qu'il aurait voulu approcher tout de suite... Mais M. Raoul ne l'avait pas permis. Il gardait jalousement pour lui comme un trésor, celle qu'il appelait « sa Vedette »... La belle Olga n'avait le droit de séduire qu'à distance pendant les quelques minutes de son tour de chant. Ensuite, elle devait disparaître jusqu'au lendemain. Tel un magicien, M. Raoul l'escamotait, la cachait, la chambrait... Ce n'était pas qu'il eût la moindre idée de se méfier spécialement de son jeune visiteur : il était prudent à l'égard de tout le monde. Olga ne constituait-elle pas le seul élément vraiment rentable de son capital ?

Et, parce qu'il pensait à ce capital vivant, il avait soigneusement évité de raconter à son jeune visiteur la teneur de la conversation téléphonique qu'il avait eue avec « l'ami Sam » dès que Langlois et Skermine étaient partis...

... Les premiers renseignements donnés au bout du fil par le marchand de billets lui avaient nettement fait comprendre que cet auteur André Forval — dont il ignorait même le nom jusqu'à cette minute — et ce directeur Langlois étaient « ce qu'il y avait de mieux dans la profession ». Agréablement impressionné, M. Raoul n'avait pas perdu une seconde pour demander aussitôt à sa vieille relation des hippodromes :

— Dis, Sam, les conditions qu'ils m'ont consenties sont bonnes ?

« — Excellentes, à condition que tu te dépêches de « faire signer un contrat d'exclusivité à ton profit par « ta pensionnaire ! Cela avant que le Langlois, qui « ce n'est pas un apprenti, n'ait réussi à la joindre en « douce pour lui faire signer un engagement dans « lequel tu n'aurais plus rien à voir.

« — Oh ! Je connais suffisamment Olga ! Jamais « elle n'oserait me faire un coup pareil !

« — Mon vieux, avec les femmes — surtout quand « elles sont jolies — il faut s'attendre à tout !... Où « est-elle en ce moment, la fille ?

« — Dans l'appartement au-dessus de la boîte... « Elle doit encore dormir.

« — Alors n'hésite pas ! Réveille-la après avoir pré- « paré en double exemplaire un accord qui pourra « tenir lieu de contrat et que tu lui feras signer avec « la mention : « Lu et approuvé » écrite de sa main « et placée juste au-dessus de sa signature... Tu as « bien compris ?

« — Qu'est-ce qu'il faut mettre sur la lettre ?

« — Plus elle sera courte, mieux ce sera... As-tu « de quoi écrire près de toi ?

« — Il y a un bloc de papier sur la caisse.

« — Prends-le... Tu y es ?... Je te dicte... Tu n'auras « ensuite qu'à recopier... »

La dictée dura dix bonnes minutes. Quand elle fut terminée, l'ami Sam dit :

« — Maintenant, relis-moi le tout... »

Puis, après avoir écouté :

« — C'est parfait ! Avec un papier comme ça, tu es « tranquille... Planque-le dans une bonne cachette ! « Non seulement Olga ne peut pas signer un contrat « sans passer par ton intermédiaire, mais elle te « donne en plus les pleins pouvoirs pour traiter en « son nom. Ce qui te permettra de lui imposer tout « ce que tu voudras et cela pendant une durée de « vingt années... D'ici vingt ans, tu auras le temps

« de voir venir et surtout de lui trouver une rempla-
« çante quand elle commencera, elle aussi, à prendre
« un peu de bouteille...

« — Sam, tu es un véritable ami ! Je te promets
« que je te revaudrai ça !

« — Ce sera bien simple : quand ta protégée sera
« devenue une vraie vedette, grâce à Forval, tu te
« débrouilleras pour me faire donner en exclusivité !
« Oui, mon vieux, je suis toujours pour l'exclusivité !
« Je suis un peu comme toi, je n'aime pas le partage...
« en exclusivité la concession de la revente des billets
« dans tous les théâtres où elle jouera. C'est d'ac-
« cord ?

« — C'est promis. »

Vingt minutes plus tard, après avoir recopié le précieux texte sur deux feuilles à en-tête de son établissement, M. Raoul gravissait le petit escalier intérieur qui reliait le cabaret à son domicile.

L'appartement n'était pas grand et n'avait rien de somptueux, avec son ameublement de mauvais goût rappelant les expositions en plein vent du faubourg Saint-Antoine. Mais, pour un M. Raoul et pour une Olga, c'était déjà le commencement du luxe. N'y trouvait-on pas une salle de bains et une chambre où trônaient deux meubles essentiels : un poste de télévision et un lit ? Dans le lit, la fille dormait...

— Réveille-toi ! cria l'homme.

— Qu'est-ce qui se passe ? répondit la femme en sursautant.

— Rassure-toi, ma petite, il n'y a pas le feu ! C'est beaucoup mieux que cela... Je vais faire de toi la plus grande vedette de Paris !

— Depuis le temps que tu le répètes !

— Le temps !... Justement, il fallait le temps ! Si tu crois que c'est facile de fabriquer une nouvelle vedette ! Mais cette fois, je tiens le bon filon... Seulement, il faut d'abord que tu me signes ces deux papiers en faisant précéder ta signature des trois mots : « Lu et approuvé. »

— Qu'est-ce que c'est que ça ? demanda la fille encore à moitié endormie.

— Ne t'inquiète pas : ce n'est pas encore ta condamnation à mort ! Ni même une reconnaissance de dettes ! C'est, au contraire, ta fortune future... Mais lis donc, puisque je te le dis !

Après s'être frotté les paupières, Olga lut.

— Pourquoi tout cela ? dit-elle après lecture.

— Pour te protéger, ma petite ! Si tu veux devenir une vedette, une vraie, il faut bien que tu aies un imprésario qui te représentera, qui t'apportera les gros contrats... Une vedette, ça ne discute pas elle-même ! Sinon ce n'est qu'une demi-vedette... Et comme tous ces gens-là sont des crapules, il vaut mieux pour toi que ce soit moi qui les remplace... Avec ton Raoul, tu sais bien que tu peux avoir confiance... Et puis si vraiment tu deviens une fille formidable, c'est un peu normal que tu te souviennes que c'est moi qui t'ai ramassée sur le trottoir pour te donner ta première chance.

— Même si je voulais l'oublier, je sais que tu serais toujours là pour me le rappeler !

— Il le faut ! C'est vrai : les femmes, vous avez la mémoire courte... Vous ne vous souvenez que des vacheries qui vous ont été faites... D'ailleurs tu as pu lire : je suis honnête... Sur tout contrat que je t'apporterai, je ne toucherai que vingt pour cent... Avoue que ce n'est pas gras ! J'aurais pourtant bien le droit d'exiger au moins du 50/50... Le petit pourcentage, c'est uniquement pour me rembourser des frais que j'ai fait pour te lancer depuis plus de dix mois.

— Les frais ?

— Et ton logement ? Et ta nourriture ? Et ton habillement ? Et ta belle robe de scène ? Et tout l'éclairage quand tu es sur le plateau ? Et la chance de pouvoir passer aux *Idées Noires* ? Ça ne compte pas, non ?

— Tu trouves que je ne te paie pas assez en nature ?

— Cela n'a rien à voir...
— Vraiment ? Je suis ta femme, oui ou non ?
— Ma femme... ma femme... Tu es mon amie, quoi !
— C'est pareil ! Si je n'étais pas dans ton lit tous les jours, il faudrait bien que tu en trouves une autre ?
— Ça suffit ! tu signes ou tu ne signes pas ?
— Et si je refusais ?
— Tu recevrais d'abord une bonne correction pour t'apprendre l'honnêteté !... Aurais-tu déjà oublié celle que je t'ai administrée, il y a trois mois, le soir où tu étais partie faire une passe avec un client ?
— Tais-toi !
— Facile à dire ! Tu n'aimes pas qu'on te rappelle ça !... Et puis, si tu ne signais pas, tu ne serais qu'une dinde... D'abord, je ne m'occuperais plus de toi et tu serais bien obligée de retourner là où je t'ai cueillie.
— Moi ? Je ne serais pas en peine ! Si tu savais le nombre de clients, auxquels tu m'obliges à tenir compagnie après mon tour de chant pour qu'ils boivent, qui m'ont dit que j'étais une véritable idiote de rester dans ta boîte ! C'est vrai : une fille comme moi !
— Voyez-vous ça ! Madame se prend au sérieux maintenant ! Et madame croit aux boniments des imbéciles ! Mais, ma pauvre fille, quand ils te disent toutes ces âneries, c'est uniquement parce qu'ils veulent coucher avec toi ! Une fois que ce serait fait, ils te laisseraient tous tomber ! Avec moi, au moins, tu es protégée ! Tu n'es plus obligée de faire le tapin... Je t'ai donné un métier sérieux : artiste... Ça ne compte pas non plus ?
Assise sur le lit, la fille le regardait, hésitante.
— Ecoute, Raoul... Je te connais trop pour savoir que si tu me fais signer ces papiers, c'est uniquement parce que tu as une idée derrière la tête...
— Evidemment que j'ai une idée ! Et elle est fameuse ! Seulement tu ne la connaîtras que quand tu auras signé.

— Tu n'as donc pas confiance en moi ? A part l'aventure avec ce client, je ne t'ai jamais trompé.

— Il ne manquerait plus que cela ! Je sais que tu m'aimes... et moi je t'ai dans la peau. Alors ? A quoi ça sert de se chamailler pour des bouts de papier ? Signe, je te dis : ce sera plus simple... Après, tu vas être étonnée !

— Après tout, qu'est-ce que je risque ?

— Rien du tout... sinon de devenir archi-célèbre, d'avoir un vison, un collier de perles à trois rangées et ton petit cabriolet sport !

— Tu te fiches de moi ?

— Je ne l'ai jamais fait ! Tiens : prends le stylo... « Lu et approuvé » au-dessus de la date et ton nom... Le nom complet...

— Olga, ça ne suffit pas ?

— Pour que ça fasse plus sérieux, ajoutes-y ton nom de famille... Qu'est-ce que ça peut te faire ? On n'en parlera pas sur ta publicité : de toute façon, s'il fallait qu'on t'en trouve un pour ce que tu vas faire, on en cherchera un autre... Le tien est trop moche ! On voit bien que c'est l'Assistance publique qui l'a inventé ! Olga, ça va... Mais le reste !

La fille signa, en faisant la moue.

Dès que ce fut fait, il prit les deux feuilles de papier qu'il plia en quatre avant de les enfouir rapidement dans son portefeuille.

— Eh bien ? Ce n'est pas mieux comme ça ? Embrasse-moi pour fêter ça...

Il se pencha vers la fille et l'étreignit longuement. Elle se laissa faire...

Il s'était assis sur le rebord du lit :

— Maintenant, je vais t'expliquer.... Demain, je t'accompagne chez le directeur d'un grand théâtre de Paris où tu vas signer le plus beau contrat de ta vie : tu auras cent nouveaux francs pour toi par jour... Ça ne te dit rien ?

— Entièrement pour moi ?

— Moins mes 20 % prévus... Quand même ! Ça t'en

fera quatre-vingts que tu pourras dépenser tous les jours pour t'équiper... Qu'est-ce que tu auras comme toilettes au bout d'un an ! Parce que ce sera un contrat de longue durée : tu vas jouer une pièce d'un auteur archi-connu dont le moindre succès dure au moins deux années à la file ! Tu te rends compte ? Et tu auras une publicité formidable sur tous les murs de Paris ! On te verra partout, en trois couleurs et grande comme ça !

Il avait étendu les bras pour donner une idée des dimensions des affiches.

— Et ce n'est pas tout ! Sais-tu avec qui tu vas jouer la pièce ? Paul Vernon !

— Ce n'est pas vrai ?

— Puisque je te le dis ! Et tu auras la grande vedette sur l'affiche : ton nom sera au-dessus du sien... Ça, c'est quelque chose ! Jouer avec le plus célèbre artiste de l'écran, cela t'ouvrira toutes grandes les portes des studios ! Ce n'est pas une vedette que tu vas devenir, mais une star !

La fille restait rêveuse et incrédule.

— Dis, Raoul, tu es bien sûr de ne pas avoir ingurgité trop de pastis ?

— Je suis en pleine forme et en pleine lucidité !

— Paul Vernon ! répétait-elle extasiée. Si l'on m'avait seulement raconté cela hier, je ne l'aurais pas cru... Mais pourquoi ne m'as-tu rien dit avant ?

— Parce qu'il ne faut pas vendre la peau de l'ours, ma belle ! Je voulais aussi te réserver la surprise...

— J'avoue que pour une surprise...

— C'en est une !...

— Je ferai mon tour de chant ?

— Mais non ! Tu ne comprends donc rien ? Plus question de tour de chant ! Fini, ce truc-là ! C'est bon pour ici mais pas pour un grand théâtre... C'est une vraie pièce que tu vas jouer, tous les soirs, devant plus de mille personnes ! Il y aura des décors... une grande scène... un rideau... tout le bastringue, quoi ! Paraît que c'est un drame : *La Voleuse* que ça s'appelle ! Ce n'est pas un titre formidable ? Ce sera toi, la voleuse ! Je te vois déjà d'ici... Tu auras tout le succès : on déteste les gendarmes mais on aime les voleurs... Et encore plus quand ils sont en jupes et « roulés » comme toi !

— Alors, je ne chanterai plus ici ?

— Ce serait de la prostitution...

— Mais qu'est-ce que tu vas faire ? Tu ne vas pas me remplacer par une autre ?

— Pas question, ma jolie ! Je t'aime trop ! Je ferme la boutique...

— Finies, *Les Idées Noires ?*

— Bouclées pour raison de vacances !

— Tu vas partir ?

— Je reste avec toi... Ils ont prévu mon dédommagement : je pourrai m'occuper entièrement de ta carrière ! Si tu savais comme j'en ai marre de voir chaque soir les mêmes têtes de fauchés... Et ce maître d'hôtel imbécile ! Et ces entraîneuses minables ! Et les musiciens ! Ah, ceux-là ! Je ne vais pas être fâché de les liquider ! Ce qu'ils ont pu m'empoisonner avec leur sacré syndicat !

— Mais alors ? Qu'est-ce que je ferai dans la pièce si je ne chante pas ?

— Tu joueras ! Tu débiteras du texte ?

— Il y aura du texte ?

— Tu n'as donc jamais été au théâtre ?

— Une fois... au Châtelet. On nous y avait tous conduits, les gosses de l'Assistance.

— Le Châtelet, c'est pour les mômes tandis que *La Voleuse* c'est pour les grands... A propos de texte, prends ça...

Il lui avait tendu les feuillets dactylographiés.

— Qu'est-ce que c'est ?

— Une scène d'essai que l'auteur a écrite spécialement pour toi : ce n'est pas encore la pièce que tu joueras... C'est pour l'audition que tu dois passer sous huitaine au théâtre devant le directeur, l'auteur le metteur en scène, tout le grand état-major... Tu la joueras avec Paul Vernon... Il n'y a pas de temps à perdre : il faut que tu l'apprennes en vitesse et par cœur !

— Par cœur ?

— Ce n'est pas long : cinq pages... Je sais que tu as de la mémoire... Au besoin, je t'aiderai, je te ferai réciter tous les soirs... C'est à deux personnages : je te donnerai la réplique... Je ferai le Paul Vernon.

— Toi ?

— Et alors ? Je n'en suis peut-être pas capable ? Ça ira tout seul ! D'ailleurs le metteur en scène viendra te faire répéter après-demain à dix-huit heures dans la boîte... Il n'y aura personne, on sera tranquille. Seulement, il faudra te lever plus tôt.

La fille tournait et retournait les feuillets :

— LUI, c'est Paul Vernon ?

— Et ELLE, c'est toi, grosse maligne !

— Tu l'as lue, cette scène ?

— Pas le temps ! Ce n'est pas mon boulot : c'est le tien. Tu devrais commencer à la lire.

— Pas avant d'avoir pris mon bain : j'aurai les idées plus claires... Sais-tu quand je la lirai ? Ce soir, dans ma loge, avant de faire mon tour de chant... J'ai tout le temps pendant les numéros de l'illusionniste et de la strip-teaseuse.

— Tu as peut-être raison. Je te laisse : je n'ai pas encore fini de rincer mes verres.

Il s'était levé :

— Contente ?

— Si tout ce que tu as dit est vrai, oui...

— Ma petite Olga, ton homme ne ment jamais !

Il redescendit dans la salle, laissant la fille qui s'étirait paresseusement dans le lit, de plus en plus rêveuse, et ne se préoccupant nullement des feuillets qui glissèrent sur le tapis...

— Qu'a-t-elle dit ? demanda anxieusement Alain quand l'homme revint de la loge.

— Elle a lu la scène.

— Ça lui a plu ?

M. Raoul eut une courte hésitation avant de répondre :

— Elle dit que ça ne l'épate pas...

— Elle est bien difficile !

— C'est une véritable artiste, Olga !... Elle a même ajouté qu'elle avait vu des scènes bien mieux que celle-là au cinéma... D'abord, elle ne comprend pas pourquoi ces gens-là se disent tout ça ?

— Parce qu'ils s'aiment !

— Vous croyez ?

— Cela crève les lignes ! Chaque mot, chaque réplique ne sont que le cri d'amour de deux êtres qui se détestent mais qui ne peuvent quand même plus se passer l'un de l'autre parce qu'ils sont indissolublement liés par leur passion...

— Ah ?

— Chacun d'eux voudrait dominer l'autre, tout en restant quand même un peu esclave...

— Vous êtes bien sûr qu'il y a tout cela, là-dedans ? Ce n'est pas l'avis d'Olga... Elle dit qu'ils n'emploient que des mots de tous les jours.

— Justement : ceux qui vivent un grand amour ne peuvent pas se servir d'autres mots ! Ce sont les sentiments les plus simples qui sont les plus vrais... les plus difficiles aussi à exprimer... Je crains qu'Olga n'ait pas encore très bien compris le sens profond de cette scène délicate. Il faut absolument qu'elle s'en imprègne sinon, dans huit jours, nous nous trouverons devant une catastrophe !

— Dites donc, jeune homme ! Gardez vos opinions pour vous ! Olga est intelligente : quand elle dit quelque chose, c'est qu'elle le pense.

— Voilà précisément ce qui m'inquiète... Ecoutez, monsieur Raoul, si je me suis permis de revenir ici ce soir, c'est uniquement pour vous aider, vous... et Olga. Je connais mieux que quiconque au monde mon patron. Je connais aussi à fond cette scène écrite par lui puisque je l'ai tapée à la machine...

Je vous offre donc mon entière collaboration. Comme vous, je suis certain qu'Olga peut admirablement jouer cette scène mais quelqu'un doit la lui expliquer, réplique par réplique, avant même que M. Skermine ne soit là, après-demain... Skermine est, lui aussi, un farouche supporter d'Olga mais, pour rien au monde, il ne faudrait qu'il fût déçu dès la première véritable répétition de travail sous sa direction ! Olga risquerait de perdre son premier allié. Je suis le deuxième ! Si elle veut bien m'écouter...

— Un gigolo comme vous ?

— D'abord je n'ai rien d'un gigolo... Ensuite on a toujours à apprendre, même d'un plus jeune que soi.

— Vous croyez qu'une femme comme Olga écoutera un garçon plus jeune qu'elle ? Vous plaisantez ! Mais, jeune homme, ce qu'il faut à Olga, c'est la poigne d'un homme... d'un vrai ! Il n'y a qu'une chose qu'elle respecte : l'autorité !

— Je vous garantis que je saurai l'avoir pour lui faire comprendre ce texte !

— Vous, au moins, vous ne manquez pas de toupet ! Et pourquoi, après tout, voulez-vous tant que cela que ce soit une réussite ?

— Pourquoi ?... Mais... Pour l'intérêt de nous tous : de vous, d'Olga, de la pièce qu'elle va peut-être jouer, de... mon patron qui ne demande qu'à lui faire confiance...

M. Raoul le regardait, de plus en plus éberlué. Il dit enfin :

— Un autre whisky ?

— Non merci. Je ne suis pas venu ici pour me faire offrir à boire. Je ne suis là qu'en ami... le plus sincère des amis ! Dites-vous bien que si le jeu d'Olga ne plaît pas à mon patron, elle sera immédiatement remplacée ! On peut trouver une autre Olga mais pas de pièce aussi belle que *La Voleuse !*

— Il est donc si terrible que cela, votre patron ?

— Il l'est...

— Bon, bon... Alors ? Qu'est-ce que vous pouvez faire pour nous ?

— D'abord je voudrais qu'il soit bien entendu entre nous trois — c'est-à-dire Olga, vous et moi — que personne ne saura que je suis venu vous rendre visite, ni, si vous étiez d'accord, que je fais travailler Olga en cachette... Mon patron ne me le pardonnerait pas ! Il me mettrait sûrement à la porte et j'ai besoin de gagner ma vie... Il faut comprendre sa mentalité : pour lui cette femme, qui est inconnue du grand public de théâtre, doit être une révélation. Et elle ne le sera que si elle l'est d'abord pour lui-même ! Quand André Forval la verra sur scène dans huit jours, il doit être non seulement stupéfait de ses possibilités mais il doit également penser : « Cette femme n'est ainsi que parce qu'elle a tout compris d'instinct. Puisque ses dons sont naturels, elle sera une très grande artiste. »

— Et les deux autres ?

— Langlois ? Ce n'est qu'un habile commerçant qui se rangera toujours derrière l'avis de mon patron... Skermine ? C'est un véritable artiste qui, comme tous les êtres trop sensibles, ne se fie qu'à ses premières impulsions qui sont déterminantes de son comportement. Parce qu'il a été ébloui, du premier coup, par la beauté et la personnalité d'Olga, il l'a parée aussitôt de toutes les qualités qui sont nécessaires pour interpréter le rôle de *La Voleuse*... S'il est déçu une seule fois, il ne se sentira plus capable de la mettre en scène comme elle le mérite.

— Savez-vous, jeune homme, que vous parlez très bien ? Je ne saisis pas le sens de tout ce que vous me dites mais je pense que ce doit être vrai... Vous n'êtes pas, non plus, l'un de ces petits crétins d'étudiants que je flanque à la porte de mon établissement avec le plus grand plaisir... Au moins, vous, vous avez quelque chose dans le ventre... Enfin — et ça compte ! — vous avez une tête qui me revient... Qu'est-ce qu'on fait pour Olga ?

— Dites-lui que je serai là dès demain à quinze heures pour bien lui expliquer le texte.

— Quinze heures ! C'est trop tôt ! Je vous répète qu'elle a besoin de sommeil.

— Je veux son triomphe ! Pour l'obtenir, elle doit se lever plus tôt !

— Elle va vous détester !

— Pas quand elle aura compris le vrai sens de la scène.

— C'est bon. Revenez demain à quinze heures.

— Nous travaillerons après-demain aussi à la même heure... Ainsi, quand Skermine arrivera à dix-huit heures, il sera déjà agréablement surpris... Mais, bien entendu, jc m'arrangerai pour partir avant son arrivée pour qu'il ne se doute de rien. Ce doit être « notre » secret !

— Ce le sera ! Vraiment, pas de petit whisky ?... Allons, jeune homme ! Laissez-vous faire... A votre âge, je ne refusais jamais un verre !

Il servit à nouveau son visiteur avant de s'offrir à lui-même une fine dans un plein verre.

— Moi ! le whisky, je trouve que ça sent la punaise ! Mais, des goûts et des couleurs... Tiens, le spectacle va commencer... Vous ne partez pas tout de suite ?

— Il faudrait que je rentre...

— Vous n'en êtes pas à une minute près ! Attendez au moins qu'Olga soit passée... Vous partirez après. Vous êtes très bien là au bar : c'est la meilleure place. Du haut de votre tabouret, vous dominez tout !

L'illusionniste venait d'apparaître sur la scène : les cris de réprobation et les sifflements habituels ne tardèrent pas à commencer mais l'artiste semblait ne plus s'en soucier.

— Ce qu'il y a de mieux, dans ce numéro, grommela M. Raoul derrière son comptoir, c'est le chahut qu'il déchaîne... Le public adore « mettre en boîte » un artiste : c'est l'un de ses petits plaisirs favoris ! Il a bien fallu que je trouve un bougre à lui livrer en pâture...

Le bruit devenait infernal, couvrant complètement la musique d'accompagnement du numéro : les musiciens cessèrent de jouer et commencèrent à boire des demis pendant cette pause improvisée.

M. Raoul dut hurler pour crier à Alain :

— Quelle ambiance, hein ?

Celle-ci se transforma instantanément dès qu'apparut le deuxième numéro : la strip-teaseuse. Pour la clientèle du cabaret, cette solide fille brune, qui se dévêtissait progressivement tout en continuant sa lecture passionnée des *Liaisons Dangereuses*, apportait « les minutes de charme » indispensables. Ce fut à voix basse, cette fois, que M. Raoul confia :

— Elle ne se défend pas mal du tout, la Maguy ! Qu'est-ce qu'en ont dit votre patron et ses amis hier ?

— M. Forval s'est montré seulement un peu surpris par « l'idée » du numéro...

— « Le Strip Littéraire » ? Ça devrait pourtant lui plaire ! A un auteur ! Evidemment, il serait peut-être plus flatté si elle lisait une de ses pièces... Ça lui ferait de la réclame !

— Je ne crois pas que les œuvres d'André Forval aient besoin d'une publicité de ce genre...

— En tout cas, je vous garantis que la Maguy n'est pas sotte ! Elle est comme vous : elle en sait des choses ! C'est un professeur...

— Comment ?

— Elle ne fait du « strip-tease » que pour arrondir son pécule. Elle dit que l'enseignement, ça ne paie pas... Et comme elle est belle fille, elle aurait bien tort de se gêner ! Mais que cela reste entre nous... Si ça se savait qu'elle travaille ici, il y aurait beaucoup de chances pour qu'on la remercie dans l'école où elle enseigne. Pour elle ce serait aussi grave que pour vous si votre patron se doutait que nous sommes devenus des amis.

— Vraiment, monsieur Raoul, votre établissement réserve de ces surprises !

— C'est la vie, jeune homme !

— Et cela ne m'étonne plus que cette femme ait choisi le strip-tease littéraire ! Maguy, c'est son vrai nom ?

— Son nom de travail... Elle s'appelle Marguerite Dubois : vous ne la voyez pas faire du « strip » avec un nom pareil ? On n'y croirait pas !

Le rideau venait de se refermer sur une Maguy qui était dans le plus simple des appareils vestimentaires. Les voix recommencèrent à scander le prénom magique : « Olga ! Olga ! »

Au moment où le rideau allait se réouvrir sur celle qui, pour Alain, était la plus belle vision du monde, l'amoureux connut un moment d'angoisse : lui paraîtrait-elle aussi belle, aussi attirante, aussi désirable ? Il fut immédiatement rassuré : Olga lui sembla encore plus éblouissante que la veille. Il revit la chevelure de feu, les yeux glauques, le teint d'ivoire, la bouche de sang... Chaque mouvement des bras, chaque intonation de la voix, la moindre attitude de celle qui paraissait à la fois s'offrir et mépriser ceux à qui elle s'offrait, furent pour le garçon enamouré de nouveaux aiguillons... Cette fille le rendrait fou.

C'était comme si rien ne s'était passé dans sa vie avant la venue d'Olga, comme si rien n'avait existé : ni un André Forval ni même lui Alain... Et que plus rien n'existerait ou ne vaudrait même la peine d'être vécu loin d'elle... Mais il sentait aussi, sans pouvoir cependant détacher son regard de la vision de rêve, que — derrière son comptoir — M. Raoul l'observait... Il ne fallait surtout pas que l'abject personnage pût se douter de la nature exacte des sentiments de celui qui avait réussi à donner l'impression de n'être venu qu'en ami... Alain, l'ami d'un M. Raoul ? Le jeune homme se savait déjà son plus implacable ennemi !

Pour lui, le seul fait qu'un homme pareil se soit arrogé le droit de porter ses regards sur une aussi prestigieuse créature, le remplissait d'horreur et de dégoût. Comment Olga avait-elle pu se laisser emprisonner — le mot n'était même pas assez fort — dans un établissement, dont celui qui se targuait d'en être « le patron » dépassait toutes les limites de la grossièreté ? Cela échappait à l'entendement de l'adolescent qui ne se rendait pas encore compte, qui ne pouvait surtout pas comprendre que, sous son éclatante beauté, Olga pouvait cacher — cherchait-elle seulement à la cacher ? — une vulgarité d'âme et de cœur faite pour s'harmoniser parfaitement avec celle d'un M. Raoul. Alain ne voyait rien : le bandeau du premier amour faisait de lui un aveugle.

Seule la crainte, que M. Raoul ne devinât son merveilleux trouble, lui donna la force de conserver son calme et de ne pas se montrer tel qu'il avait été la veille... La jalousie d'un tel homme ne risquait-elle pas d'être beaucoup moins nuancée et moins discrète que celle d'un homme raffiné comme André Forval ? Si elle éclatait, ce serait dans un geste brutal qui mettrait le point final à la pseudo-amitié : Alain ne pourrait plus revenir au cabaret sous le prétexte de faire travailler Olga. Tout ce qu'il avait déjà fait jusqu'à cet instant : la copie du texte, la première fugue nocturne, les arguments employés pour convaincre le tenancier, tout se révélerait inutile. Le projet élaboré avec tant d'enthousiasme serait réduit à néant.

Le garçon sut se contrôler apparemment mais ses mains, moites de fièvre, restèrent crispées sur le bord du comptoir dont elles ne s'arrachèrent que pour applaudir à la chute du rideau. Et même ses applaudissements furent volontairement modérés, anonymes...

— Elle est rudement bien, n'est-ce pas ? dit la voix grasseyante de M. Raoul.

— Oui, répondit le garçon dans un souffle avant d'ajouter sur un ton qui se voulait, lui aussi, détaché : Ne croyez-vous pas que ça ferait plaisir à Olga si j'allais la féliciter d'avoir produit une aussi forte impression sur mon patron ?

— Je lui ai expliqué tout à l'heure que vous étiez là...

— Qu'a-t-elle répondu ?

— Oh, vous savez : un secrétaire, ça ne lui dit pas grand-chose...

— Evidemment...

— Il ne faut surtout pas vous vexer ! Que voulez-vous ? C'est normal : Olga est tellement loin de toutes vos paperasses... Mais je peux vous certifier qu'elle n'a pas eu l'air du tout mécontente à la pensée qu'elle avait déjà en vous un allié... Vous la verrez demain : ce sera mieux... Elle aura déjà eu le temps de s'habituer à l'idée de répéter... Un autre whisky ?

— Non merci. Je dois partir... Alors demain, c'est bien entendu : je suis là à trois heures ?

— Vous me trouverez ici : je suis presque toujours derrière mon bar...

— Au revoir, monsieur Raoul.

— A demain...

Il lui tendit sa main adipeuse qu'Alain serra avec dégoût, tout en demandant :

— Qu'est-ce que je vous dois ?

— Rien du tout ! Ce n'est pas dans mes habitudes de faire payer les amis... Je me rattraperai tout à l'heure sur la clientèle... Olga viendra dans la salle pour m'aider... Il n'y a pas une entraîneuse qui puisse lui arriver à la cheville ! Elle est formidable, Olga, pour faire consommer ! Quand les clients sont amoureux, ils paient !... J'ai déjà repéré, au fond à gauche, la table qui va casquer : vous voyez bien ces deux bonshommes... Ils doivent débarquer de leur province... On en voit beaucoup comme ça ici : nous ne sommes pas loin de la gare Montparnasse... Ceux-là ont vraiment de ces têtes de michetons ! Bonne nuit, jeune homme...

Alain sortit des *Idées Noires* presque en s'enfuyant : les dernières confidences du « patron » l'écœuraient. Penser qu'Olga était condamnée, après son tour de chant, à faire aussi l'entraîneuse ! Si André Forval l'avait su, jamais il n'aurait même pris la peine d'écrire la scène !

Au moment où il franchissait la porte, la voix du triste groom demanda :

— Taxi, monsieur ?

Alain ne répondit pas et partit vite. Il avait besoin de marcher longtemps. L'air lui ferait du bien : comme Forval l'après-midi, il lui fallait la promenade solitaire...

Combien de temps dura la marche ? Il aurait été bien incapable de le dire lorsqu'il se retrouva devant le portail de l'île Saint-Louis. Doucement, il introduisait la clef dans la serrure et pénétra dans le vestibule qui n'était qu'obscurité et silence. Après être resté un instant immobile pour écouter, il fut rassuré et commença à gravir lentement l'escalier qu'il connaissait cependant par cœur. Pour plus de sûreté, il avait pris soin de se déchausser et tenait ses chaussures dans ses mains. Au moment où il allait atteindre le palier du premier étage, le lustre de l'escalier s'alluma : André Forval, drapé dans sa robe de chambre, apparut, debout sur la dernière marche. Le jeune homme resta pétrifié pendant que la voix de l'homme disait, calme :

— Je t'attendais...

★

L'instant parut interminable. L'homme dominait l'adolescent toujours figé dans l'escalier, Alain comprit tout de suite qu'en disant qu'il l'attendait, Forval n'avait pas menti : l'attente s'était peut-être prolongée pour lui pendant des heures ? Il n'y avait qu'à le regarder, ainsi que l'emplacement qu'il avait choisi pour apparaître et la façon dont il avait brutalement fait la pleine lumière, pour comprendre qu'il avait eu tout le temps de préparer un tel accueil. C'était de l'excellente mise en scène où l'on reconnaissait l'homme de théâtre. Le ton de la voix elle-même avait été étudié : au lieu d'être dur, il n'était que douceur... La douceur du reproche : « Je t'attendais... »

Quand il fut satisfait de l'effet de surprise, l'homme continua sur le même ton :

— Je ne te demande pas d'où tu viens car je pense que tu ne me répondrais pas ?

— Je... Moi aussi, balbutia le garçon, j'ai eu besoin de prendre l'air...

— A cette heure ?

— Il n'y a pas d'heure quand on étouffe !

— Parce que tu étouffes ?

— Je vous l'ai déjà dit : ça devient irrespirable dans cette maison... Tout l'après-midi, vous m'avez fait ranger des dossiers... C'est juste que je sorte à mon tour !

— N'ai-je pas souvenance que tu es déjà sorti hier avec moi ?

— Vous appelez ça une sortie ! Avec des Langlois, des Skermine... Pour moi, une sortie, c'est autre chose : c'est quand on fait ce qu'on veut ! Et surtout quand on est seul...

— Tu es resté seul de onze heures du soir à trois heures du matin ? Quatre heures de solitude pour un garçon de ton âge, c'est beaucoup ! Peut-on savoir où t'a conduit ce brusque besoin d'isolement ?

Alain resta muet.

— Ne me raconte surtout pas que tu as suivi les conseils que je t'ai donnés pendant le dîner et que tu as été savourer la poésie des arcades du Palais-Royal ! Je ne te croirais pas pour la bonne raison qu'à cette heure les grilles, clôturant ces lieux enchanteurs, sont fermées. Maintenant tu peux très bien me dire que tu es retourné au Quartier Latin retrouver d'anciennes connaissances ou que tu as préféré errer sur les Champs-Elysées ? Tout est possible... La seule chose que je crois que tu n'aies pas faite — parce que tu en as eu ton compte hier soir aussi bien que moi — c'est de retourner dans une boîte de nuit... ou même aux *Idées Noires ?* Dis-moi que je ne me trompe pas ?

Une fois de plus le mensonge était le seul refuge du garçon.

— Si vous croyez que je pense encore à ce beuglant !

— Ne fais pas de zèle, mon petit ! Tu ne penses peut-être plus à l'établissement mais tu ne vas pas me faire croire que, pendant cette longue promenade de méditation, tu n'as pas rêvé à la Belle Olga ?... Peut-être même est-ce parce qu'elle hantait trop tes pensées que tu n'as pas pu t'endormir ? Alors tu as jugé plus sage d'aller prendre l'air pour te changer les idées... Je t'approuve : tu as bien agi... Seulement, tu dois tomber de sommeil ?

— Et vous ?

— Tu t'intéresses donc à mon sommeil ? C'est très gentil, cela... Apprends qu'à mon âge, on se passe très bien de dormir ! Et puisque tu viens de me poser une question, j'y réponds : moi non plus, figure-toi, malgré tous mes désirs, je n'ai pas pu m'endormir... Oh ! Je ne pensais pas à cette fille mais à toi, mon petit Alain... Et je me disais : « Pourvu qu'il ne fasse pas de sottise ! Il est à l'âge où on les fait le plus facilement pour des raisons qui n'en sont pas... » J'ai pensé aussi que tu devais te sentir bien seul, là-haut, dans ta chambre du deuxième... enfin, je veux dire seul avec tes pensées déplorables... Et je m'en suis voulu de t'avoir quitté aussi rapidement, après le repas... J'aurais dû te tenir compagnie comme les autres soirs, m'intéresser à ton travail, t'aider même à reviser tes cours pour demain... Aussi, pris de remords, suis-je monté frapper à ta porte : comme tu ne m'as pas répondu, j'ai pensé que tu dormais déjà et que j'avais eu tort de ne plus me souvenir de ce merveilleux pouvoir de sommeil — dispensateur d'oubli — que l'on possède à ton âge ! Ma seule erreur a été alors de vouloir entrouvrir la porte pendant un court instant pour te regarder te reposer, paisible... Oui, à cet instant, je ne me suis plus senti une âme de parrain mais de père... C'est assez stupide, n'est-ce pas ?... J'ai donc ouvert très doucement la porte... et je n'ai pas entendu ta respiration dans l'ombre... Tu n'étais pas là !

— Qu'avez-vous pensé ?

— Tout ce qu'un père peut penser quand il se trouve, comme moi, devant la première fugue de son fils unique... Oui, je suis passé par tous les sentiments : la fureur d'avoir été berné, la colère, la rage, le regret d'avoir fait confiance à ta loyauté, la crainte aussi que tu n'aies réellement fait la grosse sottise et qu'il ne te soit arrivé quelque chose de grave... Tu m'as fait très peur, mon petit, je l'avoue... Un moment, je me suis raccroché à l'idée que tu étais peut-être dans la maison et que, ne pouvant trouver le sommeil, tu t'étais réfugié dans la bibliothèque ou même dans le cabinet de travail ? Je suis redescendu : tu n'étais pas non plus au premier étage. Tu n'étais nulle part ! Ou plutôt si : tu étais dans la rue... Et j'ai frissonné à la pensée que tu traînais dehors à une heure pareille... C'est encore plus stupide, n'est-ce pas ? Parce qu'enfin toi, à ce moment-là, tu ne songeais pas à mes angoisses ? Tu t'en fichais même éperdument !

L'adolescent baissa la tête, comme un collégien pris en faute.

— C'est surtout cela que je te reproche, vois-tu : avoir négligé mon inquiétude... Puis-je te demander, à l'avenir, de ne pas recommencer ce genre d'escapade ? Je sais bien qu'elle est un peu de ton âge et qu'une nuit ou l'autre, il devait y en avoir une ! Mais, quand même, pense un peu à moi... Tu m'as dit avoir compris que je t'aimais... Seulement, peut-être n'as-tu pas réalisé que dans le mot amour se cachent toutes les tendresses et, parmi elles, celle qui ne se révèle que lorsqu'un être, qui vous est cher, disparaît brusquement sans avoir pris la peine de vous avertir !

Le regard d'Alain restait fixé vers le sol. La voix devint encore plus douce pour dire :

— Je suis même descendu au rez-de-chaussée. J'ai pu constater que la porte d'entrée était bien fermée à double tour selon les instructions qu'observe scrupuleusement Ali... Je me suis souvenu alors que tu avais une clef : pensée qui m'a un peu réconforté. Cette petite clef, que tu avais emportée sur toi, te rappellerait peut-être à un moment que tu avais un domicile... N'ai-je pas eu raison d'avoir confiance en elle puisqu'elle t'a ramené ici ? Mais pouvais-je savoir si tu reviendrais ? On ne sait jamais ce qui peut se passer dans le cerveau d'un garçon de dix-huit ans ! C'est pourquoi ma fureur a fondu très vite, pour se transformer en un seul sentiment d'espoir : que tu me reviennes ! Si j'avais été croyant, je crois bien que j'aurais dit — comme ma sainte mère — des dizaines de chapelet. J'aurais eu largement le temps ! J'aurais invoqué tous les saints du Paradis pour qu'ils te ramènent au bercail ! Mais comme, hélas, ma seule religion n'a toujours été que mon travail, je n'ai plus eu qu'à attendre. T'attendre où ? Allongé dans mon lit en relisant une tragédie antique ? Je n'en aurais pas eu le courage... Dans mon cabinet de travail, en essayant d'écrire les premières répliques d'une nouvelle pièce ? Elles auraient été détestables... Dans le salon, marchant de long en large et regardant toutes les trois minutes par la fenêtre pour voir si tu n'apparaissais pas au tournant de la rue ? Cela aurait été d'autant plus exaspérant que c'était inutile... Il ne me restait plus que ce vestibule et cet escalier... Oui, je le reconnais : je t'ai attendu ici pendant des heures, debout, sans même avoir le courage d'allumer l'électricité, me cachant dans l'ombre de ma propre demeure comme si j'avais honte de mon inquiétude ! J'ai eu tout le temps de méditer, de penser à toi et à nous deux, à ce que tu appelles « notre » amitié que j'ai trouvée bien fragile et prête à s'effriter à la première bourrasque !... A un moment aussi, j'ai failli utiliser le téléphone pour demander à la police de m'aider à te retrouver. Mais j'ai craint de me couvrir de ridicule au cas où tu me reviendrais... J'ai eu peur également que la police ne me réponde, après avoir écouté ton signalement : « Venez donc faire un tour à la morgue... Le corps de ce jeune homme a été repêché dans la Seine. » Jure-moi, mon petit, que tu n'as jamais eu pareille idée ?

— Ça, je peux vous le jurer ! répondit Alain en relevant la tête.

— Voilà déjà un bon point d'acquis... Si tu pouvais savoir l'émotion que j'ai ressentie quand j'ai entendu ta clef tourner dans la serrure de l'entrée ! J'ai cru que mon cœur allait cesser de battre ! Ensuite j'ai retenu ma respiration pendant que tu montais, avec toute la légèreté de ta jeunesse, l'escalier... la main sur le commutateur, j'ai attendu jusqu'à la dernière minute... Quand je t'ai senti tout près, à quelques marches de moi, je n'ai pu résister : j'ai allumé !... Et j'ai vu ton visage figé de stupeur, presque terrifié, comme si tu t'attendais au pire... Tu étais, à la fois, émouvant et gentiment ridicule avec tes chaussures à la main... Un vrai gosse ! Tu croyais vraiment que j'allais me montrer intraitable ? Mais si tu penses une chose pareille, c'est donc que tu me considères comme un monstre, incapable de comprendre et d'excuser une fugue de jeunesse ? Vois-tu : bien que je sois un athée, j'ai toujours eu un certain respect pour les Evangiles et les Paraboles : il s'y glisse toujours une bonne dose de philosophie indulgente... Pendant ma longue attente, j'ai eu tout le loisir de me remémorer la merveilleuse histoire du retour de l'Enfant Prodigue... Sans aller jusqu'à tuer le veau gras pour fêter ton retour, je te remercie d'être revenu... Tu m'as beaucoup manqué pendant ces heures, mon petit Alain ! Promets-moi de ne pas recommencer ?

Une fois de plus, l'adolescent restait silencieux. De douce, la voix de l'homme se fit pathétique :

— Je comprends très bien que ce soit là une promesse assez difficile à tenir à ton âge... Au fond, tu es très honnête en ne la faisant pas ! Mais pourrais-je quand même avoir la certitude que si jamais pareille envie d'évasion te reprenais, tu aurais au moins la gentillesse de m'en avertir ? Je ne t'empêcherai pas de sortir.... Si je t'ai confié une clef, c'est pour que tu puisses t'en servir... Je persiste à te croire suffisamment raisonnable pour ne pas faire de bêtises irrémédiables... Contrairement à ce que tu as peut-être pensé, tu n'es pas dans une prison ! Les prisons n'existent que pour ceux qui les méritent... ou qui les acceptent !

Le jeune homme était toujours muet.

— Tu me répondras demain... ou beaucoup plus tard ! Je te sens fatigué. Moi aussi... Cette nuit d'attente a été l'une des plus pénibles que j'aie connues... Ne m'as-tu pas dit, hier soir, que tu avais un cours très matinal à la Faculté ? Il ne te reste plus beaucoup de temps pour dormir... Va te reposer... J'attendrai pour éteindre que tu aies rejoint ta chambre.

Le garçon sembla faire un effort pour continuer à gravir les dernières marches de l'escalier. Quand il fut à hauteur de l'homme, toujours immobile, il passa sans même le regarder puis il continua sa montée vers le deuxième étage. Ce ne fut qu'après avoir entendu la porte de la chambre se refermer qu'André Forval éteignit.

La maison retrouva son silence comme si rien ne s'était passé.

L'ÉVASION

Le déjeuner du lendemain ressembla au dîner de la veille. Il semblait que, dans cette demeure, les repas fussent tous calqués les uns sur les autres : André Forval et Alain mangeaient silencieux pendant qu'Ali assurait le service. Si les menus étaient variés, toute fantaisie était exclue de la conversation. Bien que le serviteur fût muet, la règle de civilité — ou simplement de prudence — qui veut que l'on parle peu devant les domestiques, était observée par les deux personnages qui se faisaient vis-à-vis dans une atmosphère d'ennui.

Vers la fin du repas, Forval demanda comme il le faisait presque toujours :

— Tout s'est bien passé ce matin à la Faculté ?

— Très bien, répondit Alain selon une habitude acquise.

— Cet après-midi, tu as beaucoup de cours ?

— Deux.

— Vers quelle heure penses-tu être de retour ?

— Dix-huit heures au plus tard.

— Je te donnerai à ce moment-là quelques pages à taper... Tu prends du café ?

— Non, merci, parrain.

Alain ne prenait jamais de café. Forval le savait mais il posait toujours la question et c'était toujours la même réponse. Question et réponse signifiaient que le repas était terminé.

Ils quittèrent la salle à manger et rejoignirent l'un son cabinet de travail, l'autre sa chambre au deuxième étage.

Une heure plus tard, Forval entendit Alain qui descendait l'escalier pour se rendre à la Faculté. Au moment où la porte du rez-de-chaussée se referma, il quitta sa table de travail et alla se poster dans l'encoignure de la fenêtre, caché par l'encadrement des rideaux. En regardant s'éloigner l'adolescent, son visage crispé eut une expression d'amertume.

La Faculté, cet après-midi, s'appelait pour le jeune homme *Les Idées Noires.*

Comme il l'avait dit à M. Raoul, il y arriva exactement à trois heures. Mais, quand il se retrouva devant la façade de la boîte de nuit, il se sentit pris de nausées : cette façade crasseuse, qui ne bénéficiait plus du doute de la nuit, ni de l'éclairage au néon — si faible fût-il — lui apparaissait lamentable. On aurait dit une plaie hideuse s'ouvrant au flanc d'un immeuble lépreux. Il n'y avait plus aucune magie. Les quelques photographies, placées sous verre dans deux cadres fixés de chaque côté de l'entrée, évoquaient davantage la basse pornographie que la vision d'art. On y voyait, exhibant sans la moindre pudeur toutes les facettes de son anatomie, la strip-teaseuse. L'illusionniste aussi avait droit à son effigie sous laquelle s'étalait son nom d'artiste, ou plutôt de bataille puisque chacune de ses apparitions sur scène était un véritable combat d'où il sortait vaincu par les quolibets des spectateurs. Et cependant ! Le nom choisi par ce grand méconnu avait des résonances triomphantes et prestigieuses : « Alexandre de Saint-Fargeau, le Maître du Mystère. » Le seul authentique mystère était qu'il persévérât à faire son numéro.

Une poubelle vide attendait, à droite de l'entrée, que quelqu'un de l'établissement se décidât à venir la ramasser : cela ne serait sans doute fait qu'à la tombée de la nuit quand le néon s'allumerait pour indiquer que *Les Idées Noires* commençaient à s'égayer. Vue de jour, la boîte de nuit offrait une apparence de désastre.

La grille, destinée à protéger l'entrée, était entrouverte. Alain franchit la porte et il se retrouva, pour la troisième fois de sa vie, à l'intérieur du cabaret : la salle était plongée dans une demi-obscurité. La seule vague lumière provenait d'un vasistas placé derrière le bar et donnant sur une cour intérieure ; lumière qui permit cependant au visiteur de se familiariser assez rapidement avec l'ambiance très particulière de l'établissement désert.

Non seulement il ne s'y trouvait personne mais les chaises avaient été posées à l'envers sur les tables sans doute par une femme de ménage venue donner un coup de balai dans la matinée. Contrairement à sa promesse de la veille, M. Raoul n'était pas derrière son comptoir. Peut-être dormait-il encore après avoir fait ce qu'il appelait « une recette » en poussant — avec l'aide précieuse d'Olga — des noctambules attardés à boire jusqu'à l'aube ?

Alain avança dans la salle jusqu'au bord de « la scène » dont le rideau de velours était fermé. Le garçon l'entrouvrit et monta sur la petite estrade : là aussi c'était le silence et une obscurité encore plus grande que dans la salle. Ce n'était pas la curiosité, qui l'avait fait agir ainsi, mais l'étrange besoin de se retrouver exactement à l'endroit où Olga apparaissait chaque nuit. Il avait un peu l'impression qu'en accomplissant ce geste, il s'imprégnait de « l'atmosphère d'Olga » : c'était comme si elle était déjà là, resplendissante, toute proche...

Son rêve, à nouveau recommencé, fut interrompu par la voix rude de M. Raoul, venant de la gauche de la scène et demandant :

— Qu'est-ce que c'est ?

La silhouette massive apparut au bas d'un petit escalier qu'Alain n'avait pas encore remarqué.

— Ah ! C'est vous ! dit l'homme. Il y a longtemps que vous êtes là ?

— Quelques instants seulement... Nous avions convenu de quinze heures.

— Olga est réveillée mais je vous garantis que ça la met de mauvaise humeur des réveils pareils ! C'est beaucoup trop tôt pour elle ! Enfin... il faut ce qu'il faut... D'autant plus qu'à dix-huit heures, elle doit venir avec moi au théâtre pour la signature du contrat... Je vais l'appeler :

Sans remonter l'escalier, il cria :

— Olga !

Une voix, qui ne semblait plus du tout être la même que celle qui murmurait des chansons d'amour, répondit de l'étage supérieur. Une voix traînante et vulgaire :

— Qu'est-ce que tu veux encore !

— C'est le secrétaire de Forval qui est arrivé pour le travail.

Il y eut un temps avant que la voix ne répondît :

— Déjà ? C'est bon, j'arrive...

Brusquement fébrile, l'adolescent fixa son regard sur le sordide escalier par où elle allait descendre... De toute son âme il aurait souhaité un autre décor pour cette première rencontre. Son imagination la voyait déjà apparaissant, telle une princesse des Mille et Une Nuits, dans une robe vaporeuse en haut de l'immense escalier de marbre d'un palais... Lui-même n'était plus le jeune étudiant mais le prince charmant venu rendre hommage à la dame de ses pensées...

Elle apparut, la dame, mais la vision fut telle qu'Alain en eut le souffle coupé : ce n'était pas la femme de légende mais une fille qui n'avait même pas pris la peine de se maquiller, ni de dénouer la chevelure de feu qui restait emprisonnée sous un hideux casque de bigoudis. La robe de rêve était remplacée par un peignoir quelconque jeté sur un pyjama. Les pieds étaient nus dans des pantoufles.

L'amoureux manqua défaillir de surprise : le mirage s'était évanoui pour laisser place à la plus banale et à la plus affligeante des réalités. Vue ainsi, celle qui n'avait plus rien de « la belle Olga » paraissait faite pour être la compagne d'un M. Raoul. C'était cela surtout qui bouleversait l'adolescent : la veille, quand le gros homme lui avait dit que la fille habitait « dans l'appartement » au-dessus du cabaret, Alain s'était raccroché à l'espoir qu'Olga n'était pour le taulier qu'une locataire occupant l'une des chambres de l'appartement. Mais cet après-midi, de la façon dont « le couple » se présentait, aucun doute n'était plus possible : Olga vivait avec M. Raoul...

— Voici M. Alain, dit l'homme à sa compagne.

— Bonjour, fit la fille en tendant une main molle.

— Madame, balbutia le garçon.

— Madame ? rugit M. Raoul... C'est mademoiselle qu'il faut dire ! Ou Olga tout court, ce qui est beaucoup mieux... Je vous en ficherai des « madame » ! Elle a bien le temps de le devenir... Madame ! Laissons ça aux vieilles...

Il s'adressait maintenant à la fille.

— Tu as descendu le texte avec toi ?

— Non. Je l'ai oublié sur la table de nuit.

— Cela ne fait rien, dit vivement Alain. J'en ai apporté deux autres exemplaires.

Il en donna un à la fille et conserva l'autre en ajoutant :

— J'ai pensé que ce serait plus pratique d'avoir chacun le nôtre pour pouvoir alterner les répliques.

— Je vais ouvrir le rideau et allumer les projecteurs, dit M. Raoul, pour que vous puissiez travailler. Vous restez tous les deux ici, sur le plateau, et moi je vais dans la salle pour écouter... Je vous donnerai mes impressions après... Je ne me trompe jamais, moi !

— Sans doute n'avez-vous pas encore eu le temps d'apprendre la scène ? demanda Alain.

— Je me demande quand j'aurais pu le faire ! répondit la fille. On s'est couché à six heures du matin ! Les clients n'en finissaient plus de partir !

— Dans ce cas, je ne pense pas que ce soit nécessaire de rester sur la scène, dit Alain. Aujourd'hui, nous ne pouvons faire qu'une répétition de lecture, qui est d'ailleurs indispensable... Nous serions tout aussi bien, et même mieux, assis...

— Alors venez au bar ! déclara l'homme. Vous serez les rois sur les tabourets pour lire votre machin.

— Pendant ce temps-là, dit Olga, tu me prépares mon café crème...

Puis elle ajouta à l'intention d'Alain :

— C'est vrai : je n'ai pas encore eu le temps de prendre mon petit déjeuner ! Et moi, tant que je n'ai pas bu mon crème, je n'ai pas les idées claires ! Après, ça ira mieux...

Ils se dirigèrent vers le bar.

— Vous en voulez un aussi ? demanda M. Raoul à Alain en passant derrière le comptoir.

— C'est-à-dire que j'ai déjà pris mon petit déjeuner depuis longtemps et même le grand...

— Vous vous levez tôt ? demanda la fille étonnée.

— Evidemment qu'il se lève tôt ! répondit l'homme à la place d'Alain. Cette question ! Un secrétaire, ça commence son boulot à huit heures et demie du matin... Il vous fait faire des journées de huit heures, votre patron ?

— Ça dépend... Quelquefois moins, quelquefois plus... C'est variable.

— C'est vrai que vous habitez chez lui, dit M. Raoul. Ça facilite le travail... C'est un peu comme pour Olga et moi ici : nous sommes sur place.

— C'est bien chez lui ? demanda la fille.

— C'est assez vaste... un hôtel particulier.

— Mazette ! s'exclama le gros homme. Il ne se refuse rien, le Forval ! Un hôtel particulier, un secrétaire à domicile... Il a aussi des domestiques ?

— Oui : un valet de chambre et une cuisinière.

— Voyez-vous ça ! C'est un boulot qui rapporte

d'écrire des pièces... Il y en a qui ont quand même de la veine ! Il est le champion votre patron ! Pas besoin de bouger de chez lui pour travailler... Il ne voit que qui il veut... Il n'est même pas obligé de s'habiller comme moi tous les soirs pour recevoir la clientèle... Ah, ça ! On peut dire qu'il a trouvé la formule... Alors, jeune homme, vraiment vous ne voulez pas, vous aussi, un petit café pour tenir compagnie à Olga ?

— Je veux bien un café... mais noir.

— Et que diriez-vous d'une bonne petite fine pour l'arroser ?

— Non merci.

— Après tout, vous avez raison d'être sobre à votre âge... Quel âge avez-vous donc ?

— ... Vingt et un ans !

Ce n'était pas possible d'avouer devant Olga qu'il n'en avait que dix-huit. En se vieillissant de trois années, il avait l'impression d'acquérir de l'importance dans l'esprit de la femme.

— Hé ! Hé ! Majeur... Le bel âge ! Et le service militaire ?

— Le service ?... Je ne l'ai pas encore fait... J'ai obtenu un sursis pour pouvoir terminer mes études.

— Pour moi, conclut M. Raoul, un homme n'en est pas tout à fait un tant qu'il n'a pas passé à la caserne ! Vous verrez : ça vous transforme, ce truc-là...

Pendant qu'il continuait à déballer ce qu'il croyait être des phrases définitives, la fille observait l'adolescent. C'était même la première fois qu'elle le regardait vraiment. Jusqu'à cet instant, elle n'avait paru attacher aucune importance à sa présence comme s'il avait fait partie, depuis longtemps, du personnel de l'établissement. Mais brusquement — était-ce parce qu'Alain avait dit être majeur ? — elle semblait s'intéresser à celui qui allait lui servir de répétiteur. Le regard d'Alain croisa celui d'Olga et il rougit, gêné. C'était la première fois de sa vie qu'il sentait pareil regard peser sur lui. Il chercha à l'éviter mais — c'était plus fort que sa volonté — sans cesse, il revenait vers les yeux glauques qui continuaient à le fixer avec une étrange intensité dans laquelle tout se mêlait : la curiosité, l'étonnement, la volonté de dominer un jeune fauve, l'attendrissement peut-être, le désir aussi... Eperdu, l'adolescent se sentait partir à la dérive comme s'il se noyait dans un reflet du ciel.. ou de l'enfer !

N'était-il pas très attirant, pour une femme de vingt-cinq ans — qui avait déjà connu trop d'aventures pour ne pas être déjà blasée — ce jeune homme qui ne paraissait même pas avoir encore atteint la majorité dont il se vantait ? Un regard aussi limpide ne reposait-il pas de tant d'autres qui n'avaient exprimé que convoitise ou vice ? Cette timidité même du garçon devant une femme n'était-elle pas le plus merveilleux des excitants ? L'instinct, qui est en toute femme, permettait déjà à celle — qui possédait aussi le tempérament d'une fille — de deviner qu'elle se trouvait en face d'un être sincère et neuf qu'aucune autre, avant elle, n'était encore parvenue à s'approprier. Pour une Olga, l'expérience était passionnante à tenter : ce serait elle qui révélerait les prémices de l'amour à l'adolescent. Elle saurait faire de lui une proie savoureuse dont elle se repaîtrait jusqu'à ce qu'elle fût saturée de caresses juvéniles... Ensuite, dès qu'elle en aurait assez, quand le jeu aurait cessé de l'amuser, lorsqu'elle aurait épuisé tout l'attrait de la liaison, elle saurait bien se débarrasser du garçon comme elle avait déjà su le faire avec tant de ses aînés qui se croyaient pourtant des vainqueurs ! Avec l'adolescent, ce serait facile, presque enfantin... N'avait-elle pas toujours en réserve la présence d'un M. Raoul ? Lui-même le lui avait dit : il était l'imprésario rêvé ! Il saurait l'être dans tous les domaines ! Au besoin, Olga n'hésiterait pas à le mettre dans la confidence pour qu'il pût jouer le rôle du protecteur officiel... Au fond, c'était tellement pratique — et utile ! — d'avoir ainsi, dans sa vie, M. Raoul...

Mais, pour le moment, mieux valait garder le secret. Sinon, les plaisirs rares que la fille se promettait seraient gâchés. Ce serait une erreur d' « affranchir » trop tôt le protecteur : M. Raoul était d'un naturel jaloux... Jalousie qui se décuplerait s'il découvrait trop tôt que celui qu'il ne considérait que comme un petit secrétaire pouvait devenir un rival : l'homme dans toute la force de l'âge admet difficilement de se sentir préféré — ne serait-ce que pendant très peu de temps — par un garçon beaucoup plus jeune qui pourrait être son fils. Il fallait d'abord faire preuve d'une grande prudence. Plus tard, quand ce serait elle, la femme, qui avouerait délibérément à M. Raoul qu'elle ne pouvait plus supporter les assiduités du jeune amoureux, l'homme se sentirait fier et flatté d'être préféré à un cadet. L'étrange révélation suffirait pour satisfaire son orgueil et lui donner le désir immédiat de pardonner. Aussitôt la femme cesserait d'être coupable, à ses yeux, pour se muer en victime. L'homme oublierait qu'il avait été bafoué et n'aurait plus qu'une pensée : châtier le trop jeune rival.

Comment Alain, avec toute son inexpérience et toute sa sincérité, aurait-il pu deviner les pensées secrètes d'une Olga ? Il ne le cherchait même pas, emporté — comme il l'était depuis quarante-huit heures — par la force irréfléchie de son premier rêve d'amour... La partie, qui était en train de s'engager entre les deux personnages, était inégale : la femme était déjà gagnante sans que le garçon pût même s'en rendre compte. Olga n'avait plus qu'à choisir les modalités du tournoi pour triompher de son nouvel amoureux.

Amoureux ?... Pendant un moment, quand il avait avait vu apparaître, au bas du sordide escalier, la femme de rêve sous un aspect très éloigné de celui où il l'avait encore admirée la veille, le jeune homme s'était brusquement senti envahir par un doute terrible qui s'était ajouté à la désillusion. Il avait trouvé la dame de ses pensées beaucoup moins belle, infiniment moins désirable ! Mais la déception avait été de courte durée : maintenant qu'elle était tout près de lui, il l'aimait à nouveau... Il pensait même que l'admirable créature n'avait pas besoin de fards, de maquillage, de coiffure insolente ou de robe de prix pour être mise en valeur. Naturelle, elle était plus belle, plus vraie surtout.

La fille mettait d'ailleurs tout en œuvre, depuis quelques instants, pour se rendre séduisante : elle connaissait admirablement son métier de femme. Ne devait-elle pas remporter une victoire immédiate ? Sinon le garçon aurait le temps de réfléchir, de rencontrer peut-être une autre créature désirable et de lui échapper...

Après avoir avalé, brûlant, le café crème « qui lui donnait les idées claires », elle attaqua, en demandant d'une voix qu'elle essaya de rendre la plus douce possible :

— Comment travaillons-nous ?

Ce fut presque d'une main tremblante qu'il lui tendit les feuillets dactylographiés apportés avec lui.

— Prenez cet exemplaire et dites à haute voix les répliques de votre rôle. J'alternerai avec vous en lisant le rôle de l'homme sur le double.

La fille, obéissante, commença à lire, sous le regard attendri de M. Raoul, installé de l'autre côté du comptoir. Dès que la voix de la femme se tut, celle du jeune homme enchaîna et le dialogue se poursuivit entre Olga qui n'était plus qu'ELLE et Alain qui se croyait LUI.

Contrairement à ce qu'avait un peu redouté le jeune homme, la belle Olga ne lisait pas sottement. On sentait même qu'elle faisait un réel effort pour s'appliquer. Alain lui donnait la réplique avec fougue : depuis la veille il était déjà dans la peau du personnage inventé par André Forval.

Vers la cinquième réplique, M. Raoul ne put s'empêcher de s'exclamer, admiratif :

— Savez-vous que vous êtes épatants dans ce « machin-là », tous les deux ! Entendre ça, ça vous donne le goût du théâtre ! Chérie, crois-en ton homme : tu iras loin ! Et tu pourras remercier notre ami !

— Ça vous plaît vraiment ? demanda Alain.

— Ce ne sont pas tellement tous ces mots inutiles et alambiqués que vous prononcez qui m'enthousiasment, mais la façon dont vous les dites tous les deux : c'est vrai, on y croit !

— Aussi vous pouvez imaginer ce que ce sera quand Olga jouera sans lire et avec un Paul Vernon !

— Ce sera tout simplement formidable ! Votre patron va être enthousiasmé !

— Je l'espère...

— Mes enfants, c'est très beau le théâtre mais le turf, ce n'est pas mal non plus ! J'ai tout juste le temps d'arriver pour la quatrième à Vincennes... Ça marche très bien : vous n'avez pas besoin de moi... Je vous laisse. Olga, je serai de retour vers cinq heures pour venir te chercher : n'oublie pas que la signature du contrat a lieu à six au théâtre... Jeune homme, faites-la répéter pendant une petite heure et, après, laissez-la pour qu'elle ait le temps de se fringuer... Tu te feras très belle, hein ?

— Je mets mon ragondin ? demanda la fille.

— Le ragondin et tout le saint frusquin ! Faut que tu sois très chic, tu comprends ? Ils t'ont déjà vue en robe de scène mais c'est indispensable que tu leur produises aussi un gros effet en tenue de ville... Ça compte l'habillement chez une vedette ! Pas vrai, jeune homme ?

— C'est exact...

— A tout à l'heure !

Au moment de sortir, le gros homme, épanoui de satisfaction, dit encore :

— Naturellement, jeune homme, si vous avez besoin d'un petit whisky pour vous délier la langue, ne vous gênez pas ! Allez-y ! Les bouteilles sont là : servez-vous !

Il était déjà parti. La belle Olga et Alain se retrouvèrent seuls.

Après un moment de silence pendant lequel les yeux de la femme se posèrent à nouveau avec insistance sur ceux de l'adolescent, Olga eut un sourire — le premier... Il n'y en avait pas eu, la veille, ni l'avant-veille, pendant son tour de chant, ni même aujourd'hui pendant tout le temps où M. Raoul était encore là... Sourire fait de complicité et de sous-entendus, qui semblait dire : « Enfin deux ! Cela ne t'enchante donc pas ? Moi, je suis ravie ! Tout ce que tu éprouves auprès de moi, tu n'as pas besoin de me le dire : je le sais... Et ce que je ressens ne te regarde pas ! Ne suis-je pas ton aînée dans tous les domaines : physique, sentimental, charnel ? Alors laisse-moi agir à mon gré selon mon plaisir de femme... »

La voix se fit encore plus douce, presque tendre, pour demander :

— Au fait, je ne sais même pas votre nom ?

— Alain...

— J'aime beaucoup... Vous êtes le premier Alain que je rencontre...

Il n'avait même pas besoin de répondre : « Et vous, pour moi la première Olga ! » Depuis le premier instant, elle se savait la toute première... Elle continua :

— Vous a-t-on déjà dit que vous étiez plutôt joli garçon ?

Le jeune homme rougit à nouveau, gêné, ne sachant que répondre. Elle vint vite à son secours en ajoutant :

— Si j'avais su que vous étiez aussi jeune, je ne me serais jamais montrée à vous dans ce négligé !

— Mais... je vous aime ainsi !

C'était sorti dans un élan. Elle feignit la surprise pour répéter doucement :

— Vous m'aimez ? Savez-vous que ça peut être très grave à votre âge ?

— Je le sais...

— Dites plutôt que je vous plais ! Je plais d'ailleurs à beaucoup de monde...

— Les autres ne peuvent pas vous comprendre aussi bien que moi !

— Qu'ai-je donc d'aussi extraordinaire ?

— Vous avez tout ce qui fait les grandes réussites ! Langlois, Skermine et même mon patron l'ont compris tout de suite... Croyez-moi : ce ne sont pas des philanthropes ! S'ils se sont tous déplacés, c'est que vous en valiez la peine !

— Et vous ?

— Moi, je n'ai fait que les suivre... Seulement, dès que je vous ai vue, j'ai compris que vous pouviez être tout pour moi.

— J'ai souvent entendu cette chanson...

— ... dite par des hommes qui l'avaient répétée mille fois à d'autres femmes... Tandis que moi, c'est la première fois, je vous le jure !

— Je vous crois.

Spontanément, elle avait quitté son tabouret pour se rapprocher encore de lui. Et avant qu'il n'ait même pu esquisser un geste — l'aurait-il seulement pu, paralysé comme il l'était par la présence enivrante — elle avança des lèvres gourmandes... Ce ne fut pas lui, mais elle qui l'étreignit... Quand leurs lèvres se séparèrent, une lueur de folie traversa les yeux de l'adolescent dont tout l'être frémissait dans une extase voluptueuse. Une chaleur inconnue l'envahissait, lui faisant vivre une sensation nouvelle, prodigieuse, inconnue... La main de la femme lui prit le menton pour lui relever la tête pendant que la voix, redevenue rauque, murmurait dans un souffle :

— Toi aussi, tu me plais...

Il continuait à la regarder, hébété, ne sachant s'il

venait de découvrir quelque chose de vrai ou s'il vivait un rêve ? La voix ensorcelante continua :

— Dis-moi la vérité : quel âge as-tu ?

— Dix-huit ans, balbutia le garçon.

— Ça aussi, je le savais... Tu cours souvent, ainsi, après les filles ?

— Jamais !

— Alors pourquoi moi ?

— Vous ?... Mais je ne vous ai pas cherchée !

— Tu m'as trouvée ?

— Oui...

— Quelle sensation ça t'a fait quand je t'ai embrassé ?

— Je..

Mais il se tut.

— Tu ne sais pas? Je vais te le dire : tu as trouvé que c'était merveilleux parce que tu l'attendais depuis longtemps déjà sans oser te l'avouer... Tu as besoin de connaître la femme, mon petit !

— Je vous en supplie !

— Pourquoi t'en défendre ? C'est très normal ! Il n'y a aucune honte à cela. Avant-hier, quand tu m'as vue, tu t'es dit : « C'est elle ! C'est la femme ! » Ce n'est pas vrai ?

Le garçon restait muet.

— Déçu ?

— Oh, non !

— Heureux ?

— Je crois que oui...

Elle lui lâcha le menton et revint, très calme, très sûre d'elle, reprendre place à son tabouret en disant :

— Donne-moi une cigarette...

— Je... Je n'en ai pas : je ne fume pas.

— Tu n'as même pas ce défaut ? Mais... qu'est-ce que tu fais donc toute la journée ?

— Je travaille...

— Et la nuit ?

— La nuit ?... Je pense... à une foule de choses !

— Tu pensais à la femme !... Mais tu étais encore

incapable de lui donner un visage... Maintenant tu n'auras plus qu'à penser au mien... Où habites-tu ?

— Chez mon patron.

— Tu vis seul ?

— Oui...

— Et tu n'as jamais eu envie d'avoir une aventure ?

— Je ne savais pas encore...

— Cet André Forval, il a une femme ?

— Non.

— Alors il en a plusieurs ?

— Aucune.

— Qu'est-ce que tu me racontes ? Un auteur à succès comme lui, ça couche avec toutes les actrices ! C'est connu !

— Pas lui...

— Aimerait-il les hommes ?

Elle s'était arrêtée brusquement de parler, le dévisageant à la fois avec stupeur et curiosité, avant de dire :

— Ah ! je comprends...

— Qu'est-ce que vous comprenez ?

— Tu es vraiment son secrétaire ?

— Oui.

— Seulement il les lui faut jeunes et beaux... Quel âge a-t-il ?

— Je ne sais pas exactement...

— Comment est-il ?

— Physiquement ?... C'est assez difficile à dire...

— Tu ne veux pas te compromettre, hein ?... Alors, toi aussi, tu es de la confrérie ?

— Non ! Vous n'avez pas le droit de dire ça ! C'est faux ! André Forval vit comme il le veut et nul n'a le droit de le juger... Avec moi, il s'est toujours montré parfaitement correct... plus que cela même : un véritable ami sur lequel je peux compter... C'est grâce à lui que j'ai pu poursuivre mes études, que j'ai pu vivre décemment aussi... Je ne permettrai à personne de l'attaquer ! Quand vous le connaîtrez, vous le respecterez comme moi... Et vous l'admirerez !

— Un grand homme ?

— Sûrement !

— Mais rien ne prouve que le grand homme ne fasse pas ses petites fredaines ! Tous les hommes en font ! Je les connais !

— Pour que vous ayez une telle opinion sur eux, il faut qu'ils vous aient fait du mal ?

— Ça, tu peux le dire !

— Pourtant, M. Raoul ?

— Ne me parle surtout pas de celui-là !

— Il a été gentil avec vous...

— C'est lui qui te l'a dit ?

— ... Je l'ai pensé à la façon dont il défend vos intérêts, dont il fait votre éloge et surtout dont il vous regarde...

— Lui, je le mets à part... comme toi.

— Moi ?

— Tu n'as pas encore eu le temps d'être pourri. Tu es propre : ça se voit tout de suite ! Si tu savais ce que ça repose ! Au moins toi, quand tu me regardes, il y a quelque chose... Tu n'es pas encore un homme mais c'est ça qui est bon ! Tu es là devant moi, tel un jeune chien qui cherche, qui ne sait pas encore ce qu'il doit faire, qui se demande comment c'est fait une femme ?... Eh bien, veux-tu que je te donne un conseil désintéressé ? Continue à chercher le plus longtemps que tu pourras ! Ce sera pour toi la seule façon de conserver encore quelques illusions...

— Mais... si je ne veux plus chercher ? Si j'en ai assez ? Si je veux me prouver à moi-même que je ne suis plus un gamin — comme vous le croyez tous — mais un homme, un vrai ?

— Si c'est cela, approche...

Ce fut lui, cette fois, qui abandonna son tabouret pour venir, obéissant et humble, tout près d'elle. Les lèvres sensuelles l'appelaient, l'attendaient... Il fit le geste avec fougue, avec une sorte de frénésie de goûter... Longtemps, ils restèrent ainsi... Puis, lentement, avec une douceur infinie, elle éloigna le jeune visage en disant :

— Tu as des dispositions... Je m'étais trompée tout à l'heure : je crois que tu seras bientôt un homme... Maintenant, va t'asseoir... Nous verrons cela plus tard... J'ai encore une question à te poser : quand tu es venu hier trouver Raoul, ce n'était pas uniquement pour me faire répéter cette ânerie ?

— D'abord ce n'est pas une ânerie ! C'est ce que vous ne voulez pas comprendre ! C'est une scène très délicate à jouer... Vous vous en apercevrez dans huit jours, quand vous auditionnerez... Et si vous n'avez toujours pas compris d'ici là, ce sera dramatique pour vous ! C'était d'abord cela que je voulais vous expliquer... Sincèrement, je suis venu pour vous aider !

— Tu mens !

— A vous, je n'en ai pas le courage ! Evidemment, si je ne vous avais pas trouvée aussi belle et aussi femme, si vous n'aviez pas produit sur moi une telle impression dès que je vous ai vue avant-hier, je ne serais sans doute pas là... Il y a beaucoup d'autres choses également que je n'aurais pas faites...

— Lesquelles ?

— Je ne peux pas vous le dire aujourd'hui... C'est trop tôt ! Mais je vous promets qu'un jour, vous saurez tout ! Sachez qu'à cause de vous seule, j'ai commis un acte que je n'avais encore jamais fait !

— Tu ne vas tout de même pas me dire que tu as tué ?

— J'ai peut-être tué une véritable amitié...

— Des amis, ça se retrouve ! Ne t'inquiète pas ! C'est tout ?... Tu n'as pas volé, au moins ?

— C'est un peu cela...

Elle eut un sourire étrange avant de dire lentement :

— Si ça peut te consoler, dis-toi bien que ce n'est

pas la première fois qu'on le fait pour moi ! Il y en a même un qui est encore en prison...

— S'il le fallait pour vous aider, je crois que je ferais comme lui...

— Tu m'aimes vraiment à ce point ?

— Oui...

— Sais-tu que ça fait du bien d'entendre des choses pareilles ?

— C'est vous que je voudrais voler à tout le monde !

Elle eut un nouveau sourire :

— Même à M. Raoul ?

— Surtout à lui ! Cet homme me dégoûte !

— Tais-toi : il t'a traité en ami...

— J'ai fait semblant d'être son ami mais je ne le suis que de vous seule...

— Je l'ai très bien compris.

— Alors... Vous voulez bien me revoir ?

— Il le faudra : ne devons-nous pas travailler ensemble ?

— Maintenant ce sera merveilleux ! Pendant que nous travaillerons, je vous aimerai ! Cela me donnera des forces fantastiques pour vous aider à triompher dans quelques jours... Et, quand vous serez une artiste célèbre, enviée de tous, vous vous souviendrez de moi...

— Tu crois ?

— J'en suis sûr ! Vous ne pourrez pas m'oublier ! Même au faîte du succès, vous vous direz : « C'est un peu grâce à lui, grâce à son amour que j'en suis là ! »

Pour la première fois, il crut apercevoir dans les yeux glauques le voile léger de la tendresse pendant qu'une voix, très différente de celle qu'il avait entendue jusqu'alors, murmurait :

— Tu es gentil, mon petit Alain !... Très gentil...

Il lui avait pris les mains pour les serrer dans les siennes tremblantes et, pendant que leurs yeux ne se regardaient plus seulement qu'avec du désir, il dit avec conviction :

— Oh ! Je sais bien que ce triomphe proche vous amènera une foule de nouveaux admirateurs qui n'auront rien de commun avec les clients de cet horrible établissement et parmi lesquels se trouveront sûrement des hommes raffinés, beaucoup plus instruits et plus cultivés que moi, des hommes qui auront déjà derrière eux un passé de réussite qu'ils pourront vous offrir... Vous aurez le droit de choisir...

— Tais-toi ! Ne pense pas à l'avenir, mon chéri... C'est toi que j'ai choisi pour le moment... Maintenant, essayons de continuer la lecture...

Ils reprirent, chacun, leurs feuillets et le dialogue d'amants, inventé par André Forval, parut léger, presque facile à dire entre ELLE et LUI.

Quand M. Raoul revint, il s'arrêta à l'entrée de la salle pour écouter, pendant quelques instants, les voix qui alternaient harmonieusement. Epanoui, le gros homme alla vers le bar en s'écriant :

— Bravo ! Cela me paraît du tonnerre ! J'en connais qui vont être drôlement étonnés dans huit jours !

— Et à Vincennes, ça a marché ? demanda Olga.

— J'ai gagné dans les trois dernières ! Dommage que je ne sois arrivé que pour la quatrième... Enfin ! Il ne faut pas trop demander : pour une bonne journée, c'en est une ! C'est vrai : trois toquards bien placés sur l'hippodrome, ici une répétition qui marche à merveille et, tout à l'heure, la signature du contrat qui va faire de mon Olga une super-vedette ! Mais vous n'avez rien bu, mes enfants ?

— Nous n'en avons pas eu le temps, répondit la fille.

— Pas le temps ! On a toujours le temps de fêter les victoires !

Il était déjà passé derrière le comptoir :

— Qu'est-ce que tu prends ?
— Une menthe verte.
— Et vous, jeune homme ?
— La même chose.
— Tiens ! Tiens ! On change de goût à ce que je vois ? Plus de whisky ? Vous avez raison : laissez cela aux snobs ! Pour moi, mon petit Pernod ! Alors ? Dites-moi franchement, jeune homme, ce que vous pensez de votre élève ?
— Ce que je pense ?... Mais, monsieur Raoul, elle a le théâtre dans la peau.
— Dans la peau ! Épatant ! Voilà ce qu'il fallait ! Quand on n'a pas un métier dans la peau il vaut mieux en changer.
Les verres étaient remplis. M. Raoul leva le sien et dit, prophétique :
— Je bois à l'avenir ! A Olga d'abord — honneur aux dames ! — pour qu'elle devienne la plus grande des grandes ! A vous, jeune homme, pour que le Forval n'oublie pas de vous mettre sur son testament ! A moi pour que je puisse enfin prendre des vacances perpétuelles après fermeture de cette baraque dont je ne peux même plus voir la façade... A propos de Forval, j'ai rencontré Sam à Vincennes... Savez-vous ce qu'il m'a dit sur votre patron ?
— Racontez...
— Des trucs tordants !... Et puis non, je ne peux pas vous le répéter. C'est un secret !
— Quel secret ?
— Tout se sait, jeune homme !... Seulement ça, c'est difficile, surtout devant vous qui travaillez chez lui...
— Vous m'intriguez, monsieur Raoul ?
— C'est sans intérêt ! Sam m'a dit aussi que des talents comme celui d'André Forval, on en rencontrait un tous les cent ans ! Il m'a même ajouté que vous-même étiez un garçon formidable !
— Moi ? Mais ce monsieur ne me connaît pas !
— C'est exact. Seulement il a entendu parler de

vous... Là, je peux vous redire textuellement ses paroles : « Du moment que Forval l'a choisi pour secrétaire, ce gars-là c'est sûrement un as ! » Ce n'est pas un compliment, ça ?

— Oui, mais le reste ?

— Motus ! Dis donc, poupée, il faut te dépêcher ! Tu as tout juste le temps de te « fringuer » si tu ne veux pas être en retard pour la signature du contrat. Quand revenez-vous, jeune homme ? Ce soir, pour voir le tour de chant d'Olga ?

— Je ne pense pas que ce me sera possible.

— Dommage ! Ça lui aurait fait plaisir... A moi aussi ! Alors on vous voit demain ?

— A quinze heures, voulez-vous, comme aujourd'hui pour une deuxième séance de lecture avant la répétition que dirigera M. Skermine à dix-huit heures ?

— Je vous attendrai, dit Olga dont la voix était redevenue indifférente.

— Dites, jeune homme, demanda M. Raoul, vous pensez que ces séances avec le metteur en scène sont vraiment indispensables ? Je trouve qu'avec vous, ça va très bien.

— Mais je ne suis pas un homme de théâtre ! Tout au plus puis-je faire figure de répétiteur pour le texte... Il faut Skermine pour les indications de mise en scène, pour mettre tout en place... Souvenez-vous aussi, quand il sera là demain, que vous ne m'avez pas vu ! Je partirai avant son arrivée... Au revoir, monsieur Raoul... Au revoir, Olga...

— A demain... et merci ! dit la fille.

Dès qu'il fut parti, elle demanda à l'homme en se dirigeant vers l'escalier de l'appartement :

— Qu'est-ce qu'il t'a raconté sur Forval, Sam ?

— Tu ne le croiras jamais ! Dire que j'ai failli le répéter devant le gigolo ! Ça me brûlait la langue...

— Pourquoi traites-tu ainsi ce garçon ? Il n'a rien d'un gigolo !

— Je te dis que c'en est un ! Mais pas pour dames,

voilà tout... Oui, Sam m'a affirmé — et quand Sam dit quelque chose, c'est qu'il est tuyauté — que le Forval était une « tapette ».

— Vrai ?

— Oui... Et le fameux « secrétaire », c'est son petit ami... Tu as compris ?

— Qu'est-ce qu'il en sait, Sam ?

— Il sait que le Forval n'aime pas les femmes, qu'il les déteste même ! C'est connu dans tout Paris ! Et comme il lui faut de la compagnie...

— C'est bizarre, ce que tu me dis...

— Pourquoi bizarre ?

— Parce que ça m'étonne... Pour le Forval c'est peut-être vrai, mais pour l'autre...

— Tu sais : qui s'assemble... En tout cas, c'est épatant pour nous !

— Tu trouves ?

— Evidemment ! Tu n'as rien à craindre du freluquet et nous l'avons quand même dans notre manche... Tu te rends compte ? Avoir pour copain le « petit ami » du grand homme ! Mais c'est formidable ! Le môme a l'air de nous avoir à la bonne... Alors, tu ne crois pas que le vieux sera de son avis pour peu qu'il pousse un peu à la roue ? Ce gosse-là, c'est notre plus grand allié ! S'il répète dans l'intimité à celui qu'il appelle son « patron » qu'il n'y a que toi à pouvoir jouer *La Voleuse*, nous sommes champions ! C'est pourquoi il faut te montrer très gentille avec le môme... Si j'étais à ta place, sais-tu ce que je ferais ?

— Dis toujours...

— Eh bien... Je m'arrangerais pour le rendre un peu amoureux de moi... Oui, ma belle ! Ensuite, on en ferait ce qu'on voudrait.

— Tu ne veux tout de même pas que je le fasse coucher avec moi ?

— Coucher ! Vous n'avez que ce mot-là à la bouche, vous les femmes ! Ce n'est pas nécessaire de coucher pour rendre un gamin amoureux ! Au contraire : il faut lui faire tirer la langue... D'ailleurs, même si tu le voulais, tu n'y arriverais pas ! Ces gars-là, ce sont tous des impuissants devant les femmes ! Ils sont comme paralysés dès qu'ils en frôlent une ! Tu as bien vu tout à l'heure comme il rougissait quand tu le regardais.

— Je n'ai pas remarqué...

— Allons ! Tu me prends pour un imbécile ? Mais c'est très bon ça, qu'il rougisse ! Tu l'intimides ! C'est pour cela que tu l'épates... Faut que ça dure, mignonne, et tu auras le rôle, je te le garantis !

— Tu as peut-être raison, dit la fille, rêveuse.

— J'ai toujours raison ! Si l'on veut réussir, il faut de la psychologie dans la vie... Maintenant, dépêche-toi de te faire belle...

Une fois dans la rue, débarrassé de l'atmosphère spéciale qui continuait à imprégner le cabaret même quand il était vide, Alain faisait des efforts désespérés — pendant qu'il retournait vers l'île Saint-Louis — pour retrouver un certain équilibre cérébral. Mais ses pensées étaient tellement contradictoires, tellement confuses, qu'il ne savait plus très bien s'il n'avait pas commis une erreur en revenant ainsi auprès d'Olga et s'il devait vraiment recommencer le lendemain ?

D'abord — c'était son honnêteté foncière qui reparaissait — il s'en voulait de mentir à André Forval qui avait toujours su se montrer bon et compréhensif à son égard. Tout à l'heure, quand il le retrouverait, il lui faudrait mentir une fois encore en parlant de cours imaginaires suivis à la Faculté où il n'avait pas été de tout l'après-midi. Ça l'agaçait aussi, lui qui était essentiellement studieux et consciencieux, de perdre ainsi des cours importants. Mais comment agir autrement ? Il aurait fallu cesser de voir Olga et cela, il ne le pouvait déjà plus... C'était cependant elle seule — ou sa beauté — la véritable responsable de tous les relâchements et de tous les gestes que l'adolescent venait d'accomplir en quarante-huit heures.

Olga qui, après l'avoir d'abord déçu pendant les premiers instants où il l'avait revue, avait réussi en quelques secondes à lui faire tout oublier de la désillusion... Olga dont il continuait, pendant sa marche, à voir le regard tour à tour fascinant ou tendre, dominateur ou consentant... Le goût des lèvres voluptueuses revenait aussi sur les siennes... A nouveau, il croyait entendre la respiration toute proche de la femme, il croyait respirer sa peau... Et la marche dans Paris devenait une promenade exaltante.

Mais l'exaltation tombait dès qu'il revoyait la silhouette massive et adipeuse de celui qui osait se poser en protecteur... Il y avait, dans cette étrange association — il n'osait même pas prononcer dans son cœur le mot « accouplement » — quelque chose qui échappait à son entendement. Comment une créature aussi belle — et qui lui avait prouvé, l'après-midi même, par certaines de ses remarques ou de ses questions qu'elle était loin d'être dénuée d'une certaine finesse — pouvait-elle tolérer la présence continuelle, auprès d'elle, d'un M. Raoul ? L'alliance intime de la Belle et de la Brute avait un côté morbide, presque crapuleux, qui dépassait la raison, qui choquait... Toute la sensibilité maladive de l'adolescent, tout son raffinement inné, toute sa soif de beauté se révoltaient à la pensée que les mains vulgaires de l'homme pouvaient emprisonner — quand elles le voulaient — celles, diaphanes et racées, de la femme, exactement comme lui, Alain, venait de le faire avec amour... qu'elles pouvaient aussi toucher l'admirable visage ou la chevelure, qu'elles avaient pris le droit d'enlacer le corps, que la bouche enfin — d'où ne sortait que la trivialité — s'appropriait aussi les lèvres divines... C'était monstrueux ! C'était affreux également d'imaginer qu'Olga pouvait trouver un plaisir quelconque — et même une joie — à subir de telles caresses !

C'était cela surtout qu'Alain ne pardonnait pas à la femme. Il ne comprenait pas qu'elle pût le désirer, comme elle le lui avait dit, et continuer à vivre avec un M. Raoul ! La seule explication était qu'elle n'avait pas pu, jusqu'à ce jour, s'arracher seule à l'emprise de celui qui se faisait appeler le « patron » ! Olga se trouvait dans la même situation que lui, Alain, vis-à-vis d'un André Forval. Et puisque c'était elle qui, par sa seule apparition une nuit sur une scène de cabaret, avait réussi à lui faire comprendre qu'il devait s'arracher à la tyrannie du dramaturge, ce serait lui — à son tour — qui débarrasserait Olga de l'odieuse présence du tenancier. Il sauverait Olga comme elle l'avait sauvé. Ne possédaient-ils pas maintenant, l'un et l'autre, le même admirable appareil de sauvetage : l'amour réciproque ?

Olga l'aimait... Il en était sûr. Elle l'avait aimé presque tout de suite, quand ils s'étaient retrouvés tous deux, assis côte à côte, devant le bar. Ses yeux avaient parlé pour elle qui avait compris, à cette seconde, que lui, Alain, l'aimait déjà depuis l'avant-veille. Mais, au premier moment où il l'avait aimée, il n'était encore pour elle qu'un obscur, assis avec trois autres personnages à une table de la salle et perdu dans la foule des admirateurs. Il n'était que l'anonyme, tandis que depuis cet après-midi il était devenu pour elle « mon petit Alain... »

Comment l'arracher à celui qu'elle ne pouvait que détester, maintenant qu'elle avait découvert l'amour sincère ? Alain ne le savait pas davantage que la manière dont il devrait s'y prendre pour quitter André Forval. De toute façon, il ne pourrait agir que lorsque Olga serait devenue une grande artiste. Sa célébrité lui permettrait d'acquérir enfin sa liberté : elle ne dépendrait plus d'un M. Raoul, ni de personne. Elle pourrait vivre et aimer celui auquel elle venait de dire : « C'est toi que j'ai choisi pour le moment... » Un moment qui, dans l'esprit de l'adolescent, serait éternel ! Il était encore trop néophyte pour comprendre qu'il n'y avait aucun sous-entendu dans ces paroles de la femme et qu'elle le désirait avec d'autant plus d'intensité qu'elle savait d'avance que leur liaison, si grisante fût-elle, ne pourrait pas durer. Elle ne ferait rien, d'ailleurs, pour qu'elle se prolongeât au-delà de l'apaisement de son désir : sa nature de « fille » le voulait ainsi. Pas un instant la belle Olga n'avait pensé, quand elle avait fait comprendre au garçon qu'elle le voulait, que celui-ci n'était encore qu'un adolescent pour qui la blessure d'amour pourrait être mortelle... A un court moment, les yeux embués de larmes, Olga s'était laissé aller à l'attendrissement devant tant de sincérité mais, très vite, elle s'était reprise pour ne plus être que l'araignée qui tend sa toile pour prendre sa proie et qui, une fois la victime prisonnière, sait qu'elle ne lui échappera pas et qu'elle peut la laisser agoniser lentement...

Dès qu'il fut de retour dans l'hôtel d'André Forval, Alain alla frapper à la porte du cabinet de travail.

— Entre ! cria la voix familière.

Quand il fut en présence de l'homme penché sur ses feuillets, celui-ci demanda sans relever la tête, ni même le regarder :

— Content de ta journée à la Faculté ?

— Très content, parrain.

— En somme, tu as bien travaillé ? Moi aussi... J'ai profité de l'après-midi pour mettre, noir sur blanc, le plan d'une nouvelle pièce à laquelle je pense depuis des années et qui commence à me hanter : ce qui indique que le moment est venu pour moi de l'écrire... Cette lente élaboration en moi du fil conducteur, de la trame, des situations, des silhouettes des personnages qui se dessinent peu à peu est maintenant terminée... J'ai eu ma souffrance créatrice : il ne me reste plus qu'à faire vivre le tout... Ce n'est plus qu'un amusement quand le plan est bien charpenté. Le voici... Tu le taperas ce soir en double exemplaire. Tu n'auras qu'à le déposer sur ce bureau demain matin, avant de partir à la Faculté.

— Bien, parrain, répondit Alain en prenant les pages manuscrites.

— Tu verras : pour le moment j'ai choisi un titre très provisoire. Il ne me déplaît pas mais il ne m'enthousiasme pas non plus... *La Fille...* Qu'est-ce que tu en penses ?

— C'est évidemment assez différent des titres de vos œuvres précédentes...

— Tu trouves ? Pas moi... Dans toutes mes héroïnes, il y avait toujours un côté « fille » qui se cachait... Celle-ci l'est peut-être un peu plus que les autres, voilà tout ! Le plan est très net : je crois qu'il te plaira... Tu me diras ton opinion, après que tu l'auras lu pour le taper, demain au déjeuner... Tu aimes que je te demande ainsi ton avis sur ce que je prépare ?

— Rien ne peut me faire plus de plaisir, parrain.

— Moi aussi, j'adore entendre ton opinion... Tu es presque un homme maintenant... Aussi as-tu bien le droit de dire ce que tu penses de certains problèmes... Je suis fatigué. Nous dînerons tôt comme hier soir. Tu es d'accord ?

— Entièrement.

— Ce qui te permettra de faire ensuite ce petit travail pour moi sans que tu sois obligé de te coucher trop tard.

Le repas terminé, quand il se retrouva seul dans le cabinet de travail et devant la machine à écrire, Alain resta un long moment rêveur. Le plan de la future pièce était là, placé sur la petite table à portée de son regard. Mais, pour la première fois depuis qu'il travaillait auprès d'André Forval, le jeune homme ne se sentait aucune curiosité pour le connaître. D'habitude, jusqu'à ce jour, à chaque fois que le dramaturge lui avait confié une nouvelle œuvre à taper, il l'avait lue avec avidité. Ce soir, la flamme de la découverte littéraire ne l'habitait plus. Il ne pensait qu'à Olga...

Le besoin impérieux de la revoir, ne serait-ce qu'à distance et pendant les quelques minutes du tour de chant, le tenaillait. Mais ce soir, bien qu'André Forval lui eût laissé la libre disposition de la clef, il n'osait pas. Un retour à l'aube, comme celui de la veille, ne pouvait même pas être envisagé : tout ce que son grand aîné lui avait dit, en l'accueillant en haut de l'escalier, était trop grave... Si seulement l'homme avait élevé la voix ou montré sa colère, le jeune homme aurait moins redouté de tenter à nouveau l'aventure ! Mais la voix de Forval était restée calme, douce même, trahissant une réelle tristesse... Alain avait-il le droit, pour satisfaire un simple désir, d'agrandir le fossé qui le séparait maintenant — il le sentait — de son unique bienfaiteur ? Pouvait-il oublier aussi vite les trois années studieuses et riches d'enseignements qu'il venait de vivre auprès d'un tel homme ? Etait-il enfin assez sûr de ses propres sentiments pour piétiner sans remords toute l'amitié — sans doute trop tyrannique mais sincère — que lui avait vouée le solitaire ?

L'unique personne au monde qui aurait pu l'aider à trouver les réponses à ces angoissantes questions était Olga. Mais saurait-elle seulement comprendre le dilemme douloureux dans lequel se trouvait son amoureux ?

Le seul fait de prononcer le prénom, devenu pour lui magicien de rêves, le ramenait insensiblement à cette sorte d'état de transe où l'imagination, alliée à la fièvre d'amour, lui faisait croire que la femme était encore blottie contre lui, l'enlaçant de ses bras... L'étrange et délicieuse chaleur, qui l'avait envahi alors, revenait à nouveau par bouffées... Il n'était plus dans le sévère cabinet de travail, assis devant une machine à écrire, mais sur le tabouret du bar... Et, avec l'éloignement, même le décor des *Idées*

Noires, qu'il détestait cependant parce que ce n'était pour lui que la prison d'Olga, lui semblait devenir l'un des lieux les plus enchanteurs de la terre...

Son regard, éperdu dans la vision, venait d'errer à nouveau sur le manuscrit que lui avait confié celui qu'il appelait devant M. Raoul son « patron ». La simple vue du titre de la pièce future, s'étalant sur la première page du plan, *La Fille,* écrit de la main d'André Forval, suffit à l'arracher au rêve... Le titre dansait maintenant devant ses yeux : *La Fille...* Il le répéta machinalement, plusieurs fois à haute voix : *La Fille... La Fille...* Et cela lui fit mal parce qu'à chaque fois qu'il prononçait ce titre — sans qu'il le voulût et presque contre sa volonté — le visage d'Olga se substituait, en surimpression, aux lettres : elle apparaissait comme étant *La Fille...*

Pris d'une brusque frénésie, le jeune homme commença à lire avec ce même sentiment de douloureuse inquiétude qu'il avait connu lorsqu'il avait découvert la scène destinée à l'audition... Quand la lecture hâtive fut terminée, il se sentit empoigné par un accès de rage : ce n'était pas possible ! Ce n'était pas vrai que tout ce que Forval écrirait à l'avenir fût destiné à détruire Olga ! Il semblait qu'une malignité voulue poussait le dramaturge à disséquer les moindres sentiments, à diminuer tous les élans d'Olga pour l'amoindrir... Le mécanisme du jeu machiavélique continuait à tourner avec une précision fantastique...

Si Olga passait triomphalement l'épreuve de l'audition, grâce à son aide, elle se verrait confier le rôle de *La Voleuse :* cette femme vulgaire qui arrache, par la force de sa sensualité, un homme raffiné à son milieu et qui l'abaisse progressivement pour le conduire à la déchéance et au désespoir... Et parce que ce serait un immense succès pour Olga — André Forval devait déjà le pressentir — elle jouerait la pièce suivante... Le directeur Langlois ne venait-il pas de l'enchaîner par contrat, ce soir même, pour plusieurs pièces et pour plusieurs années ? Et la pièce suivante serait *La Fille,* dont le plan était terminé. Jamais, avant ce jour, Forval n'avait soufflé mot de ce projet de pièce ! Quand il avait dit qu'il y pensait depuis longtemps, c'était faux, archifaux ! Il n'y avait songé qu'après avoir vu Olga sur la scène du cabaret... Tout de suite, l'idée de lui faire interpréter un rôle, où elle ne serait vraiment qu'une *Fille,* avait germé...

Le sujet de la pièce ? Une fille qui réussit grâce à sa beauté, à se faire agréer là où elle n'aurait jamais dû être reçue et qui — se prenant à son propre jeu — commence à se croire une femme honnête... Mais son passé est là, qui la guette impitoyablement, pour la faire brutalement retomber encore plus bas... C'était la première fois que Forval préparait une pièce où l'homme n'était pas la victime mais la femme... Une victime d'ailleurs, dont on ne pouvait même pas avoir pitié parce qu'elle ne le méritait pas : en cherchant à tromper les autres, elle s'était leurrée elle-même... Il n'y aurait pas un seul spectateur de cette pièce qui n'identifierait automatiquement l'héroïne à l'interprète. Pour tous, dans la vie comme à la scène, Olga ne serait plus à l'avenir qu'une *Fille*... Ainsi, même s'il ne parvenait pas à la tuer dans l'esprit du public et dans le cœur de ses innombrables admirateurs lorsqu'il lui ferait jouer la première pièce, le monstre réussirait parfaitement à la seconde. Plus il la hisserait sur le pavois pour sa première création, plus ce serait une délectation pour lui de la ramener au néant pour la seconde !

Il ne fallait pas que Forval écrivît cette nouvelle pièce ! Ce serait à lui, Alain, de l'en empêcher... Mais comment arracher à un tel cerveau la volonté de s'exprimer ? Par la persuasion ? Le jeune homme essaierait, mais il n'avait pas grand espoir... Par la violence ? En déchirant le manuscrit quand il serait terminé ? Un auteur comme Forval pouvait refaire une pièce en quelques jours... En empêchant par n'importe quel moyen — tous les moyens ne sont-ils pas justes lorsqu'il faut vaincre un démon ? — d'écrire à l'avenir ? Oui, ce serait là, sans doute, la seule solution...

Ses mains exaspérées avaient déjà envie de lacérer en mille morceaux le manuscrit de ce plan qui brûlait les doigts... Et cependant ! Il allait être contraint de le taper en double exemplaire, selon l'ordre reçu, sinon ce serait la rupture définitive avec Forval qui ne pardonnerait jamais le geste destructeur. L'accomplir serait une erreur : Forval s'apercevrait qu'Alain n'était nullement l'indifférent qu'il s'était promis de jouer à chaque fois que l'homme lui parlerait d'Olga à l'avenir. Le seul fait, qu'il avait décelé le but réel de la nouvelle pièce, prouverait qu'Olga était, au contraire, tout pour lui ! Il fallait se montrer encore plus subtil, encore plus rusé que l'homme de théâtre. Alain finirait bien par trouver...

Ses doigts s'abaissèrent sur le clavier. La veille, quand il avait recopié en secret la scène, il ne l'avait fait que par amour pour Olga... Ce soir, alors qu'il travaillait sur ordre et sans se cacher, il le faisait avec un commencement de haine pour Forval.

Demain matin, quand celui-ci pénétrerait dans le cabinet, la première chose qu'il verrait — placée bien en évidence sur le bureau — serait le travail terminé : des feuillets dactylographiés impeccablement mais dont chaque interligne dissimulerait la révolte d'un jeune cœur exaspéré.

Alain ne revit Forval qu'au déjeuner. Aux questions rituelles, sur le nombre de cours qu'il avait eus dans la matinée et sur ceux qu'il aurait dans l'après-midi, succédèrent les réponses laconiques de l'étudiant. Puis ce fut le silence jusqu'à la fin du repas. Au moment où ils allaient se séparer — Forval pour rejoindre son cabinet de travail, Alain pour retourner à la Faculté — le dramaturge dit avec une réelle satisfaction :

— Tu as très bien tapé hier soir le plan de la nouvelle pièce... Qu'est-ce que tu penses du choix de mon sujet ?

— Ce sera sûrement un autre grand succès, répondit le jeune homme qui savait que la pire des erreurs aurait été d'avouer tout de suite qu'il était déjà l'ennemi le plus acharné de cette œuvre future. Avec André Forval, c'était toujours une maladresse de se montrer délibérément « contre »... Il fallait, au contraire, approuver sans réserves et même ne pas hésiter à s'extasier par avance : ce qui avait le don d'exaspérer le créateur qui connaissait suffisamment la qualité de son travail pour ne pas avoir besoin de se rassasier de compliments. Forval était aussi beaucoup trop intelligent pour rechercher les éloges. Il ne détestait pas les critiques, mais à condition que ce fût lui qui les fît... Il excellait dans cette autocritique où il savait se montrer le plus impitoyable des censeurs pour lui-même. Il adorait, après que tout le monde s'était confondu en éloges, remettre les choses en place en disant avec ironie :

— Le sujet de cette nouvelle pièce, que j'ai envie d'écrire, vous plaît vraiment autant que cela ? Eh bien, comme j'estime que les uns et les autres, vous n'avez pas la moindre compétence en art dramatique, c'est donc que mon sujet est mauvais ! Je vais en choisir un autre...

Et il ne parlait plus jamais de son projet de pièce... Une fois de plus, Alain s'attendait à une boutade de ce genre mais il n'en fut rien. Forval se contenta de répondre :

— Je suis heureux que cette prochaine pièce te plaise, mon petit... Elle sera vite terminée : je la sens parfaitement... J'ai déjà commencé ce matin à écrire les deux premières scènes de l'acte I... Et le titre ? Que penses-tu du titre, *La Fille ?*

— Alors là, franchement, parrain, je le trouve un peu dur !

— Pas moi ! Et ça dit tellement bien ce que ça veut dire... Si tu savais comme ça me passionne de faire vivre ce genre de personnage !

— Qu'est-ce qui vous en a donné l'idée ?

— Tu le sais très bien. Pourquoi joues-tu les curieux ? Ne trouves-tu pas, comme moi, que ta belle amie Olga peut constituer un excellent modèle ?

— D'abord, cette femme n'est pas ma belle amie ! Ensuite, je trouve qu'elle n'a rien d'une fille !

— L'amour t'aurait-il rendu aveugle à ce point ?

— L'amour !... Mais je ne l'aime pas !

— On dit cela...

— Je le dis parce que c'est la vérité ! Comme vous, comme M. Skermine, comme M. Langlois, comme tout le monde, je l'ai trouvée belle... Mais de là à l'aimer !

— Alors justement, si tu ne l'aimes pas plus que moi, tu adoreras la pièce !... Mais je bavarde... C'est très mal de ma part : je vais te faire manquer tes cours... A ce soir.

Pour la deuxième fois, dans la vie d'Alain, la Faculté des Lettres se nomma *Les Idées Noires*. Il ne prêta plus aucune attention à la façade lépreuse et pénétra dans la boîte de nuit comme s'il entrait chez lui. C'était assez brusque et insensé mais il s'y sentait presque plus à l'aise qu'en se retrouvant devant le portail de l'hôtel d'André Forval. Un sentiment intime lui donnait la conviction que, cette fois, Olga l'attendait... Dès qu'il fut à l'intérieur du cabaret, il put constater qu'il ne s'était pas trompé.

Olga était là, devant le bar, resplendissante : bien réveillée, coiffée, maquillée, portant un tailleur noir qui moulait sa taille admirable et rehaussait l'étrange éclat de la pâleur de son visage. Elle était souriante aussi. Ce fut de sa voix la plus tendre qu'elle accueillit l'adolescent :

— Tu vois : je suis prête, mon chéri...

Les lèvres sensuelles étaient restées entrouvertes, attendant autre chose, s'offrant avec encore plus de désir que la veille.

Sans hésiter, le garçon courut vers elle et l'étreignit. Elle parut trouver une délectation rare à l'enlacement et ce fut, sans aucune hâte, qu'elle murmura, bouche contre bouche :

— J'aime ta fougue, tu es déjà mon jeune amant...

— J'aime vous entendre me tutoyer, répondit Alain.

— Toi aussi, dis-moi « tu » quand nous sommes seuls...

Brusquement inquiet, le garçon regarda autour de lui. Mais elle eut un nouveau sourire :

— Ne t'inquiète pas ! Il n'est pas là... Nous serons tranquilles pendant tout l'après-midi : pour changer, il est aux courses... Tu verras que, toi et moi, nous finirons par les aimer, ces courses ! Le plus drôle, c'est qu'il m'a presque gourmandée quand il m'a réveillée, avant de partir, en disant : « Dépêche-toi ! Notre petit copain va arriver bientôt pour te faire répéter... Je ne veux pas que tu le reçoives en déshabillé : maintenant que le contrat est signé, tu es une vedette et il ne faut plus de toilette négligée. »

— Là, il a raison ... Tout s'est bien passé hier au théâtre pour la signature ?

— Oui... Dis-moi, ce directeur, tu le trouves sympathique ?

— Je le déteste !

— Moi aussi... Si tu avais vu comme il me dévorait avec ses gros yeux libidineux !

— Il croit, comme tous ces gens-là, que chaque artiste à laquelle ils font un contrat doit passer dans leur lit... C'est leur méthode !

— Je te garantis qu'avec moi, il attendra un bon bout de temps ! Ou alors il faudra qu'il y mette le prix !

Il la regarda, pétrifié :
— S'il payait, tu le ferais ?
— Tu es fou ! Je plaisantais... Non, mais tu me vois dans les bras d'un type pareil ?
Il n'osa pas évoquer le nom de M. Raoul, qui lui paraissait cependant pire que Langlois.
— Par contre, dit-elle vivement en comprenant qu'un nuage passait entre eux, je trouve le metteur en scène plus intéressant... A deux ou trois remarques qu'il m'a faites, j'ai compris qu'il possédait à fond son métier.
— Il le connaît !... Il vient bien ce soir à dix-huit heures comme prévu ?
— Oui.
— Donc, nous n'avons pas de temps à perdre...
— Je l'ai pensé : c'est pourquoi je t'ai réservé une surprise... Tu as le texte ?
— Le voici.
— Donne-moi la réplique : j'ai appris mon rôle par cœur...
— Ce n'est pas vrai ?
— Si ! Vas-y... Tu vas voir...
Un peu incrédule, il commença à lire sur ses feuillets et elle répondit, réplique par réplique, sans commettre une seule faute de mémoire.
Quand ce fut terminé, il s'exclama :
— C'est merveilleux !
— Je l'ai appris hier soir dans ma loge : c'est venu tout seul... Au fond, ce n'est rien d'apprendre un rôle...
— Le plus difficile, c'est de le jouer... En tout cas, cela prouve que le travail d'hier après-midi n'a pas été inutile !
— Très utile, mon amour...
Elle l'embrassa à nouveau, longuement.
Abasourdi, grisé, éperdu, le jeune homme ne savait plus que dire. Ce fut elle qui parla :
— Dis, mon petit Alain... Tu ne voudrais pas en aimer une autre en ce moment ?

— Ni en ce moment ni plus tard ! Il n'y aura toujours que toi !

— C'est vrai ce mensonge ?

— Pourquoi te mentirais-je ?

— Cependant, avant moi, il t'est bien arrivé de rencontrer... quelqu'un d'autre ?

— Personne !

Il l'avait dit avec une telle force, avec une telle conviction, qu'elle le regarda, surprise, avant de poursuivre :

— C'est drôle... J'aurais cru...

— Tu aurais cru quoi ?

— Je ne sais pas... par exemple, que tu n'aimais pas trop les femmes ?

— Les femmes ?... Mais tu es pour moi la première !

— Vrai ?

— Vrai !

— Embrasse-moi...

Pendant qu'ils étaient près l'un de l'autre, elle murmura encore :

— Je te crois... Il faut que ce soit toujours ainsi : je veux être la seule !

— Je te le promets, répondit le garçon.

— Ça pourrait être si beau ! Même si j'ai connu, avant toi, d'autres hommes, tu n'as pas le droit de m'en vouloir... Eux, c'était parce qu'il me fallait bien vivre... Toi, ce n'est pas pareil : tu me plais ! Tu verras : je t'apprendrai tout...

— Oui...

— Tu m'adoreras ?

— Oui...

Les longues mains de la fille caressèrent avec volupté les hanches du garçon, pendant que la voix continuait :

— Il faut que ce soit parfait... Bientôt, tu seras mon prisonnier...

Savourant le désir qu'elle avait fait naître, sachant aussi qu'elle devait faire se prolonger encore l'attente merveilleuse pour que sa victoire de femme fût absolue, elle repoussa doucement le corps de l'adolescent, qui était prêt à s'abandonner, en disant :

— Maintenant, chéri, essayons de redevenir raisonnables... Skermine sera là dans moins de trois heures...

Ils recommencèrent à lire le texte de Forval : elle, le récitant, lui, le lisant. Leurs voix alternaient. Celle d'Olga prenait de plus en plus d'assurance ; celle d'Alain était de plus en plus hésitante. Très vite, ils étaient devenus une nouvelle incarnation de ces couples que le dramaturge savait animer et faire vivre avec toute sa maîtrise : la femme, dont la sensualité broie tout, l'homme qui n'est plus que le pantin.

Il était reparti du cabaret, à la fois heureux et malheureux.. Heureux parce qu'il était sûr maintenant qu'Olga l'aimait. Tout, dans son attitude de l'après-midi, l'avait indiqué : le besoin qu'elle avait ressenti de se faire belle pour l'accueillir, la douceur dont elle avait fait preuve et ces deux petits mots charmants : « Je t'attendais... » Le désir aussi de vouloir l'entendre dire « tu »... La volonté d'apprendre le texte de Forval pour faciliter leur travail... La bouche, enfin, qui n'avait dit que des choses tendres et qui s'était offerte spontanément... Il pouvait être ébloui.

... Malheureux parce qu'il lui fallait encore attendre avant de faire la grande découverte, celle à laquelle tout garçon normal aspire quand il a dépassé la puberté. Les premiers balbutiements d'amour étaient, eux aussi, dépassés. Alain touchait au moment où le corps demande à s'exprimer... Viril ? L'était-il réellement ? N'était-ce pas là un qualificatif dont il ne pouvait pas encore comprendre tout le sens ? N'était-ce pas l'un de ces mots, très courts et cependant très forts, qui peuvent marquer définitivement un franchissement dans la vie d'un homme ? Pendant tout le temps où il avait été en présence d'Olga, il s'était cru viril, mais, dans quelques instants — quand il se retrouverait devant un André Forval — il ne saurait plus... En quelques paroles doucereuses ou cinglantes, l'homme au cerveau terrible le ramènerait à « sa » réalité en lui faisant comprendre qu'il n'était encore que l'adolescent... c'est-à-dire rien ! Celui qui a le droit d'avoir tous les désirs et de faire tous les rêves, mais qui n'a pas encore découvert le véritable moment où il pourrait les vivre... Celui qui n'est fait, tour à tour, que de force ou d'obéissance, de violences ou de faiblesses... Etait-il capable de se révéler brutalement homme ou, au contraire, de rester l'éternel élève d'un autre homme, plus fort que lui ? Où était la véritable virilité ? En lui ou en un André Forval ?... Forval viril ? Par le cerveau, certes... Mais le reste ? S'était-il conduit en homme quand il l'avait attendu la nuit, pendant des heures, l'avant-veille, et quand il l'avait accueilli en haut de l'escalier ? Ses paroles douces, qui n'avaient exprimé que la crainte de perdre une amitié, ne dissimulaient-elles pas en réalité la lâcheté d'un être très faible qui préfère tout admettre, tout supporter plutôt qu'une rupture définitive ?

Olga, au moins n'avait rien caché : elle s'était montrée FEMME ! Elle avait bien dit : « *Je t'apprendrai tout... Bientôt, tu seras mon prisonnier...* » Elle n'était pas comme Forval, elle était sans concessions ! Et pourtant, quand il le voulait, Forval pouvait se montrer capable de tant de gentillesse et de tant de délicatesse que l'on ne pouvait pas ne pas l'aimer, en secret...

L'adolescent se sentait devenir fou.

Quelques instants après le départ d'Alain, M. Raoul revenait, radieux, de Longchamp ; une fois de plus la chance des hippodromes lui avait souri. Olga était encore dans la salle.

— Ça a marché, cette deuxième répétition ? demanda l'homme en entrant.

— Admirablement.
— Il a été gentil, le petit jeune homme ?
— Pourquoi voudrais-tu qu'il ne l'ait pas été ?
— Avec ce genre de gars, on ne sait jamais très bien où on en est ! Surtout pour une femme... Ils détestent les femmes !
— En es-tu bien sûr ? Tous ceux que j'ai connus étaient charmants avec les femmes, pleins d'attention...
— Ma pauvre fille ! Comme toutes tes sœurs femmes, tu t'es laissé prendre au piège de leur fausse gentillesse ! C'est connu ! Devant toi, ces types-là agiront toujours ainsi... Ils font des petites manières qui vous amusent, ils vous parleront mode ou chiffons ! Mais, dès que vous avez le dos tourné, qu'est-ce qu'ils vous cassent comme sucre ! Si tu te doutais à quel point ils peuvent devenir mauvais ! Vous êtes extraordinaires, les femmes : vous ne vous rendez pas compte que ces hommes-là sont vos pires ennemis ! Ils ne cherchent qu'à vous avilir !... La preuve, c'est que quand la couture est aux mains de ces gens-là, les robes deviennent ridicules ! Ils vous ont même affublées, à une époque, de robes sacs ! Vous étiez toutes ficelées là-dedans ! Malgré cela, vous êtes tellement cruches que vous étiez ravies ! C'est ça, le véritable travail des gars tels que le petit ami du grand homme ! Tout saper, tout détruire en faisant patte de velours...
— Tu sais très bien qu'Alain n'est pas ainsi ! Sinon, tu ne me l'aurais pas présenté.
— Pourquoi pas ? Je peux te laisser seule avec lui pendant des heures sans courir le moindre risque d'être trompé ! Pas vrai ?
La fille le regarda d'une façon étrange avant de répondre sans précipitation :
— Tu es trop sûr de toi... Un jour, ça te jouera un mauvais tour !
— Toi, je te vois venir avec tes airs de mystère ! Je sais très bien ce qui se passe dans ta tête en ce

moment... Ça te travaille depuis hier, depuis que tu l'as vu, le gamin... Je te connais, va !.. Tu t'es dit : « Il est plutôt joli garçon, ce petit-là » et quand je t'ai appris que c'était le gigolo de Forval, ça t'a encore plus excitée ! Tu as pensé : « Ce serait quand même sensationnel de faire changer ce gosse-là d'avis sur les femmes ! De le voler au vieux qui doit le couver avec amour ! De le dépuceler, quoi ! »... Parce qu'il est puceau, c'est certain ! Ça se voit tout de suite ! Il a beau essayer de jouer les-gars-qui-en-savent-très-long, ça ne trompe personne ! Son pucelage, moi je l'avais flairé le premier jour où il est venu me trouver devant ce bar... Et quand il m'a dit qu'il était le secrétaire de Forval, je me souviens lui avoir répondu que son patron les choisissait bien jeunes ! Ensuite, on a parlé de différentes choses et je n'ai plus trop pensé à ça jusqu'au moment où Sam m'a dit que le Forval était l'un des champions de la confrérie... Alors ! Plus besoin de me faire un dessin pour que je comprenne tout !... Note bien qu'il est loin d'être bête, ce gosse-là ! Il a de l'instruction... Ce sera quelqu'un ! Dommage qu'il soit de la pédale !

— Il ne l'est peut-être pas définitivement ?

— L'éternel féminin qui se croit capable de tout bouleverser ! Seulement, là, tu te fais des illusions ! Ces types-là, on ne les convertit jamais ! Ce serait plutôt eux qui arriveraient à vous convaincre qu'il n'y a rien de plus gentil qu'un petit ami ! Ce sont des irréductibles ! Je suis prêt à parier ce que tu voudras que tu n'arriveras jamais avec lui à ce que tu cherches.

— Et si je réussissais quand même, qu'est-ce que tu dirais ?

— Je rigolerais doucement... à cause de l'autre ! Tu te rends compte : le grand homme, l'auteur illustre fait cocu par une femme !

— C'est tout l'effet que ça te produirait de me voir coucher avec lui ?

— Coucher ! Décidément, tu n'as que ce mot-là à la bouche ! Mais, ma petite, on ne couche pas avec un môme ! Ça ne compte pas ! C'est autre chose, coucher ! Il faut un homme, un vrai ! Tu le sais très bien...

— Sais-tu qu'il y a des moments où je te trouve ignoble ?

— Et d'autres où tu m'adores ! C'est normal dans un couple... Il faut des hauts et des bas... Et puis je t'interdis de me traiter ainsi, sinon je te rappellerai d'où tu viens ! Compris ?

— Assez !

— Et il commence à m'agacer, ce môme-là ! C'est vrai : il arriverait à me faire mettre en colère et à nous brouiller quand nous parlons de lui ! Je vais te donner encore un bon conseil : laisse-le à son propriétaire... qu'il a le toupet d'appeler « son patron » ! Contente-toi de l'utiliser pour le travail, ce sera suffisant ! Et si jamais il avait des velléités de vouloir rôder autour de toi, préviens-moi : je lui réglerai son compte en une paire de claques qui lui fera passer pour un bout de temps le goût, nouveau pour lui, de la femme ! Ces gosses-là, ça se corrige comme s'ils étaient encore au lycée !

— Il est très jeune, en effet...

— Ce que tu peux être salope quand tu dis cela ! Rien que d'y penser, ça te...

Il fut interrompu par l'entrée d'un personnage qui s'était avancé directement vers le bar. A sa vue, M. Raoul changea aussitôt de ton de conversation pour dire, aimable :

— Mais c'est monsieur Skermine ! Olga et moi nous vous attendions avec impatience...

— Bonjour, grande artiste ! Bonjour, cher monsieur... Avec impatience, disiez-vous ? Moi aussi, j'ai hâte de savoir si « notre » Olga a appris la scène ?

— Je la sais par cœur.

— Voilà qui va faciliter énormément notre tâche... Cher monsieur Raoul, serait-ce trop vous demander d'ouvrir ce rideau de scène et d'allumer les projecteurs ? Nous allons utiliser votre charmant plateau dont Olga a déjà une grande habitude... Et si cela vous plaît d'assister de la salle à cette première répétition, ce sera pour notre belle vedette un stimulant et pour moi un réel plaisir de constater que vous vous intéressez à son travail.

— Si je m'y intéresse ? Et comment !... J'ouvre le rideau...

Skermine était un homme précis, méthodique, sachant ne pas perdre un instant. Dès les premières répliques, il commença à donner des indications nettes. La fille, subjuguée, exécutait scrupuleusement les quelques gestes — très rares d'ailleurs et naturels — imposés par le metteur en scène. Avec une patience infinie, il lui faisait reprendre, cinq, six fois de suite, une réplique pour corriger une intonation fausse ou la prononciation défectueuse d'un mot.

M. Raoul aussi, affalé sur une chaise dans la salle, était dompté, médusé même. Jamais il n'aurait cru — lui qui se croyait « un connaisseur » — qu'il fût aussi difficile de dire quelques répliques d'un texte qui lui avait cependant paru bien banal quand Olga l'avait ânonné devant Alain la veille. « Oui, pensait le gros homme qui était en sueur de voir travailler sa protégée, c'est du boulot, le théâtre ! » Et il demeurait coi, à la fois émerveillé de la science des planches d'un Skermine et vaguement jaloux de l'autorité immédiate que le Slave avait prise sur Olga... Une Olga méconnaissable, docile, obéissante, tour à tour féline ou tendre selon les exigences de l'homme de théâtre.

Après deux heures de travail ininterrompu, Olga se sentait plus fatiguée et plus épuisée que si elle avait chanté quinze chansons. Mais elle avait mis tout son orgueil à tenir le coup, ne voulant pas flancher, dominant ses nerfs exaspérés par les phrases sans cesse redites, répétées, rabâchées... La sentant au bord des larmes, Skermine dit :

— Cela suffit pour aujourd'hui... Je vous remercie non seulement d'avoir aussi bien appris votre texte mais de l'immense bonne volonté dont vous venez de faire preuve... Demain nous reprendrons tout cela... Mais, si ce n'était pas trop vous demander, j'aimerais que la répétition commençât beaucoup plus tôt : à quatorze heures ? Nous aurons ainsi tout l'après-midi devant nous...

M. Raoul, inquiet, s'était approché de Skermine :

— Franchement, qu'est-ce que vous pensez d'elle ?

— Je pense que je ne me suis pas trompé et qu'elle possède tous les dons de la véritable comédienne... Evidemment, il y a encore beaucoup à faire... Surtout pour les gestes ! L'habitude d'un tour de chant trop statique l'entraîne à les oublier complètement...

— C'est pourtant moi qui le lui ai mis au point, son tour de chant !

— Il y a une différence entre le cabaret et le théâtre...

— Je viens de m'en apercevoir ! Ah, ça... On peut dire que vous en connaissez un bout, vous ! Qu'est-ce que je vous offre ?

— Rien, merci.

— Et toi, Olga, tu prends ta petite menthe verte comme d'habitude ?

— Rien non plus...

— Je crois, suggéra doucement Skermine, que cette jeune femme devrait plutôt prendre du repos... Elle a tout le temps jusqu'à l'heure de son tour de chant... Vous ne passez pas avant une heure du matin ?

— Il te donne une bonne idée : va donc dormir, mignonne... Je monterai te réveiller vers minuit...

— Merci, monsieur Skermine, dit la fille. Je serai prête demain à l'heure fixée.

— Au revoir, ma chère Olga... Et surtout, ne pensez plus du tout à la scène ! Après une bonne nuit, vous verrez que tout se mettra en place...

Dès qu'il fut seul avec le « patron », il lui dit :

— Il est indispensable également qu'elle ne se couche pas trop tard après son tour de chant, sinon elle ne sera pas dans sa meilleure forme le jour de l'audition.

— Vous en avez de bonnes, vous ! Et qui fera ma recette dans la salle ? Les entraîneuses ? Vous croyez au Père Noël !

— Je crois que votre véritable Père Noël a le visage d'Olga, cher monsieur... C'est grâce à elle que vous avez pu obtenir ce contrat... Pensez-y !

— Grâce à elle ! S'il n'y avait pas eu *Les Idées Noires,* vous n'auriez jamais pu la découvrir !

— Je le reconnais volontiers... Mais puisque nous sommes sur le chapitre de votre établissement, quand comptez-vous le fermer ?

— Le jour où Olga n'y chantera plus.

— Cela risque d'arriver très vite : si elle passe brillamment l'audition — ce dont je suis intimement persuadé après cette première scène de travail où elle m'a vraiment étonné — son contrat entrera immédiatement en vigueur et les répétitions de *La Voleuse* commenceront... Des répétitions qui vont être fatigantes. Il ne saurait être question, pendant leur durée, qu'Olga continuât à faire son tour de chant : c'est d'ailleurs prévu dans le contrat.

— Je l'ai lu et relu... Seulement, moi je suis un prudent... Imaginez que le jour de l'audition, le grand homme — enfin votre génial auteur — déclare qu'Olga ne lui plaît pas, qu'est-ce qu'il se passera ? Le contrat tombera automatiquement et je me retrouverai le bec dans l'eau si j'ai fermé ma boîte ! Olga aussi... Qu'est-ce qu'elle fera ?

— Je comprends que vous attendiez jusqu'à l'audition mais, si c'est une réussite comme j'en ai la conviction, le soir même il faudra qu'Olga fasse ses adieux au public des *Idées Noires !*

— Je paierai même le champagne à tout le monde et le lendemain soir ceux qui se présenteront à l'entrée du cabaret verront un joli petit écriteau qui se balancera avec cette inscription : « *Fermé pour cause de vacances prolongées.* » A moins que vous ne préfériez que j'y inscrive : « *Fermé pour permettre à la vedette de répéter La Voleuse* » ? Ça ferait déjà une petite publicité à l'avance pour la pièce ?

— Je préférerais que vous ne mettiez rien du tout, cher monsieur. Quand les gens aperçoivent le mot « fermeture » sur la façade d'un établissement, quel qu'il soit, ils l'assimilent aussitôt au mot « faillite » !... Alors que j'ai bien l'impression que cette fermeture est de loin votre plus grande réussite ! N'est-ce pas votre avis ?

— Topons là ! Décidément, vous me plaisez de plus en plus, monsieur le metteur en scène...

— Vous aussi, monsieur Raoul ! A demain, quatorze heures...

Il y avait bien longtemps qu'André Forval et Alain avaient rejoint respectivement leurs chambres après un dîner encore plus silencieux, si c'était possible, que tous les autres. Le jeune homme avait été très heureux qu'il en fût ainsi. Comment aurait-il pu répondre aux sempiternelles questions de Forval sur ses études ? Il n'aurait même pas trouvé le courage d'inventer des cours imaginaires alors qu'il avait passé la plus grande partie de son après-midi auprès d'Olga... La plus merveilleuse des après-midi qu'il eût connues. Pendant tout le repas, il avait revécu en mémoire les moments inoubliables et il était presque reconnaissant à Forval de ce qu'il avait respecté son silence... Un Forval, détendu et calme, qui — lui aussi — était resté absorbé dans des pensées très éloignées : à chaque fois qu'il écrivait une nouvelle œuvre, il en était ainsi. Il vivait, jour par jour, heure par heure, minute par minute, sa pièce ; plus rien d'autre ne l'intéressait. Le monde, autour de lui, pouvait s'écrouler sans qu'il s'en préoccupât : il créait. C'était peut-être pendant ces périodes de gestation silencieuse qu'Alain l'admirait le plus : là, vraiment, il était un « grand bonhomme ».

Maintenant qu'il se retrouvait à nouveau seul dans sa chambre, le jeune homme n'avait plus qu'une idée : la quitter pour retourner aux *Idées Noires.* Il voulait revoir Olga, ne serait-ce que de loin, assis sur un tabouret du bar pendant qu'elle ferait son tour de chant. Peut-être même que, ce soir, M. Raoul le laisserait la rejoindre dans sa loge avant qu'elle ne passât sur scène ? M. Raoul ne le considérait-il pas maintenant comme un ami sûr ? N'était-il pas parvenu à gagner sa confiance ? Et Olga saurait se montrer assez persuasive à l'égard de celui qu'elle n'aimait plus — comment, dans l'esprit de l'adolescent, une femme aussi admirable aurait-elle pu aimer deux hommes à la fois ? Cela n'était même pas pensable : c'était lui seul, Alain, qu'Olga aimait... Ne l'avait-elle pas dit ? — assez persuasive pour obliger M. Raoul à lever, en faveur de son amoureux caché, la sévère consigne qui interdisait au public de se rendre dans les loges. Et ils se retrouveraient tous deux, l'un près de l'autre, blottis dans l'une de ces étreintes brûlantes dont Olga connaissait le secret...

Mais renouveler la fugue de l'avant-veille n'était-il pas très dangereux ? Cette fois, s'il s'en apercevait, Forval ne pardonnerait pas. N'avait-il pas dit : « *Si jamais pareille envie d'évasion te reprenait, aurais-tu au moins la gentillesse de m'en avertir ? Je ne t'empêcherai pas de sortir... Si je t'ai confié une clef, c'est pour que tu puisses t'en servir...* » Seulement, connaissant l'homme, on pouvait se demander si ces paroles ne cachaient pas un piège ? Si une telle compréhension était sincère ? Si la clef même ne serait pas l'instrument anodin d'une vengeance sournoise ? Et comment lui dire : « Je sors cette nuit... » Il demanderait aussitôt d'une voix doucereuse : « Peut-on savoir où tu vas ? » Ce serait impossible de répondre : « Retrouver Olga. » Il faudrait mentir encore, toujours, s'enfoncer dans une trahison dont le garçon avait de plus en plus horreur, inventer un prétexte quelconque qui — pour un Forval — serait cousu de fil blanc. Dire par exemple : « Nous avons une réunion d'étudiants... » L'homme n'y croirait pas. Mieux valait se taire et continuer à agir en cachette.

Ce soir, c'était encore trop tôt, trop près de l'avant-veille... Il fallait avoir la patience d'attendre, le courage aussi de ne pas revoir Olga... Demain, à quinze heures, il la retrouverait comme cet après-midi, comme hier...

Il resta dans sa chambre, rêvant...

A quinze heures, peut-être même avec dix bonnes minutes d'avance tant son impatience était grande, il arrivait aux *Idées Noires*. Là, il eut une surprise : M. Raoul était sur le seuil du cabaret, mâchonnant un cigare.

— Je vous attendais, jeune homme...

— C'est très aimable à vous.

— ... Pour vous dire que vous ne pouvez pas entrer dans mon établissement...

Alain pâlit. Satisfait de la réaction que ses paroles venaient de déclencher, le gros homme continua :

— M. Skermine est là...

— Déjà ?

— Oui... A la fin de la répétition d'hier, il a décidé que celle d'aujourd'hui commencerait à quatorze heures... Il y a déjà plus d'une heure qu'il fait travailler Olga. Et je vous garantis que c'est soigné ! Avec lui, au moins, ce n'est pas de l'amateurisme !

— Je vous avais prévenu : c'est un homme qui connaît admirablement son métier... Moi, je faisais ce que je pouvais.

— Vous avez quand même été très utile pour obliger Olga, qui est paresseuse comme une couleuvre, à apprendre son rôle... Le Skermine a été étonné : c'était bien ce que vous recherchiez ?

— En effet...

— Comme vous l'avez dit vous-même, cela aurait été ennuyeux que le metteur en scène vous rencontrât ici... Il n'aurait pas compris « notre bonne amitié » et il se serait précipité pour tout raconter à votre patron qui n'aurait pas été très content ! Qu'est-ce que vous en pensez ?

Alain resta muet.

— C'est donc que vous pensez comme moi... Aussi ai-je monté la garde pour vous prévenir... Pourquoi ne reviendriez-vous pas ce soir avant l'heure du spectacle ?

— J'essaierai...

— Vous avez donc tellement peur de votre patron ? On dit pourtant qu'il n'est pas si méchant que ça avec son personnel ?

— D'abord, je ne fais pas partie de « son » personnel... Sachez qu'un secrétaire n'est pas un domestique mais un collaborateur.

— Raison de plus pour qu'il ne soit pas bien féroce avec vous ! Maintenant filez ! Vous risquez à tout moment que le Skermine n'éprouve le besoin de prendre l'air dans la rue pour se détendre pendant quelques instants : s'il vous trouvait devant la porte, ce serait le bouquet ! A ce soir !...

Le retour vers l'île Saint-Louis fut morne. Les quelques paroles de la brute : « Vous ne pouvez pas entrer dans mon établissement » avaient suffi pour que le cœur de l'adolescent ait cessé de battre pendant un instant : il avait cru que c'était Olga qui ne voulait plus le voir... Ensuite la véritable raison donnée — la présence de Skermine — l'avait un peu rassuré, mais pas trop ! Ce M. Raoul lui inspirait de moins en moins confiance ; sous ces apparences patelines et familières, il devait cacher la pire des cruautés.

Alain en arrivait même à se demander si Olga et M. Raoul n'étaient pas parfaitement d'accord pour utiliser ceux dont ils avaient besoin et se débarrasser d'eux dès que ces bons offices leur paraissaient inutiles ? Peut-être estimaient-ils, depuis que l'habile Skermine était entré officiellement dans le jeu, que celui qu'ils appelaient « leur grand ami Alain » n'était plus qu'une valeur négligeable ? Qu'un M. Raoul fût capable d'avoir de telles pensées, c'était certain, mais qu'une Olga pût renier aussi vite son comportement de la veille, ce n'était même pas concevable pour l'amoureux. Une femme aussi belle ne pouvait que l'être totalement : au physique et au moral. Et quand elle avait murmuré de sa voix si douce : « Tu me plais... », c'était la vérité. Admettre le contraire aurait été l'écroulement de tout et l'anéantissement du plus beau rêve du monde. Quel est l'homme, jeune ou vieux, qui parvient à tuer délibérément un rêve ?

A un moment, Alain pensa se rendre à la Faculté, mais il y arriverait trop tard pour pouvoir profiter utilement des cours. Et s'il s'en voulut de vivre un après-midi aussi manqué : il ne pouvait ni être auprès d'Olga ni s'instruire... Rentrer trop tôt chez Forval serait dangereux : l'homme, qui connaissait tout aussi bien que son protégé les heures des cours, ne manquerait pas de poser des questions. Mieux valait continuer à errer, assez mélancoliquement, sur la rive gauche... Il alla, sans plan défini, dans les rues les plus désertes qu'il put trouver, évitant surtout le Quartier Latin où il craignait de rencontrer des camarades revenant de la Faculté, qui se seraient étonnés de ses absences. Estimant n'avoir aucun compte à rendre à qui que ce soit, il trouvait plus sage d'éviter les questions. Parce qu'enfin ces soi-disant « camarades » n'en étaient même pas pour lui... Il n'avait aucun ami véritable. Tous ceux, qu'il avait connus avant d'aller habiter chez Forval, semblaient s'être volatilisés. Une sorte de vide s'était créé autour de lui... Les autres avaient-ils voulu, par cette fuite collective, marquer leur réprobation de ce qu'il n'avait pas eu le cran de continuer à partager leur vie de misère, ou au contraire, n'était-ce pas lui-même qui avait tout fait pour creuser un fossé entre sa nouvelle existence et un passé cependant si proche ? Il ne savait plus.

Si c'était lui le responsable de cet isolement de plus en plus grand, il n'était qu'à demi-coupable : depuis l'enfance, il n'avait connu que la solitude désespérée, propice aux rêveries de toutes sortes mais pas à la camaraderie. Très jeune, il avait commencé à trop se méfier de tout le monde pour ressentir plus tard le besoin de se confier à quelqu'un. Jamais — malgré les efforts sans cesse renouvelés de l'homme merveilleusement intelligent — il n'avait livré le véritable fond de ses pensées à Forval. Ses pensées ? En avait-il seulement de stables ? Pour le moment, il ne songeait qu'à la femme.

La tristesse de l'après-midi s'accentua quand il se retrouva dans la maison silencieuse et surtout dans sa chambre, après le repas du soir.

Forval ne lui avait même pas posé les sempiternelles questions sur son travail. Le « créateur » était encore resté muet, le regard absent, le visage soucieux... Il n'était plus dans la réalité de la vie quotidienne mais dans la gestion de l'œuvre nouvelle... Alain l'avait souvent connu ainsi et il savait qu'à ces moments-là, il ne fallait surtout pas le déranger, ni même lui parler... Une fois — la première année où il habitait là — le jeune garçon s'était permis de le faire mais la colère de l'homme avait été telle qu'il s'était bien juré de ne plus recommencer :

« — Petit imbécile, s'était écrié le dramaturge, tu ne comprends donc pas que tes bavardages insipides me gênent ? Que j'ai besoin du silence absolu pour entendre la musique de mes prochains dialogues ? Que rien de valable ne s'élabore dans le bruit ? Va dans ta chambre et tu n'en ressortiras que quand je te téléphonerai... »

Le garçon était remonté, penaud, les larmes aux yeux, dans la chambre triste. Très vite d'ailleurs la colère de Forval s'était calmée. Quelques minutes plus tard, la sonnerie du téléphone retentissait et la voix, qui n'avait plus rien de cinglant, disait :

« — Ne m'en veux pas, mon petit, si j'ai été un peu brusque tout à l'heure... Je n'ai pas voulu te faire de peine... Mais quand j'écris une nouvelle pièce, je suis toujours ainsi : c'est-à-dire impossible ! Je ne suis plus moi-même... Je vis un état second... Et je suis odieux avec tout le monde ! C'est pourquoi j'ai voulu avoir, dans ces moments-là, un serviteur muet : je peux passer sur lui toutes mes colères... Pauvre Ali ! Il est obligé de m'ecouter sans pouvoir me répondre... Après, quand la crise est finie, je m'en veux amèrement d'avoir agi ainsi, mais je sais que le mal est fait, qu'il est irréparable.... Par instants, je me fais horreur ! Pardonne-moi, mon petit, et essaie d'oublier... »

Alain n'avait jamais pu oublier : ni la colère ni le coup de téléphone qui avait suivi.

Ce soir, il était à nouveau dans la chambre mais il l'avait rejointe de son plein gré, sans attendre l'ordre de celui qui, pour lui, n'était plus tout à fait « le Maître » depuis que l'ombre d'une femme s'était interposée entre eux. Même si Forval avait fait l'une de ses colères, Alain serait resté indifférent : n'avait-il pas, remplissant son esprit et son cœur, des pensées tellement plus attrayantes ? Ce soir la colère l'aurait fait sourire...

Mais plus qu'hier, moins que demain peut-être, il souffrait d'être encore dans cette chambre à une heure où sa présence était indispensable aux *Idées Noires*. C'était bien le mot : indispensable ! Olga ne lui avait-elle pas dit, en le quittant la veille : « A demain... » ? Et il n'avait pu la voir, ni même l'entrevoir, par la seule faute de M. Raoul qui avait pris le prétexte de la présence de Skermine pour lui interdire l'entrée de l'établissement. Le monstre devait être déjà jaloux de l'influence qu'il avait réussi à prendre sur Olga ?... Une Olga qui avait dû attendre et espérer sa venue pendant tout l'après-midi... Une

Olga qui l'appelait secrètement et dont la voix chantait à ses oreilles : « Viens, mon petit Alain... Tu sais bien que je t'attends... Pourquoi me délaisses-tu déjà ? Je t'en supplie, viens ! »

Comment résister à l'appel secret, à l'appel du désir ?

Ce soir — quand tout ne serait plus qu'ombre et silence dans l'hôtel — il irait...

Forval était beaucoup trop absorbé par sa nouvelle pièce — où il s'acharnait à peindre sous les traits d'une *Fille* celle qu'il croyait être Olga — pour se préoccuper des agissements des autres. N'avait-il pas rejoint directement sa chambre en disant en guise de bonsoir :

— Je tombe de sommeil... Tout mon premier acte est debout... Demain matin, à l'aube, j'attaquerai le second.

Le second acte de *La Fille* ? Il se faisait quelques illusions, le grand homme, en croyant le connaître ! Ce second acte ? Mais ce serait ce soir qu'il se jouerait aux *Idées Noires* entre trois protagonistes : Olga, M. Raoul, et Alain... Un Alain qui arriverait en « client »... M. Raoul ne pourrait pas, n'oserait même pas lui interdire l'accès du cabaret. Comment un homme pareil pourrait-il refuser un client ? N'avait-il pas l'habitude de dire : « La clientèle, c'est sacré ! » C'était tout juste s'il n'ajoutait pas : « A cause de la recette. »

D'un geste rapide, Alain ouvrit un tiroir et y prit tout l'argent qu'il possédait : quelques billets de mille qu'il avait réussi à économiser sur l'argent de poche que lui donnait régulièrement Forval... Il compta : la somme était plus forte qu'il ne le pensait... De quoi « faire une bonne recette » qui plairait à M. Raoul. La dépense musellerait le bonhomme. Mais pourquoi avoir économisé tout cet argent ? Le jeune homme se le demandait pour la première fois... Par avarice ? A dix-huit ans, on n'a pas encore eu le temps d'être avare... Pour s'offrir enfin un objet convoité depuis longtemps ? Il ne désirait rien. Il n'avait aucun besoin... Pour acheter sa liberté ? Peut-être... Cette nuit, en payant, en distribuant des pourboires, il acquerrait la liberté de voir Olga... Sans s'en douter, sans même imaginer qu'elle pouvait exister, c'était pour Olga qu'il avait fait des économies depuis des mois... C'était prodigieux mais c'était ainsi. Il découvrait enfin la raison véritable de son acte. Découverte qui le comblait de joie.

Il attendit onze heures, onze heures et demie, minuit... Puis il commença à descendre lentement l'escalier, dans le noir... L'escalier maudit qu'il connaissait par cœur : de jour et de nuit. Presque à chaque marche, il s'arrêtait, retenant sa respiration, craignant même que l'on entendît les battements de son cœur... Mais personne, dans la grande demeure, ne se souciait des palpitations secrètes d'un cœur d'adolescent... La clef tourna sans heurts dans la serrure, la porte se referma sans bruit et il se retrouva à nouveau dans la rue.

Comme les autres nuits, la salle enfumée était pleine à craquer. Le seul refuge était le bar.

— Vous voilà ! s'exclama M. Raoul. J'étais sûr que vous viendriez... J'en ai même fait le pari avec Olga...

— Elle pensait donc le contraire ?

— Elle croyait que votre patron ne vous donnerait pas l'autorisation de sortir.

— Mon patron ? Apprenez une fois pour toutes qu'en dehors de mon travail, j'ai le droit de faire ce que je veux !

— A votre âge, vous avez beaucoup de chance, mon garçon ! Qu'est-ce que je vous offre ?

— Rien. Ce soir, c'est moi qui paie...

— Vous ?

— Ça vous étonne ?

Il exhiba, avec une fierté puérile, une liasse de billets avant d'ajouter :

— Je sais gagner ma vie, monsieur Raoul... Vous n'êtes pas le seul homme au monde à connaître le pouvoir de l'argent... A mon tour de vous poser la question : qu'est-ce que je vous offre ?

Le gros homme le dévisagea avec une curiosité mêlée, pour la première fois, d'un certain respect, avant de répondre :

— C'est bon... Ne vous fâchez pas, jeune homme ! Puisque vous semblez y tenir, je prendrai bien une fine... Et vous ?

— Un Coca-Cola.

— Sans blague ?

— C'est comme ça... Ce soir, je veux garder mes idées claires...

— Vous êtes comme Olga le matin, avec son petit café crème ?

— Exactement.

Tout en remplissant les verres, M. Raoul continua :

— J'ai un peu l'impression que vous m'en voulez pour cet après-midi ?

— Pourquoi vous en voudrais-je ? Vous avez scrupuleusement respecté le pacte de notre amitié secrète... Vous avez très bien agi : ce Skermine n'avait pas besoin d'apprendre que nous étions des alliés... Ça s'est bien passé ?

— On ne peut mieux !... Olga a été tellement formidable que le metteur en scène lui a dit que demain elle répéterait sur la scène du théâtre avec Paul Vernon.

— Ce n'est pas vrai ?

— C'est comme je vous le dis ! Demain, à quatorze heures précises au théâtre... Et, si ça va, il prévoit l'audition pour vendredi quinze heures.

— Je savais qu'elle aurait lieu ce jour-là.

— Vous savez donc tout ?

— Je sais ce que mon patron décide. Car il faut bien vous mettre dans la tête que le seul qui décide, en fin de compte, c'est lui... Skermine n'est qu'un subalterne.

— Et vous ?

— Je pense avoir suffisamment d'influence sur André Forval, malgré cette jeunesse que vous semblez perpétuellement me reprocher, pour faire pencher la balance, à la dernière minute, en faveur d'Olga...

— J'en suis convaincu... Pas plus tard que tout à l'heure, je disais à Olga : « Skermine, c'est très bien parce qu'il t'apprend le métier... mais l'autre, le jeune homme, c'est l'ami... »

— L'ami ?

— Enfin... Je veux dire l'ami de tout le monde : de Forval et de nous...

Alain regarda fixement M. Raoul qui, pour la première fois de sa vie sans doute, ne se sentit pas très à l'aise : il y avait un tel mépris et une telle lucidité dans ce regard d'adolescent, que le gros homme se serait presque caché derrière son comptoir s'il l'avait pu. Et il ne put que bredouiller :

— Je ne fais aucune allusion, vous savez...

— Il ne manquerait plus que cela, sinon nous cesserions immédiatement, vous et moi, d'être des amis... Et je ne répondrais plus du succès d'Olga à l'audition ! Vous me comprenez bien, monsieur Raoul ?

Le regard d'Alain était terrible, la voix aussi. Il sentait que c'était la seule manière de dominer la brute. Ce ne serait qu'en se montrant brusquement ainsi qu'il aurait des chances d'atteindre le but précis pour lequel il était venu ce soir, pour lequel aussi il n'avait pas craint de s'évader une fois encore de la prison de l'île Saint-Louis. Puisque l'ignoble personnage s'obstinait — sans doute après avoir écouté les ragots de celui qu'il appelait Sam — à ne le considérer que comme l'ami, « le petit ami » de Forval, il le laisserait s'enfoncer dans cette croyance, qui lui faisait cependant horreur... Et parce qu'il en serait persuadé, M. Raoul céderait à ses désirs : n'était-il pas déjà prêt à tout pour gagner de l'argent sur le dos d'Olga ? A l'égard de ce rustre, l'adolescent savait que sa seule force était de jouer le rôle du jeune éphèbe auquel le grand dramaturge ne pouvait plus rien refuser. Le tenancier avait avoué le fond de sa pensée en disant à Olga : « Skermine, c'est le métier... L'autre, c'est l'ami... »

Par un étrange mimétisme, et uniquement parce qu'il était éperdument épris d'Olga, Alain avait acquis en quelques secondes la force et le cynisme de celui auprès duquel il vivait depuis trois années : son regard dur, ses paroles cinglantes, sa détermination même étaient d'André Forval. Il n'était plus Alain, l'adolescent très pur, mais la réplique exacte, presque la doublure, de celui dont les gens ignares le croyaient le complice.

Il n'eut aucune demande à faire : une telle force se dégageait de sa nouvelle personnalité que le gros homme dit presque avec humilité :

— Que désirez-vous ?

— Voir Olga immédiatement !

Et comme son interlocuteur avait encore quelques lueurs d'hésitation, il ajouta :

— Seul à seule, c'est indispensable !

Le mot fatidique de la soirée revenait.

— ... Indispensable que je lui donne encore quelques indications avant la première répétition qu'elle aura demain sur scène, indispensable que je lui explique qui est exactement Paul Vernon et comment il joue... Skermine ne lui a sûrement pas dit ?

— Ma foi, non.

— C'est très grave... Parce que, s'il le veut vraiment, Paul Vernon peut la soutenir en scène, presque la porter de réplique en réplique... Il a un tel talent qu'il donnera l'impression, le jour de l'audition, devant mon patron, que sa partenaire est une très grande artiste... J'ai vu jouer plus de dix fois Vernon : il a des « trucs » de scène strictement à lui qui dépassent l'illusion...

— Je comprends... Vous voulez parler à Olga tout de suite ?

— Je préfère... Après son tour de chant, elle sera fatiguée.

— Vous avez le temps : le spectacle ne commencera pas avant une demi-heure et elle ne passera pas avant trois quarts d'heure : il y a l'illusionniste et la strip-teaseuse... Je vais vous conduire à sa loge...

Pendant qu'il le précédait, il se retourna pour ajouter :

— C'est bien parce que c'est vous !

Alain ne répondit pas : il savait qu'il avait marqué un point.

Quand ils furent dans le couloir obscur que M. Raoul appelait « les coulisses », ce dernier s'arrêta devant une porte en disant :

— Attendez un instant...

Puis il entrouvrit la porte, sans prendre même la peine de frapper, en annonçant à l'occupante de la loge :

— Je t'amène une visite qui te fera plaisir...

Sans attendre de réponse, il se retourna vers Alain en précisant :

— Pas plus d'une demi-heure ! Sinon, elle raterait son entrée en scène.

Il avait presque poussé Alain dans la loge, dont il referma la porte derrière lui. Une nouvelle fois, l'adolescent et la femme se retrouvèrent seuls.

Olga, assise devant la table à maquillage, avait déjà sa robe de scène. Sans se retourner, elle dit à son visiteur, tout en continuant à dessiner au pinceau avec un soin minutieux le contour de ses lèvres :

— Pourquoi es-tu venu ?

— Pourquoi ?

Interloqué, il regarda pendant quelques secondes le miroir où se reflétait le visage de la femme assise. Et il remarqua, pour la première fois, que les yeux glauques — qui continuaient à le fixer — pouvaient se montrer aussi durs qu'impénétrables. Il n'y avait plus aucune douceur dans le regard, ni même sur l'admirable visage dont la beauté avait déjà toute l'impassibilité voulue du tour de chant.

Hébété, le garçon répéta :

— Pourquoi je suis venu ?... Mais parce que je voulais te voir ! Tu ne comprends donc pas que cette journée a été terrible pour moi ! Cette désillusion de ne pouvoir t'approcher cet après-midi.

— Il le fallait cependant ! C'est moi qui ai dit à Raoul de t'attendre devant l'entrée pour éviter que tu ne te trouves brusquement nez à nez avec Skermine. Tu pourrais même me remercier.

— Merci... Mais j'étais malheureux...

— A ton âge, ça ne dure pas !

— J'ai l'impression que déjà tu ne m'aimes plus ?

— Toi ? Je t'adore !... Tu es mon petit, à moi... Seulement, tu es imprudent : comment as-tu réussi à forcer les consignes pour venir jusqu'ici ?

— Je lui ai dit que je devais absolument t'expliquer comment jouait Paul Vernon avant ta répétition de demain.

— Et tu sais comment il joue ?

— Très vaguement... comme tout spectateur qui l'a vu dans plusieurs films...

— Sais-tu que tu me plais de plus en plus parce que tu mentiras toujours un peu plus pour venir me retrouver ! Par amour pour moi tu mentiras à tout le monde ! Qu'est-ce que tu as raconté ce soir à Forval pour venir me rejoindre ?

— Rien... Je fais ce que je veux. J'ai ma clef : j'entre et je sors comme il me plaît.

— Cela ne le rend pas un petit peu jaloux ?

— Pourquoi revenir encore sur ce sujet ?

— Parce que je suis curieuse comme toutes les femmes... et que ton amitié avec cet homme excite particulièrement ma curiosité ! Ça m'intrigue aussi de savoir comment il est fait, ce Forval ! Tu m'as parlé de lui avec une telle admiration ! Il n'y a pas que toi d'ailleurs... C'est un monsieur qui a de nombreux amis... Même ici ! Tu vas voir...

Elle frappa contre la cloison. Aussitôt des coups similaires répondirent et, un instant plus tard, la porte donnant sur le couloir s'entrouvrit pour livrer passage à la strip-teaseuse, qui était en peignoir de scène et qui demanda :

— Qu'est-ce que tu veux ?

— Te présenter monsieur, ma petite Maguy... c'est lui dont je t'ai parlé : le secrétaire d'André Forval.

— Enchantée, monsieur, dit la jeune femme brune. J'ai une immense admiration pour André Forval : j'ai vu toutes ses pièces récentes et lu toutes celles qui ont été jouées avant que je n'ai l'âge d'aller au théâtre.

— Nous sommes à peu près au même point ! répondit le garçon.

— Quelle chance vous avez de pouvoir travailler auprès de lui !

— J'ai cette chance...

— J'aurais tout sacrifié pour vivre dans l'ombre d'un homme pareil ! C'est prodigieux comme il connaît les femmes !

— Vraiment ? demanda Olga qui continuait à observer ses visiteurs dans le miroir.

— Tu ne peux pas t'en faire une idée ! Je suis sûre que cet homme-là est capable, lorsqu'il a parlé avec une femme seulement pendant quelques instants, de lui dire exactement qui elle est...

— Il est même capable de le faire sans lui avoir parlé, précisa Alain.

Instinctivement, il repensait à *La Fille.*

La strip-teaseuse continua, exaltée :

— Ce doit être passionnant de le voir vivre !

— Sa vie est plutôt calme, mademoiselle...

— Quand même ! On doit connaître à ses côtés des moments exaltants !

— Si tu es très gentille, ma petite Maguy, dit Olga, je me ferai une joie de te présenter à « mon auteur » quand je serai devenue sa vedette préférée... Qui sait ? Peut-être écrira-t-il aussi un jour un rôle pour toi ?

— Oh, moi ! Le théâtre... Ce n'est pas d'être actrice qui me plaît, mais spectatrice.

— Pourtant tu y es bien sur la scène : ton strip-tease ?

— Ne sois pas méchante, Olga ! Tu sais bien, comme tout le monde ici, que ce n'est pour moi qu'un surplus alimentaire...

Elle s'était retournée vers Alain pour dire avec beaucoup de simplicité :

— Ma véritable profession, c'est l'enseignement ; je suis professeur de français dans une institution libre... J'adore mon métier ! Malheureusement, il ne paie pas ! Et j'ai à ma charge mes vieux parents... Mon père aussi était professeur.

— Il sait ce que tu fais le soir ? demanda Olga, dont la voix devenait de plus en plus mauvaise.

— Non ! Je lui ai dit que j'assurais des gardes d'enfants pendant que les parents sortaient.

— *Baby-sitter* ? demanda Alain.

— C'est cela... Jamais je ne pourrais avouer à mes parents la vérité !

— Elle te rapporte pourtant argent et succès ! remarqua Olga.

— Un succès de ce genre !

Par la porte restée entrouverte, arrivèrent des cris ponctués de coups de sifflet.

— Mon Dieu ! s'écria la fille brune. C'est le numéro de l'illusionniste ! Ça va être mon tour !

Elle sortit de la loge en courant.

Après son départ, il y eut un court silence pendant lequel les yeux glauques continuèrent à observer l'adolescent avant que la voix ne demandât, plus douce :

— Rêveur ?

— Un peu... Cette femme m'étonne.

— Elle n'a pourtant rien de bien extraordinaire ! Une assez jolie brune, c'est tout !

— Ce n'est pas son physique qui m'intéresse mais le fait qu'elle soit réellement dans l'enseignement... Quand M. Raoul me l'a dit, j'avais cru qu'il me racontait une histoire.

— Et alors ? Toi qui vas à une Faculté, ça t'éblouit une institutrice ? Il y en a des milliers comme elle... Les institutrices sont même beaucoup plus nombreuses que les strip-teaseuses ! N'est pas « strip » qui veut !

— Je m'en doute... Mais faire ce métier, quand on est cultivée et surtout capable d'instruire les autres !

— Nous y voilà ! Toi aussi ça t'impressionne ! Ce qu'elle peut être agaçante, cette Maguy, à répéter à tout le monde qu'elle est professeur ! Elle ne se prend pas pour n'importe qui, celle-là ! Je suis bien contente de lui avoir donné une bonne leçon !

— Quelle leçon ?

— Elle a vu que ce que je lui avais dit était vrai : que j'avais pour petit ami le propre secrétaire particulier du grand homme qu'elle admire !

— Je n'aime pas beaucoup que tu parles de moi sous l'appellation de « secrétaire particulier ».

— Ce n'est donc pas la vérité ?

— Secrétaire, oui... « Particulier », ça peut laisser supposer une foule de choses. Dis-moi, je te plais toujours ?

— Bien sûr que tu me plais ! Je t'ai dit que tu étais assez joli garçon pour ça ! La Maguy te dévorait des yeux ! Si tu savais comme elle est jalouse de moi... Surtout depuis qu'elle sait que je vais devenir une grande comédienne ! Elle en est malade ! Elle m'a assez écrasée avec « son instruction » ! Il est grand temps que ça change...

Alain l'écoutait, de plus en plus étonné. Cette rancœur d'une femme aussi belle était pénible. Et il comprit que, contrairement à ce que disait Olga, ce n'était pas la fille brune qui était jalouse de la rousse, mais l'inverse. Il aurait cependant souhaité que la beauté parfaite fût en harmonie avec des qualités de cœur ! Aussi, très doucement, avec beaucoup de gentillesse, il se risqua à dire :

— Si tu le voulais, je crois que je pourrais t'aider à compléter tes connaissances...

— Toi ? Mais, mon pauvre petit, tu ne sais même pas ce que c'est que l'amour !

— Ne m'as-tu pas promis de me l'apprendre ? En échange, je t'offrirai tout ce que l'on m'a déjà enseigné dans d'autres domaines... Toi et moi, nous pourrions tellement bien nous compléter !

Elle éclata de rire :

— Ça, tu peux le dire : quelle équipe ! Approche-toi... Ne m'embrasse pas parce que tu déferais mon maquillage de scène... Mais regarde-moi...

Une fois encore les yeux fiévreux du garçon se noyèrent dans ceux de la femme par le truchement du miroir. Sans cesser de le fixer, elle murmura :

— Tu as les plus beaux yeux du monde quand tu es amoureux... Ne trouves-tu pas que c'est merveilleux de pouvoir faire ainsi l'amour, sans même se toucher ?

Il continuait à la regarder intensément.

Par la porte, restée entrouverte après le départ précipité de la fille brune, parvenaient maintenant les flonflons de l'orchestre, accompagnant le numéro de strip-tease.

— Maguy va sortir de scène dans quelques instants... Ça va être à moi...

Une dernière fois, elle le fixa dans le miroir avant de dire dans un sourire :

— Mon chéri, la minute de charme est terminée...

Il eut l'impression très nette qu'elle s'arrachait avec peine au dialogue des regards...

Au moment de franchir à son tour la porte pour rejoindre la scène, elle ajouta :

— Suis-moi, tu m'attendras dans le couloir d'où

tu pourras m'apercevoir sur le plateau... Sais-tu pour qui je vais chanter ce soir ? Pour toi tout seul !

Il la suivit presque en courant et, quand elle fut happée par les projecteurs, il se blottit à l'entrée de la porte de communication donnant accès au plateau. De ce poste d'observation, il pouvait contempler l'admirable profil qui lui sembla encore plus diaphane, plus exsangue, plus irréel aussi dans le halo de lumière crue...

Il était si absorbé par la vision qu'il ne prêta aucune attention à une ombre qui se tenait, toute proche de lui, dans l'obscurité. Une ombre dont la voix dit très bas à son oreille :

— Elle est belle, n'est-ce pas ? C'est ça qui leur plaît !

Alain sursauta : l'ombre était celle de l'illusionniste, de celui qui se faisait appeler sur les pauvres photographies de l'entrée : « Le Maître du Mystère », de l'homme qui — tous les soirs — sortait de scène sous les huées... L'adolescent se sentit paralysé, incapable de répondre... Et cependant, le cœur serré, il aurait voulu dire à celui qui ignorait le succès : « J'aime beaucoup votre numéro... Il a de l'élégance... Presque trop pour un public pareil. » Mais les mots s'étranglèrent dans sa gorge et il ne put que regarder l'ombre qui s'éloignait, famélique, dans le couloir pendant qu'il croyait encore entendre résonner à ses oreilles : « C'est ça qui leur plaît... »

Une autre silhouette s'approcha : Maguy, l'institutrice strip-teaseuse, qui avait recouvert sa nudité — point final de son numéro — d'un peignoir de scène et qui venait de ramasser sur le plancher les différents vêtements et dessous dont elle s'était débarrassée, dans un étrange crescendo d'impudeur voulue, sous les yeux du public en les lançant, un par un, vers les coulisses. Le tout s'était éparpillé dans la poussière... Elle aussi, la fille brune, était pathétique, pitoyable malgré sa réelle beauté, portant ses défroques sous les bras...

Alain remarqua qu'un objet blanc traînait par terre : il se baissa à son tour pour le ramasser et le tendit à la jeune femme en disant :

— Il y a encore ceci que vous avez oublié...

« Ceci », c'était le soutien-gorge.

— Je vous remercie... Vous êtes gentil...

Pour elle aussi, il aurait voulu avoir quelques paroles aimables mais l'objet même, qu'il venait de tenir pendant quelques secondes dans ses mains, le faisait rougir, l'intimidait... Ce fut elle qui dit dans un sourire un peu triste :

— Mon numéro doit vous paraître assez ridicule ?

— Je vous assure que non ! J'ai même une réelle admiration pour le cran dont vous faites preuve chaque soir.

— Le cran ?

Elle regardait, ne comprenant pas.

— Oui... Il doit en falloir beaucoup pour oublier ainsi sa véritable profession...

— Ne parlons plus de cela, je vous en prie !... Serait-ce très indiscret de vous demander si je pourrais avoir la signature autographe d'André Forval ?

— La signature ?

Il réfléchit quelques secondes avant de répondre :

— Je vous promets de vous apporter quelque chose de beaucoup mieux qu'une signature !

— Merci !

La voix presque tragique d'Olga remplissait maintenant la scène. Ils l'écoutèrent en silence et ce ne fut qu'après la chanson, quand les applaudissements crépitèrent, que la brune Maguy dit :

— J'aime beaucoup Olga... Si vous saviez comme je suis heureuse à l'idée qu'elle va pouvoir devenir une grande comédienne ! Elle vaut tellement mieux que ce cabaret !

Il la regarda avec surprise, ne sachant que répondre une fois de plus. Sa passion naissante le poussait à dire : « C'est bien mon avis ! Et c'est pourquoi je suis ici : pour l'arracher à ce milieu, à cette ignoble atmosphère... » Mais un sursaut de raison l'inclinait aussi à penser : « J'en arrive à me demander si nous ne commettons pas tous une erreur : Skermine, Langlois et surtout moi en nous entêtant à croire qu'Olga peut et doit être *La Voleuse* ? Après tout, elle ne semble pas du tout malheureuse ici ?... Ne serait-ce pas, comme toujours, André Forval qui aurait raison en pensant à elle pour *La Fille* ? Tout à l'heure, dans la loge, quand elle a laissé entrevoir sa basse jalousie à l'égard de cette petite institutrice, uniquement parce qu'elle la savait plus instruite qu'elle, ne s'est-elle pas conduite en fille ? Rien qu'en FILLE ? »

La voix rauque, attaquant la deuxième chanson, l'arracha à ses réflexions. Cette voix était à la fois exécrable et terrible : elle vous reprenait immédiatement comme la beauté de la femme... On ne pouvait pas lui résister. On était vaincu.

Quand la chanson fut terminée, il se retourna vers sa voisine : celle-ci avait disparu, discrètement. Et il se demanda si cette fuite voulue ne cachait pas un peu de réprobation à son égard parce qu'il admirait une fille qui n'en valait peut-être pas la peine ? Il se sentit encore un peu plus malheureux.

Après la troisième et dernière chanson, malgré les hurlements habituels de la salle qui scandait son nom, Olga quitta la scène et vint vers lui, calme, toujours sûre d'elle, en demandant :

— Tu es content ?

— Oui.

— Vois-tu, mon petit, la seule chose que je regretterai, en quittant les *Idées Noires,* sera de ne plus pouvoir faire ce tour de chant...

A cette seconde seulement, il réalisa qu'elle pourrait devenir une très grande artiste sans l'aide de personne... Et il eut la sensation que sa propre présence était désormais inutile sur ce plateau, dans ce cabaret, peut-être même dans l'existence d'Olga ?

Il la suivit dans le couloir mais, arrivé devant la porte de la loge, il dit doucement :

— Il va falloir que je rentre...

— Tu as peur de te faire gronder ? répondit-elle, ironique.

— Au point où j'en suis maintenant, ça n'aura plus d'importance !

Elle ne fit aucun effort pour tenter de le retenir et se contenta de demander :

— Quand nous revoyons-nous ?

— Je ne sais pas... Quand tu le voudras...

— Demain soir, veux-tu ?... Viens ici : je te raconterai comment ça se sera passé au théâtre avec Paul Vernon.

— Il ne me reste plus qu'à te souhaiter bonne chance !

— Je ne suis pas inquiète... Tout ira bien : Skermine me l'a dit... Et, en lui, j'ai confiance...

Un peu triste, il demanda :

— Ce qui veut dire que tu n'en avais aucune en moi quand je te disais, il y a deux jours, que tu réussirais ?

— Toi, c'est différent : pour moi, tu resteras toujours mon petit Alain...

— Ton petit Alain, répéta-t-il sans trop de conviction.

— Mais oui ! Mon petit à moi, mon jeune amour... Embrasse-moi vite avant que « l'autre » ne vienne... Et pars !

Les lèvres sensuelles s'offrirent une fois de plus.

La chaleur bienfaisante revint en lui, instantanée, avant qu'il ne s'enfuit dans le couloir, comme l'avaient fait avant lui l'illusionniste et la strip-teaseuse. Mais lui, il était à nouveau heureux : le baiser avait suffi. Olga avait mille fois raison : il n'était encore que le très petit Alain...

Quelques instants plus tard, M. Raoul pénétrait dans la loge :

— C'est formidable : ce soir tu as été encore meilleure dans ton « tour » que les autres jours !

Pour peu que ça continue, tu finiras par me faire regretter de t'avoir fait signer ce contrat !

— Ne me raconte tout de même pas que tu me préférerais au fric ?

— Je vous veux tous deux ensemble : toi et le fric ! C'est donc que je t'aime, gagnant beaucoup d'argent ! Sans lui, l'amour ça ne dure pas ! Si tu savais comme je « nous » imagine tous les deux depuis quelques jours... Toi, emmitouflée dans un vison, avec un collier de perles à quatre rangées ! Moi, descendant d'une somptueuse voiture américaine, le havane aux lèvres, à l'entrée d'un hippodrome...

— Une vraie vision d'art !

— Comme tu le dis, ma belle ! C'est Sam qui en fera une tête !... Tiens ? Mais où est-il donc ?

— Qui cela ? Sam ?

— Ne fais pas l'innocente ! Le gigolo...

— Il est parti. Tu ne l'as donc pas vu repasser devant le bar ?

— Non.

— Il a dû utiliser la sortie des artistes.

— Peut-être bien qu'il s'est pris, lui aussi, pour une attraction ! Il est bizarre, ce gosse-là...

— Oui.

— Au fond, on ne sait jamais très bien ce qu'il pense.

— Moi, je le sais !

— Ah ?

— Il est amoureux de moi, figure-toi !

— Je m'en suis aperçu dès le premier soir où il a rappliqué seul ici.

— Et cela ne t'a pas ennuyé ?

— Je sais bien que tu es un peu folle comme toutes les filles, mais pas à ce point-là ! Comment voudrais-tu qu'un gamin pareil pût t'intéresser ? Il est gentillet, mais c'est tout... Une bonne petite gueule, rien de plus !... Il t'a expliqué ?

— Quoi ?

— Comment jouait le Paul Vernon ? C'est pour cela que je lui ai permis de venir te voir ici...

— Paul Vernon ?... Ah, oui.

— Et tu as l'impression que ça ne te gênera pas ?

— De jouer avec lui ? Un cabotin, c'est toujours un cabotin ! Tu sais bien que, quand je veux aboutir rien ne me gêne !

— Sacrée Olga ! Tu es la plus épatante des femmes ! Crois-moi : il ne faut rien regretter de ce qu'on a fait... Maintenant, c'est l'avenir seul qui nous intéresse !

— Tu as raison : l'avenir...

— Ça me chiffonne quand même que le gosse ne m'ait pas dit bonsoir... J'espère qu'il ne m'en veut pas pour la façon dont je l'ai éjecté cet après-midi ? Mais je ne pouvais pas agir autrement... C'était pour lui rendre service : c'est lui-même qui m'avait demandé de ne pas dire aux autres qu'il venait ici en douce.

— Ce n'est pas ça qu'il te reproche... Il t'en veut d'être mon homme...

— Tu crois ?

— J'en suis sûre.

— Tordant ! Le petit ami de Forval jaloux à cause d'une femme ! On aura tout vu ! Il n'y a plus de moralité à notre époque !... Eh bien, qu'il le reste, jaloux, si ça peut lui faire plaisir... Moi, ça ne me gêne pas.

— Toi aussi, rien ne te gêne ! Nous sommes de la même eau...

— Dis donc, j'ai repéré une table... Deux types qui m'ont l'air bourrés... Ils en sont déjà à la troisième bouteille ! Si tu les avais vus pendant que tu chantais ! Je crois que l'on tient là une bonne recette... Tu viens ?

— Je te suis...

Pendant ce dialogue, l'adolescent roulait en taxi vers l'île Saint-Louis. Il était sorti par une porte, découverte au fond du couloir, qui donnait sur une sordide cour intérieure de l'immeuble. Ensuite, il n'avait plus eu qu'à rejoindre la rue par le porche situé à droite de la façade du cabaret. Il avait sauté dans un taxi auquel il avait pris soin de dire de s'arrêter à un certain carrefour, situé au moins à deux cents mètres de la demeure de Forval. Il ne fallait pas que celui-ci entendît arriver une voiture devant son hôtel. Alain terminerait le parcours à pied.

Le taxi roulait vite. Mais plus vite le garçon serait rentré et mieux ce serait. Pendant le parcours, il ne trouva même plus la force de penser. Cette visite à Olga — qu'il avait cependant tant souhaitée et pour laquelle il n'avait pas craint de prendre de nouveaux risques — avait été décevante. Certes, il y avait bien eu la chaleur réconfortante du baiser final, mais qu'était-ce en comparaison de tout ce qu'il venait de découvrir : la misère de l'illusionniste, la détresse cachée de l'institutrice qui offrait la nudité de son corps toutes les nuits à des rustres, la jalousie d'une fille à l'égard d'une autre femme qui, elle, n'était peut-être pas une fille ? C'était trop, beaucoup trop, pour ses dix-huit ans... Et il y aurait sans doute dans quelques instants, l'attendant en haut de l'escalier, un André Forval crispé, malheureux, terrible ?

Olga lui avait bien dit de revenir le lendemain soir. Mais en aurait-il seulement le courage ? A quoi cela lui servirait de la revoir ? Ne serait-ce pas mieux de disparaître à jamais de l'existence d'une femme aux yeux de laquelle il n'apparaîtrait toujours que comme « le petit Alain » ? Malgré tout, il ne pouvait pas croire qu'elle se moquait de lui, qu'il n'était pour elle qu'un passe-temps ? Il était sûr qu'à certains moments elle le désirait avec cette même intensité qu'il avait lui-même dans ses rêves... Ce qu'il ne parvenait pas encore à discriminer, c'était la frontière très subtile qui existe entre le désir et l'amour :

aussi bien pour lui que pour elle. Il était trop jeune.

Le taxi l'avait déposé au lieu indiqué. Plus il se rapprochait, en marchant, de l'hôtel et plus il ralentissait, se sentant envahir par une terreur panique de ce qui allait se passer ? Simultanément, il passait par tous les états d'âme : celui du collégien en faute, du fils qui craint les foudres de son père après une nouvelle fugue, la peur aussi de faire à nouveau de la peine... Sans pouvoir s'en rendre compte, il était un peu aussi comme ces épouses, ou ces amantes, qui redoutent par-dessus tout d'être prises en faute par celui dont elles ont trompé la confiance. C'était très étrange, mais l'adolescent sentait renaître en lui toutes les faiblesses à l'égard d'un être qui continuait à le dominer...

Avec précaution, il fit tourner doucement la clef dans la serrure avant d'entrer dans le vestibule. Un long moment, il demeura immobile, retenant sa respiration... Dans l'obscurité, cette attente de l'événement — de la catastrophe, peut-être ? — apporta peu à peu dans son cœur une sorte d'apaisement... Etait-ce le fait de se retrouver dans la demeure où il vivait et travaillait depuis trois années déjà ? Il avait l'impression d'être « chez lui » ... La lourde porte, qu'il venait de refermer, marquait la séparation avec l'extérieur, avec le monde de la rue, de la nuit, des plaisirs faciles... Le triste cabaret — avec ses filles, son bar, l'ignoble M. Raoul et même la belle Olga — lui semblait loin, très loin.

L'apaisement lui donna le courage de gravir l'escalier. Il le fit sans bruit mais sans retirer cependant ses chaussures comme l'avant-veille : il ne voulait pas, si le lustre mettait à nouveau en pleine lumière sa nouvelle fugue, être à nouveau ridicule devant celui qui l'attendait... Plusieurs fois, pendant la lente montée, il s'arrêta, essayant de percer les ténèbres pour deviner la présence tellement redoutée ? Ce ne fut que parvenu sur le palier du premier étage qu'il comprit qu'il n'y avait personne... Le rai de lumière ne filtrait pas non plus sous la porte du cabinet de travail... Personne !

Vite alors, il monta au deuxième pour s'enfermer dans sa chambre sans oser cependant allumer la lampe de chevet. Vite aussi, il se dévêtit dans le noir et il s'allongea sur son lit, écoutant les moindres bruits qui pouvaient provenir de la maison ? Mais c'était toujours le silence. Alors, seulement, sa respiration redevint régulière. Les yeux grand ouverts, dans le noir, il essaya à nouveau de penser... Seulement tant de noms, tant de visages passaient devant son esprit qu'il ne parvenait plus à en fixer aucun : celui de M. Raoul ? de Maguy, la strip-teaseuse ? du « Maître du Mystère » ? de Skermine ? de Langlois ? de ce Paul Vernon, qui serait demain le nouveau « partenaire » d'Olga ? celui d'Olga elle-même ? d'André Forval enfin qui devait dormir depuis longtemps pour pouvoir se remettre au travail, à l'aube, sur le manuscrit de *La Fille ?*

Le sommeil vint enfin : le merveilleux sommeil de la jeunesse, dispensateur d'oubli...

★

Ce qu'Alain venait de faire était un peu fou et insensé, mais il n'avait pu résister au besoin irraisonné d'assister à la première répétition d'Olga sur une grande scène, dans un vrai théâtre. Pendant toute la matinée, après une nuit qui semblait lui avoir porté conseil, il s'était dit et redit : « Je n'irai pas... Puisqu'elle m'a fait comprendre hier soir qu'elle était assez sûre d'elle pour se débrouiller en face d'un Paul Vernon, qu'irais-je faire dans le théâtre de Langlois ? De plus, je dois rattraper les cours perdus à la Faculté... » Mais, pendant le déjeuner, quelques paroles d'André Forval lui avaient fait changer d'avis :

— J'ai reçu tout à l'heure un coup de fil de Skermine qui m'a dit que « sa » découverte allait répéter avec Paul Vernon cet après-midi au théâtre... Ils recommenceront demain... Ainsi elle sera au point, selon lui, pour l'audition de vendredi.

— Il est content de son travail ?

— Il paraît enthousiasmé... Ce qui est en faveur de cette jeune personne car ce Skermine n'a pas la réputation de prendre ses désirs pour des réalités... Après tout, c'est possible qu'elle soit très bien ! Cette nouvelle doit te faire plaisir ?

— Je serai content si vous avez trouvé en elle l'héroïne de votre pièce...

— C'est tout ?

— Strictement tout.

— Tu es un gosse étonnant !

— Un gosse ! Je ne suis plus un gosse ! Vous n'avez tous que ce mot-là à la bouche quand vous parlez de moi !

— Tous ? Qui cela « tous » ?

— Enfin... les autres !

— Quels autres ? Il n'y a que moi qui te considère comme un gosse...

— Et Skermine donc ! Et le gros Langlois ?

— Leur avis importe peu en ce qui te concerne... Vraiment, ils t'ont appelé ainsi ?

— Je ne sais pas... mais je suis sûr qu'ils le pensent ! Ce qui revient au même.

— Après tout, c'est très gentil à eux de te considérer ainsi... On est toujours plus indulgent pour les gosses...

— Je ne veux pas de cette indulgence !

— Bon, bon ! N'en parlons plus... Admettons que tu es un homme... Et cet homme ne s'intéresse donc plus aux progrès foudroyants de la jolie femme ?

— Il s'en fiche !

— Tant mieux...

Mais, dès que celui qui ne voulait plus être « un gosse » fut dans la rue sous prétexte de se rendre à la Faculté, il prit une direction diamétralement opposée et traversa la Seine pour rejoindre la rive droite. Rive où se trouvent la plupart des théâtres de Paris et, parmi eux, celui que dirigeait Langlois.

Arrivé dans le hall d'entrée, il avait profité de l'inattention de la caissière, occupée à délivrer des billets aux spectateurs qui faisaient queue pour retenir des places, et il était entré directement dans le couloir circulaire du rez-de-chaussée, donnant accès aux loges et aux fauteuils d'orchestre.

En cet après-midi de semaine, les couloirs étaient déserts et plongés dans une demi-obscurité, corrigée cependant par quelques lampes de secours placées de loin en loin pour respecter les ordonnances de sécurité prévues par la Préfecture de Police. Le théâtre ne donnait de matinées que les dimanches ou jours fériés. Alain gravit le premier escalier qu'il aperçut, pour rejoindre le balcon. Une fois là, il entra directement dans une loge d'où il pourrait tout voir sans être vu.

La salle était, elle aussi, dans une demi-obscurité mais la scène était éclairée. Aucun décor n'y était planté ce qui ne semblait nullement gêner trois personnages qui y discutaient avec animation : Skermine, Langlois et Paul Vernon qu'Alain n'avait encore jamais vu, jusqu'à ce jour, jouer qu'à l'écran. Il dut s'avouer que l'acteur avait autant d'allure dans la réalité qu'en images. « Portant beau », Paul Vernon paraissait à peine trente-deux ans, alors qu'il devait bien compter une solide quarantaine. Si Olga — qui n'était pas encore là — avait prouvé aux *Idées Noires* qu'elle ne manquait pas d'assurance, son futur partenaire possédait dans sa façon de s'exprimer, même quand il n'était pas en train d'interpréter un rôle, un abatage et une morgue fleurant le grand cabotinage. Il fallait reconnaître qu'un tel comportement ne lui allait pas mal et qu'on l'aurait difficilement imaginé autrement... Il s'écoutait parler, mais même ce défaut — après un premier temps d'agacement pour ses auditeurs — finissait par s'imposer avec une telle force qu'on se sentait conquis ! Paul Vernon, c'était évident, ne pouvait pas s'empêcher de jouer la comédie, aussi bien à la scène qu'à la ville. Et, dans les deux cas, il réussissait à être à la fois odieux et admirable.

C'était lui qui palabrait quand Alain s'installa sans bruit au fond de la loge devenue son observatoire discret.

— Mais enfin, s'exclamait le cabotin, a-t-on appris à cette jeune personne « miraculeuse » que l'exactitude est aussi bien la politesse des comédiens que celle des rois ? Je tiens à vous faire remarquer, mon cher directeur, que j'étais là à quatorze heures précises...

— Je le sais, cher Paul Vernon ! Et je reconnais là une fois de plus cette admirable conscience professionnelle qui vous honore... Mais n'en veuillez pas trop à notre charmante découverte... Ne devons-nous pas montrer un peu d'indulgence pour les débutants ?

— Je vous répondrai quand je l'aurai vue... Evidemment, si elle est aussi belle que vous le dites, elle a une excuse — en admettant que c'en soit une ! — celle de la Beauté qui sait se faire attendre... Mais c'est la seule !

— Vous ne serez pas déçu...

— Je l'espère !

— A aucun point de vue ! surenchérit Skermine. Vous allez être agréablement surpris de la justesse de sa voix et de la précision de son jeu.

— Vraiment ?

Il avait jeté un coup d'œil sur sa montre-bracelet :

— Elle a quand même un quart d'heure de retard ! Je lui accorde encore cinq minutes : si elle n'est pas là à quatorze heures vingt, je m'en vais ! Tant pis pour elle ! Elle n'aura qu'à trouver n'importe qui pour lui donner la réplique après-demain devant Forval !... Car c'est bien pour faire plaisir à un tel auteur que j'ai accepté cette corvée ! Si l'on pouvait savoir, dans les coulisses, que Paul Vernon se prête à de pareilles auditions, on en ferait des gorges chaudes ! Les petits copains seraient même ravis de dire : « Mais qu'est-ce qui lui arrive à Vernon ? Il vieillit... ou il décline ! »

— Peut-être chuchoterait-on que vous êtes un homme de cœur ?

— Ah, ça, il en faut pour travailler dans ces conditions ! Vous ne semblez pas vous douter tous les deux que j'ai dû faire presque des bassesses au metteur en scène du film, que je tourne en ce moment, pour lui faire modifier complètement son plan de travail de la journée ! A l'heure actuelle, je devrais être sur le plateau, à Billancourt.

— Ce sera bien, ce film ?

— L'essentiel, c'est que le rôle me convienne. Quant au film... c'est un film !

— Evidemment...

— Le cinéma, c'est tout juste bon pour gagner l'argent que ne vous apporte jamais le théâtre et élargir sa clientèle... Mais le reste ! Mon cœur sera toujours au théâtre !

— Quel réconfort pour moi d'entendre des artistes de votre qualité s'exprimer ainsi ! s'exclama Langlois.

Il n'eut pas le temps de continuer à se perdre dans cette euphorie calculée : deux nouveaux personnages venaient d'entrer en scène, « côté jardin »... Olga et M. Raoul.

Une entrée qui, nulle part et encore moins sur une scène, n'aurait pu passer inaperçue. Suivant sans doute les « conseils » de M. Raoul, Olga avait tout mis sur elle pour séduire... Du moins le croyait-elle : cheveux fauves gonflés à la dernière mode et laqués, rehaussant encore sa silhouette ; maquillage très poussé qui faisait merveille sous les feux de la rampe mais qui devait paraître outrancier à la lumière du jour ; robe noire moulant les hanches au plus près ; talons démesurés ; cape de fourrure — qui, sans être le « ragondin » cher à M. Raoul, donnait l'illusion lointaine du vison — enfin, couronnant l'ensemble, d'immenses lunettes noires dont la monture supérieure était cerclée de faux diamants et qui étaient sans doute destinées à créer l'impression de « femme fatale », plus communément appelée *vamp*... Une vamp de pacotille... Et cependant ! Malgré tout cet appareil vestimentaire d'un goût aussi tapageur que discutable, Olga réussissait à conserver une allure de reine et à rester belle.

M. Raoul, lui, n'était qu'inquiétant avec sa chemise à carreaux et sa cravate à petits pois. Il semblait arriver directement de la pelouse d'un hippodrome.

Cette double apparition produisit sur l'acteur, le directeur et le metteur en scène un certain choc qui se traduisit par un moment de silence. Enfin, Langlois parvint à dire en s'avançant vers le couple :

— Voici « notre » belle artiste !

Les présentations furent rapides :

— Olga... M. Raoul, « son » imprésario... Paul Vernon...

Ce dernier, sa première stupeur passée, répondit par un glacial « Madcmoiselle », suivi d'un très vague « Monsieur » à l'intention de l'imprésario.

Voulant dissiper la gêne grandissante, Skermine demanda :

— Que vous est-il donc arrivé ? Ne vous avais-je pas demandé d'être là à quatorze heures précises ?

— Tout est de ma faute ! répondit vivement M. Raoul qui n'osa pourtant pas ajouter : « Au moment de partir, j'ai trouvé qu'Olga n'était pas assez chic et je lui ai fait modifier complètement sa toilette... Ne trouvez-vous pas que c'est une réussite ? »

— Notre cher Paul Vernon, expliqua Langlois, a eu la gentillesse et la patience de vous attendre...

Embusqués, dissimulés surtout derrière les lunettes teintées, les yeux de la Belle restaient rivés sur le visage de son futur partenaire : un examen frisant l'impertinence.

— Ne m'en veuillez pas, mademoiselle, pour ce

que je vais vous dire, déclara l'acteur agacé, mais j'ai horreur que l'on me dévisage ainsi sans que je puisse voir le regard qui est en face de moi... Serait-ce trop vous demander de vouloir bien retirer ces lunettes pendant quelques instants ?

Olga prit tout son temps pour accomplir le geste. Quand ce fut fait, elle continua à fixer son interlocuteur en disant dans un sourire étudié :

— Etes-vous satisfait ?

Assez décontenancé, l'acteur dit, plus aimable :

— Merci... Et je dois reconnaître, maintenant que votre visage veut bien se montrer entièrement, qu'une beauté pareille a le droit de se faire attendre un quart d'heure...

Olga eut un autre sourire.

— Travaillons ! dit Skermine en utilisant, pour rejoindre la salle, la passerelle de répétition chevauchant la rampe. Langlois le suivit. Tous deux s'installèrent au premier rang des fauteuils.

M. Raoul était resté sur le plateau.

— Cher monsieur, lui dit Skermine, ayez l'amabilité, vous aussi, de prendre place dans la salle... Je ne veux sur le plateau que les artistes.

« L'imprésario » obtempéra sans enthousiasme. Sans doute se croyait-il, là encore, aussi indispensable que dans son cabaret ? Il s'assit, bougon et solitaire, intentionnellement à cinq rangs d'orchestre derrière le directeur et le metteur en scène.

— Avez-vous apporté le texte de la scène ? demanda Paul Vernon à Olga. J'avoue ne l'avoir pas encore lu.

— Le voici, répondit-elle en sortant de son sac les pages dactylographiées.

— Vous permettez ?

Pendant quelques instants — très vite — l'acteur parcourut des yeux les feuillets.

— Bon, dit-il en relevant la tête. Je vois ce dont il s'agit... Skermine m'a dit que non seulement vous saviez la scène par cœur, mais que vous l'aviez déjà répétée avec lui ?

— C'est exact.

— Dans ce cas, nous n'avons plus qu'à jouer... ou du moins à essayer de jouer ! A vous de commencer...

Les répliques commencèrent à alterner : Olga les disant par cœur, Paul Vernon les lisant... Mais ce dernier connaissait tellement son métier qu'au bout de quelques instants, on ne remarquait même plus qu'il tenait les feuillets dans une main. Par contre, on s'apercevait que, malgré les séances secrètes de lecture faites avec Alain, et même le travail de mise en place réalisé par Skermine depuis deux jours, la belle Olga était beaucoup moins à l'aise sur un grand plateau que sur le tréteau exigu d'un cabaret. Elle était gênée aussi par les lampes fixes de la rampe auxquelles elle n'était pas habituée, n'ayant toujours connu que des projecteurs mobiles, qui l'aveuglaient en dressant un mur de lumière entre elle et l'immense trou noir de la salle, d'où lui parvenait, par moments, la voix de Skermine :

— Pourquoi ne jouez-vous pas comme hier, mon petit ?... Qu'est-ce qui vous arrive ?... Je sais : il faut se familiariser avec une scène et surtout « avoir les planches dans les jambes »... Ça viendra vite... Décontractez-vous ! Restez naturelle ! Reprenons depuis le début, voulez-vous ?

Ils recommencèrent une fois, deux fois, trois fois, dix fois... Mais ça allait de mal en pis. De réplique en réplique, Paul Vernon semblait de plus en plus excédé. Langlois appréhendait l'instant tout proche où la colère de l'acteur éclaterait. M. Raoul, enfoui dans son fauteuil, passait sa main sur son front où perlaient des gouttes de sueur : allait-il se trouver devant l'écroulement du grand rêve ? Mentalement, il ne cessait de se répéter : « Mais qu'est-ce qu'elle a donc pour être aussi mauvaise ? C'est tout juste si elle ne bafouille pas, elle qui savait pourtant son texte à la perfection ! C'est ce cabotin qui doit l'impressionner... Et ce théâtre vide ! Pour être en pleine forme, il lui faut des petites salles pleines à craquer comme aux *Idées Noires :* elle a le trac !... Ah ! les femmes ! On ne peut jamais leur faire confiance avec leurs sacrés nerfs ! »

Brutalement, la voix de l'acteur s'éleva, remplissant le grand vaisseau :

— Non, non et non ! Ce n'est pas possible ! C'est mauvais, mademoiselle... très mauvais ! Jamais vous ne serez prête à auditionner après-demain devant André Forval ! Vous le connaissez bien, André Forval ?

— Je ne l'ai jamais vu, répondit la fille sur un ton calme qui contrastait étrangement avec la nervosité dont elle venait de faire preuve en jouant.

— Je m'en doutais... Eh bien, je vous le prédis : ce sera la catastrophe !...

Il descendit dans la salle, laissant sa partenaire seule sur la scène pour parler à voix basse avec Skermine et Langlois. Nul ne pouvait entendre ce qu'ils disaient mais les gestes de Vernon étaient suffisamment éloquents. Quand le conciliabule, qui parut durer un siècle à M. Raoul, fut terminé, ce fut le directeur qui s'adressa à Olga :

— Ma chère petite, Paul Vernon vient de nous faire une remarque qui est très juste : il estime qu'il est indispensable que vous répétiez cet après-midi seule avec lui, sans qu'il y ait personne dans la salle... Skermine et moi, nous allons nous retirer... Mais demain nous serons là pour la dernière répétition avant l'audition : Skermine pourra régler alors les détails... Vous venez, Skermine ?

Tous deux quittèrent leurs fauteuils pour sortir par le fond de la salle pendant que Paul Vernon remontait sur le plateau.

M. Raoul, lui, n'avait pas bougé, essayant, malgré sa corpulence, de se faire tout petit dans son fauteuil, pour se faire oublier...

Mais l'acteur se retourna dans sa direction et lui cria :

— Cette décision vous concerne également, monsieur...

— Pourtant, monsieur Vernon, en tant qu'imprésario de mademoiselle, j'estime qu'il est de mon devoir d'assister à toutes les répétitions, ne serait-ce que pour pouvoir ensuite la faire travailler en dehors d'ici, en tenant compte de vos judicieuses indications ?

— Vous êtes réellement du métier, monsieur ?

— Oui, monsieur, et je m'en honore !

— Dans ce cas, vous devriez savoir qu'on n'a encore jamais vu un imprésario faire répéter une artiste ! Votre rôle doit se limiter à lui apporter des contrats et à défendre ses intérêts.

Skermine était revenu sur ses pas pour s'approcher de M. Raoul :

— Venez, cher monsieur, je vous en prie... Vous voyez : moi-même je me retire...

Puis il ajouta plus bas :

— Paul Vernon est très susceptible comme tous les artistes... J'ai craint un moment qu'il ne refuse de donner la réplique à Olga après-demain... Ce serait épouvantable pour nous tous ! Ils vont travailler gentiment ensemble... Elle l'écoutera... Demain, je corrigerai le tout et, vendredi, ce sera un succès ! Croyez-en mon expérience : la seule méthode à adopter était de laisser croire à Vernon qu'il est le seul à pouvoir faire répéter sa partenaire... Avant une heure d'ici, il en sera persuadé !

M. Raoul s'arracha avec regret à son fauteuil en maugréant :

— C'est bien parce que c'est vous qui me le dites ! Il n'y a que vous en qui j'ai confiance dans toute cette affaire...

Il le suivit et rejoignit Langlois qui les attendait au fond de la salle.

— Voulez-vous écouter un bon conseil ? ajouta ce dernier. Vous devriez aller tranquillement prendre l'air aux courses sans plus vous préoccuper d'Olga...

Elle est assez grande pour se débrouiller toute seule ! Quand ils auront terminé leur répétition, mon chauffeur la reconduira à votre domicile.

Le seul mot « courses » avait suffi pour que la volonté de M. Raoul commençât à fléchir. Ce fut d'une voix moins assurée qu'il demanda :

— Vous pensez réellement que je peux la laisser ?

— Il le faut ! répondit Langlois.

— Bon... Mais demain, je vous préviens : je serai là pour la dernière répétition avant l'audition ainsi que le jour de l'audition.

— Vous serez toujours le bienvenu dans mon théâtre...

— Il est rudement chouette, dites donc, votre théâtre ! Il y a combien de temps que vous l'avez ?

— Cette salle-là, ça va faire vingt-cinq ans...

— Qu'est-ce que vous avez dû ramasser, depuis le temps, avec une baraque pareille !

— Je ne m'y suis pas trop mal défendu...

— C'est cela ce qu'il me faudrait, conclut M. Raoul, un théâtre ! Je le dirigerais et Olga en serait la vedette...

— Ça arrivera peut-être un jour ? dit Skermine. Ce serait pour vous deux une nouvelle bonne petite affaire de famille, comme *Les Idées Noires !* A demain, monsieur Raoul !... La sortie, c'est tout droit...

Pendant que « l'imprésario » s'éloignait, Skermine lança un regard complice à Langlois. Un court instant, ils s'immobilisèrent et regardèrent une dernière fois dans la direction de la scène, avant de quitter la salle à leur tour. Sur le plateau, le texte en main, Paul Vernon commençait à jouer, lui aussi, les metteurs en scène. Il y avait déjà eu le répétiteur-adolescent, puis Skermine... Maintenant, c'était au tour du cabotin de faire son numéro de prestige. Il parlait en gesticulant : Olga, toujours calme, avait remis ses lunettes fascinantes. Et chose miraculeuse, cela ne semblait plus du tout gêner le grand acteur...

Caché au fond de sa loge de balcon, Alain avait assisté, muet et désespéré, à cette pitoyable première répétition sur la grande scène où Olga serait peut-être appelée à jouer très prochainement. Le jeune homme ne parvenait pas à comprendre pourquoi la femme, qui s'était montrée aussi sûre d'elle jusqu'à ce jour, était brusquement victime d'une telle défaillance ?

Il ne trouvait qu'une seule explication : ce Paul Vernon, sous une fausse apparence de magnanimité à l'égard d'une débutante, n'était qu'un odieux personnage. A chaque réplique, il s'était ingénié à la paralyser, à lui faire comprendre qu'elle ignorait l'a. b. c. du métier de comédienne et que, si elle ne voulait pas se plier docilement à toutes ses exigences de cabotin, elle ne parviendrait à rien ! C'était là un jeu subtil et démoniaque.

A présent, l'acteur triomphait. Il avait enfin obtenu ce qu'il cherchait : se retrouver seul avec Olga ! La preuve en était que, depuis quelques instants, il se montrait infiniment plus conciliant, plus aimable aussi, presque gracieux. Sa colère n'avait été qu'une feinte pour rester le maître de la situation. N'était-elle pas immédiatement tombée, comme par enchantement, après le départ de ceux qui, pour Vernon, n'étaient que des gêneurs : le directeur, le metteur en scène et surtout ce M. Raoul qu'il avait tout de suite détesté... Cela surtout était visible. Comment aurait-il pu se douter, le cabotin, que dans la pénombre du premier balcon, quelqu'un continuait à l'observer avec attention, quelqu'un qui, malgré sa jeunesse et son inexpérience — peut-être même à cause d'elles ? — saurait se montrer, quand il serait temps, son plus grand ennemi ?

Toutes les résolutions prises la veille, sous l'effet de la désillusion, s'étaient évanouies... Justement parce qu'il sentait qu'Olga allait avoir à se défendre seule contre un redoutable adversaire, Alain se sentait de nouveau prêt à voler à son secours, à la sortir du guêpier, à lui prouver une fois encore que l'amour désintéressé saurait triompher de tous les obstacles ! Et il ne bougea pas, attendant la suite des événements qui ne pouvaient manquer de se produire. Très vite, il comprit qu'il ne s'était pas trompé. Après quelques explications de jeu de scène parfaitement superflues, uniquement destinées à ramener une certaine détente sur le visage de sa partenaire, l'acteur dit gaiement :

— Il ne faut pas prendre non plus complètement à la lettre tout ce que je vous dis ! Ni ce qu'a pu vous enseigner un Skermine, ni tout ce que beaucoup d'autres, après moi, voudront vous apprendre ! Maintenant que nous sommes tranquilles tous les deux et surtout seuls, je vais vous donner une bonne recette dont personnellement j'ai toujours tiré profit : faites semblant d'écouter tous ceux qui croient avoir plus d'expérience que vous parce qu'ils sont plus âgés... Laissez-les parler et ne prenez dans ce fatras de conseils plus ou moins intéressés que ce qui vous convient... Je suis sûr que vous réussirez ! Votre beauté est déjà pour vous un atout considérable ! Et, s'il vous arrive d'être en face de gens, qui se mettent en colère comme moi tout à l'heure, continuez à sourire... Vous ne voulez plus sourire ?... Allons ! Faites un effort, ma petite Olga ? Ne serait-ce que pour me prouver que vous ne m'en voulez pas !

Lentement, le visage de la fille, resté impassible pendant tout ce discours, se détendit, et la merveilleuse bouche finit par s'illuminer d'un sourire.

— Bravo ! s'écria l'acteur. C'est ainsi que je vous aime... et sans lunettes ! Quand on a des yeux pareils, pourquoi les cacher ?

— Pour réserver aux autres la surprise de leur découverte...

Joignant le geste à la parole, elle retira une nouvelle fois les lunettes : le regard était lui aussi devenu rieur, presque malicieux, déjà complice...

Il dit sans perdre une seconde pour affirmer sa victoire :

— Savez-vous ce que nous allons faire ? Quitter ce plateau qui est beaucoup trop vaste pour répéter une scène aussi intime... On m'a déjà attribué ma loge pour les répétitions de *La Voleuse*... Vous verrez : elle est charmante... C'est à la fois la plus spacieuse et la plus douillette de ce théâtre : l'ambiance en est extraordinaire ! Nous y serons tout à fait à l'aise pour faire du bon travail : venez...

Elle continuait à le regarder, souriante... Mais Alain, qui connaissait ce sourire pour en avoir ressenti le pouvoir un certain après-midi au bar du cabaret, fut atterré : adressé à cet acteur qu'Olga connaissait à peine, c'était une véritable insulte à l'amour véritable que lui seul, Alain, était capable d'avoir pour la jeune femme. C'était aussi une trahison. Il n'était pas possible qu'Olga la poussât plus loin ! Et cependant... sans rien dire, obéissante, presque consentante, elle avait suivi Paul Vernon ! Le plateau restait désert, la rampe inutilement allumée, comme si le théâtre silencieux voulait jeter ses pleins feux sur la désertion...

Un long moment, l'adolescent demeura abasourdi, incapable de faire un mouvement, prostré, sachant que ses jambes refuseraient de le porter là où il aurait dû courir de toute urgence pour éviter le pire...

Mais la force et la réaction de sa jeunesse étaient là aussi, le talonnant, répétant dans son cœur : « Tu dois te défendre, Alain ! Tu dois sauver ton rêve ! C'est maintenant qu'Olga a le plus besoin de toi... Rien ne prouve qu'elle se doute de ce que ce cabotin prépare depuis la première seconde où il a découvert sa beauté... C'est à toi de la prévenir, de la mettre en garde, de lui faire comprendre qu'il ne s'agit plus d'art, ni de travail, mais d'un désir bestial d'homme... Et qu'ensuite, quand l'animal sera rassasié, il abandonnera sa proie à son destin précaire de débutante... »

Electrisé, poussé par la force secrète, Alain parvint à s'arracher à sa cachette et il courut, comme un fou, le long du couloir circulaire, avec l'espoir de découvrir, soit côté « cour », soit côté « jardin », la petite porte de fer qui lui permettrait d'accéder directement de la salle sur le plateau... Ne la trouvant pas, il descendit à l'orchestre et, sans plus se soucier de prendre la moindre précaution pour vérifier si la salle était vraiment aussi déserte qu'il le pensait, il continua à courir vers la passerelle chevauchant la rampe. Une fois sur le plateau, il alla dans la direction où le couple venait de disparaître...

Une porte se présenta sur la droite, au fond de la scène, donnant sur un escalier. Une pancarte, accrochée au mur, attirait les regards : « *L'accès aux loges est rigoureusement interdit à toute personne étrangère au service.* » Interdit ? N'était-ce pas une raison de plus pour gravir l'escalier ? Rien ne pourrait plus être interdit à Alain, l'amoureux... Sur le premier palier, des numéros de loges, allant du 1 au 8, étaient peints suivis d'une flèche qui désignait un couloir à peu près aussi mal éclairé que celui des *Idées Noires.*

Très lentement cette fois, à pas de loup, le garçon s'avança, s'arrêtant devant chaque porte de loge, la 1, la 2, la 3, la 4 étaient silencieuses mais un rayon de lumière filtrait sous la porte de la dernière, la 8... Ils étaient là, c'était certain ! A une heure pareille, aucun autre artiste ne devait être au théâtre... Alain avança et plaqua l'oreille contre la porte... Il y eut d'abord un long moment de silence, puis, brusquement, une voix dit :

« — Je savais bien que nous deviendrions des amis... »

C'était la voix détestée et odieusement suffisante du cabotin, à laquelle répondit celle qu'Alain aimait tant, quand elle se faisait chaude... Et elle l'était :

« Tu dois être un merveilleux amant... »

Le cœur de l'adolescent se glaça : cette phrase, n'avait-il pas l'impression de l'avoir déjà entendue ? Ces mots lui appartenaient... Personne d'autre que lui n'avait le droit de les entendre !

« — Je ne peux pas bien jouer une scène d'amour avec une partenaire que je ne connais pas complètement, répondit la voix de l'homme. Tu me comprends ? »

« — Oui... » répondit la voix d'Olga.

Il y eut un nouveau silence, suivi de ces mots de l'homme :

« — Ta bouche est adorable, mon petit... Ici, ce n'est pas possible : j'aime prendre mon temps... Toi aussi, sûrement ! Tu es une sensuelle... Demain, tu viendras chez moi à trois heures... Tu n'auras qu'à dire à tout le monde que je t'y ai convoquée pour répéter plus tranquillement... Et nous ne viendrons au théâtre avec ma voiture qu'à six heures pour que Skermine ait l'illusion de nous mettre en scène... C'est préférable de le garder comme ami puisque nous allons être contraints de le subir pendant les deux mois de répétitions de *La Voleuse...* »

« — Tu crois vraiment que Forval me confiera le rôle après l'audition de vendredi ? »

« — Forval ? J'étudierai soigneusement cette scène d'essai demain matin... Je connais assez le métier pour t'apporter, une à une, les répliques sur un plateau d'argent... Puisque tu sais te montrer une fille compréhensive, je t'aiderai à fond ! Tu verras : ça marchera tout seul... Maintenant, nous allons quand même tenter de répéter... Langlois et Skermine, ne nous voyant plus sur la scène, viendront directement ici : il vaut mieux qu'ils ne se doutent de rien... Les gens de théâtre sont si bavards !... A propos, qu'est-ce que c'est que ce M. Raoul ? »

« — Rien de bien intéressant ! Seulement, c'est le patron du cabaret où je travaille en ce moment. »

« — Je comprends... Forcément, tu as été obligée d'y passer ? »

« — Ne viens-tu pas de dire que tu connaissais le métier ? Alors... »

« — Oui... Ça me dégoûte quand même ! Comment as-tu pu avec un type pareil ? »

« — Je t'en prie... Ne me parle plus de lui ! »

« — Une fille aussi belle ! Enfin !... On recommence toute la scène... Sais-tu qu'elle n'est pas du tout facile à jouer ? Il ne s'y passe pratiquement rien... Tout y est en nuances... C'est du bon, même de l'excellent Forval ! Ah ! celui-là : il connaît son affaire ! T'es-tu au moins rendu compte de toutes les difficultés de ce texte ? »

« — Oui... »

Alain, toujours derrière la porte, frémit : elle ne se serait aperçue de rien s'il n'avait pas été là, le premier de tous, pour la mettre en garde et l'obliger à lire dix fois, vingt fois, trente fois les quelques pages... Ne pas avouer à ce cabotin qu'avant lui, il y avait eu un ami — un véritable allié — qui s'était donné tout ce mal, prouvait qu'Olga était capable de toutes les traîtrises, de toutes les ingratitudes !

La colère, le dépit, la rage, la honte surtout de s'être montré aussi crédule envahirent le cœur et l'esprit de l'adolescent avec la prodigieuse violence d'une force jeune. Il faillit frapper à la porte et même l'enfoncer. Mais, à la dernière seconde, il sut se contenir. Ce serait stupide d'agir ainsi, d'autant plus qu'il entendait, maintenant — à travers la porte — les répliques de Forval. C'était plus tôt qu'il aurait dû faire une action d'éclat, pendant ces silences odieux où « leurs » bouches avaient été l'une contre l'autre... Cette seule pensée le remplissait de dégoût.

Ecœuré, il n'eut plus qu'une idée : fuir...

Il courut à nouveau dans le couloir des loges, dévala l'escalier, se retrouva sur la scène toujours éclairée par la rampe, franchit la passerelle, traversa la salle éteinte, le vestibule, le hall d'entrée où des gens continuaient à faire queue devant le guichet de location... Enfin, haletant, il se retrouva dans la rue et alla droit devant lui, sans savoir où, sans réfléchir, les yeux hagards, comme un fou...

Peu à peu, cependant, l'air frais le calma et il ne pensa plus qu'à une chose : rentrer chez Forval. Ce n'était pas un être humain qu'il voulait retrouver mais sa petite chambre où il pourrait s'enfermer seul avec son chagrin, le premier chagrin d'amour, le pire... Celui que l'on n'oublie jamais parce qu'on l'a connu alors que l'on croyait avoir droit à tous les espoirs, à tous les rêves, à toutes les sincérités...

Il eut la chance, une fois dans l'hôtel, de n'y rencontrer personne, pas même Ali. Rapidement, sans bruit, il passa sur le palier du premier étage, où la porte du cabinet de travail était fermée : Forval devait continuer à y œuvrer sur sa prochaine pièce... *La Fille ?* Pour la première fois, Alain comprit que le dramaturge avait eu raison de choisir un tel titre et un tel sujet : aucune femme ne pourrait mieux interpréter ce rôle qu'Olga ! Ne venait-elle pas de prouver qu'elle n'était effectivement qu'une fille, prête à s'offrir au premier venu, à n'importe qui s'il le fallait, à condition que cet abandon fût bénéfique pour elle ? Demain, selon la promesse entendue à travers la porte, n'irait-elle pas chez le cabotin, chez le tombeur, chez celui à qui elle avait osé dire : « *Tu dois être un merveilleux amant* » ?

Dès qu'il fut dans sa chambre, celui qui n'était encore que le « petit Alain » se jeta sur son lit, vaincu par le chagrin. Longtemps il pleura, secoué par les sanglots, labourant le dessus de lit de ses mains, désespéré par l'horrible découverte de la trahison amoureuse.

Il resta ainsi pendant des heures, l'esprit à la torture, cherchant vainement quelle pourrait être pour lui l'issue ? Il n'en trouvait pas, ne sachant plus ce qu'il devait faire ? Il ne voyait surtout pas à qui se confier ? Qui l'aiderait à supporter et peut-être même à surmonter son chagrin de gosse ? Forval ? Jamais il n'oserait lui dire l'affreuse découverte qu'il venait de faire dans un couloir de théâtre... Ce serait le triomphe de l'intellectuel, le moment que l'homme attendait depuis le premier soir où il avait tout deviné au cabaret, celui aussi qu'il avait préparé — avec sa redoutable lucidité — en écrivant la scène d'essai qui était la cause de tout... S'il n'y avait pas eu cette idée démoniaque d'ELLE et LUI, il n'y aurait jamais eu de Paul Vernon... Celui-ci ne se serait trouvé en présence d'Olga que le jour où auraient commencé les répétitions de *La Voleuse*. Entre-temps, Alain aurait certainement réussi à affirmer sa conquête, à prouver son amour, à prendre sa place de jeune amant irremplaçable... Tandis qu'aujourd'hui, il n'était plus rien qu'un grand enfant que l'on oublie déjà...

Et pourtant ! Ce « maître » qu'il haïssait depuis quelques jours n'était-il pas quand même le seul capable de comprendre la détresse d'un disciple ? De cicatriser la blessure grâce à l'étrange tendresse qui l'habitait ? Un Langlois, un Skermine, ce n'était rien... Un Forval, c'était toute la sensibilité du monde!

Mais il y aurait la redoutable contrepartie de cette sollicitude attendrie, de cette compréhension calculée... Ce ne serait pas uniquement l'accueil d'un père pour un fils prodigue, que l'homme avait évoqué une nuit, ni même l'affectueuse protection d'un parain... Ce serait la volonté d'acier qui exigerait cette fois la soumission totale... Et Alain ne pourrait s'y résoudre ! Tôt ou tard il se révolterait : ce serait le drame, le vrai, infiniment plus grave, plus décisif que celui qu'il vivait aujourd'hui dans le secret de sa chambre.

L'adolescent était bien seul, tout seul...

N'ayant même pas remarqué que — dehors — la nuit était déjà venue, il sursauta comme s'il s'arrachait à un long cauchemar : des coups discrets venaient d'être frappés à la porte.

Ils se renouvelèrent comme si quelqu'un cherchait à enfoncer la cloison de la prison volontaire où le jeune homme s'était enfermé depuis des heures. Quelqu'un qui insistait avec obstination.

— Qu'est-ce que c'est ? finit par crier Alain.

Pour toute réponse, il ne reçut qu'une onomatopée gutturale, ressemblant à une plainte : elle venait d'Ali, le serviteur muet. N'était-ce pas la seule façon qu'avait le Noir d'exprimer tour à tour sa joie ou sa peine ? A travers la porte, Ali avait dû entendre les sanglots et, comme il aimait ce jeune homme qui était le seul rayon de soleil dans la maison triste, il devait être bouleversé. Alain n'aimait pas non plus faire de peine à son ami silencieux.

— Qu'est-ce que tu veux ? dit-il à nouveau.

Les mains du muet secouèrent la porte : Alain éprouva alors l'étrange impression d'avoir, tout près de lui, l'un de ces chiens merveilleusement fidèles qui sont les seuls, quand la désolation ou la mort s'approche, à ne pas vouloir abandonner leur maître en péril.

Parce qu'il avait, à cette minute, Ali, le jeune homme comprenait qu'il n'était plus complètement seul. Souvent, pendant ces trois années, il avait pensé que le Noir était un allié mais jamais il n'aurait cru qu'il pût être à ce point un ami... Et il se décida à tourner la clef dans la serrure.

En voyant le jeune visage encore ravagé, Ali comprit qu'il devait tout de suite agir pour chasser le désespoir. Il eut un geste, presque un geste maternel... Il alla vers la commode où il rangeait chaque semaine le linge de l'adolescent. Après y avoir pris un mouchoir, il revint vers Alain qui le regardait, étonné, assis sur le lit. Sans hésitation, avec une délicatesse bienfaisante, la main du Noir passa doucement le mouchoir sur le visage baigné de larmes.

Le jeune homme ressentit la fraîcheur, celle qui ne peut venir que du cœur...

Les bons yeux du Noir marquaient une inquiétude qui ne commença à se dissiper que quand Alain murmura :

— Tu es un chic type...

Fiévreusement, le muet prit sur le petit bureau, tenant lieu de table de travail, un crayon et une feuille de papier sur laquelle il griffonna : « *Le dîner est servi. Le Maître est déjà à table. Il m'a envoyé vous chercher.* »

— Dis-lui que je suis souffrant et que je ne descendrai pas dîner ce soir.

Mais Ali hocha la tête en signe de réprobation.

— Après tout, tu as peut-être raison ! dit Alain. Si tu lui transmets ce message, il va monter pour voir ce que j'ai... Et il ne le faut pas ! Ça ne le regarde pas... Personne d'autre que toi ne doit savoir... Tu ne m'as pas vu pleurer, c'est promis ?

Ali inclina la tête en signe d'assentiment.

— Fais-lui comprendre que j'arrive dans quelques instants.

Et, au moment où le Noir quittait la chambre, il murmura :

— Merci !

— Que t'est-il donc arrivé ? demanda Forval quand Alain entra dans la salle à manger.

— Pardonnez-moi, parrain, mais j'ai un tel travail que j'ai complètement oublié l'heure.

— Je ne te reprocherai jamais de trop travailler, mon petit !... Cependant, je trouve que tu n'as pas très bonne mine ce soir ? Tu n'as pas eu d'ennuis à la Faculté ?

— Pourquoi des ennuis ? répondit vivement le garçon.

— Je ne sais pas, moi... On en a à tout âge... Enfin ! S'il y avait quelque chose de sérieux, n'oublie pas que j'existe...

— Je le sais.
— Eh bien, moi, je suis de plus en plus satisfait de ma pièce.
— Elle avance ?
— D'ici quatre ou cinq jours, je te donnerai à taper la première mouture...
— Déjà ?... Vous conservez toujours le même titre ?
— *La Fille ?* Il n'y en a pas de meilleur !
— J'y ai réfléchi et je commence à partager votre opinion.
— Tiens, tiens... Ça me fait plaisir !
— Il faut, parrain, que ce soit une pièce terrible !
— Elle le sera... Rassure-toi ! Elle ôtera pour un bon bout de temps, à un spectateur qui l'aura vue, l'envie de fréquenter ce genre de femme...
— Vous laissez la fin telle qu'elle était sur votre plan initial ?
— Naturellement ! Ça te chiffonne ?
— C'est-à-dire que je trouve un peu dommage que ce soit la fille qui, uniquement grâce à sa beauté, réussisse à se faire agréer dans un milieu où elle n'aurait jamais dû être reçue... Pensez-vous que ce soit possible ?
— Si ça l'est ? Mais, mon pauvre enfant, la beauté peut vous ouvrir toutes les portes ! Seulement — et c'est là où la pièce est encore plus vraie — elle ne suffit pas : parce que la fille n'est qu'arriviste sans esprit, et ambitieuse sans culture, elle retombe encore plus bas qu'auparavant... Sa victoire est très éphémère !
— Croyez-vous que c'est ce qui se passe pour toutes les filles ?
— Comment voudrais-tu qu'il pût en être autrement ?
Alain restait songeur.
— Dis-moi, songerais-tu par hasard à l'avenir de la belle Olga ?
— Son avenir ? répéta le garçon. Pourquoi m'intéresserait-il ? Ne sera-t-il pas celui que vous lui réser-

verez ? Tout dépendra de vous après l'audition de vendredi... Ou elle vous plaira dans la scène d'essai, et vous ferez sa carrière en lui donnant le premier rôle de sa vie, ou vous la trouverez exécrable et elle retournera, comme l'héroïne de votre prochaine pièce, à la médiocrité du cabaret...

— Je crains que tu ne m'en veuilles si les choses se passaient ainsi ?

— Nullement, parrain ! Cette femme est faite pour rester là où Skermine croyait l'avoir découverte...

— C'est un peu mon avis... Cependant, mon garçon, nous devons savoir nous montrer justes à son égard...

— Et elle ? Croyez-vous qu'elle le serait pour nous si vraiment nous avions besoin d'elle ?

— Ne demande donc pas trop à une femme !... Laissons-lui quand même tenter sa chance après-demain...

Alain se taisait.

— J'ai l'impression qu'elle t'a un peu déçue ?

— Pas le moins du monde, puisque je ne l'ai pas revue !

— Sincèrement, elle ne t'a pas manqué ?

— Non !

Ce nouveau mensonge fut pour lui un baume nécessaire sur les regrets...

Revenu dans sa chambre, il n'avait plus envie de pleurer. L'heure de l'attendrissement était passée. Comme il était reconnaissant à Ali de ce qu'il avait insisté — dans son silence plus éloquent que n'importe quelle parole de consolation — pour qu'il se décidât à descendre dîner ! La conversation avec Forval avait ramené en lui le calme... Un calme fait de détermination : puisque Olga l'avait trahi, il serait désormais son plus implacable ennemi. Non seulement, il ne l'aiderait en rien au moment de l'audition mais il ferait tout pour dissuader le dramaturge de lui confier le rôle de *La Voleuse*... Seulement, connaissant la mentalité de Forval, il ne fallait pas avoir l'air de prendre systématiquement parti : mieux valait agir indirectement, aussi hypocritement qu'Olga quand elle lui avait fait croire qu'il lui plaisait...

Peu à peu, une idée commença à germer dans son esprit torturé : pourquoi ne retournerait-il pas ce soir aux *Idées Noires* en jouant celui qui n'a rien surpris derrière la porte de la loge ? Personne ne l'avait vu au théâtre... Ainsi il pourrait exactement se rendre compte jusqu'à quel point irait l'odieuse duplicité de la femme. D'avance, il savait que ce serait pour lui une cruelle expérience... Cruelle mais combien précieuse pour l'avenir ! Ce serait lui-même — et lui seul — qui apprendrait, à ses propres dépens, le véritable comportement d'une soi-disant amoureuse... Sa seule erreur, en ce moment — due à l'impétuosité et au manque de discernement de son âge — était de trop généraliser. La vie se chargerait de lui apprendre — mais beaucoup plus tard — que toutes les femmes ne sont pas sur le modèle d'une Olga, que toutes les femmes ne sont heureusement pas des filles.

Sa décision était prise : pour la troisième fois, il profiterait de l'ombre de la nuit pour se rendre au cabaret. Là, il laisserait Olga s'enfoncer dans le mensonge : ce qui lui donnerait des armes terribles pour le moment de l'audition. Si c'était nécessaire, il n'hésiterait pas à révéler à Forval et à tous, aux Langlois et aux Skermine, que, la veille même, celle qui se voyait déjà une comédienne célèbre n'avait pas hésité à devenir la maîtresse de son partenaire pour mettre toutes les chances de son côté... Ce serait l'effondrement immédiat de son pseudo-talent, ce serait aussi la honte du cabotin Paul Vernon qui perdrait toute sa superbe quelques instants avant l'audition. ELLE et LUI seraient mauvais, très mauvais, exécrables dans leur jeu... Il le fallait ! Alain tenait sa vengeance.

Déjà, sans avoir pourtant connu l'acte d'amour et

la possession, il y avait en lui toute la jalousie de l'homme bafoué. Comment, dans l'état de fièvre rancunière où il se trouvait, aurait-il pu se rendre compte qu'un tel sentiment n'avait pénétré dans son cœur que parce qu'il était éperdument amoureux ? Dans quelques heures, au cabaret, quand il se retrouverait en présence d'Olga, il ne serait à nouveau que le papillon inconscient qui revient sans cesse frôler la lampe mortelle jusqu'au moment où il se brûle les ailes pour toujours...

Comme les autres soirs, il attendit, pour sortir, que tout fût endormi dans la maison. Et, une fois de plus, il se retrouva dans la rue.

Mais, avant de partir, il avait pris soin de prendre dans un tiroir de son bureau une feuille de papier manuscrite qu'il avait enfouie là depuis des mois avec un véritable respect : c'était une page écrite de la main de Forval. Une page qu'il avait réussi à subtiliser dans le flot des manuscrits et qu'il s'était bien promis de conserver toujours pour lui, comme étant le plus précieux souvenir du grand homme. Ce soir, il était prêt à sacrifier ce souvenir pour tenir la promesse faite la veille à la strip-teaseuse qui, elle, ne s'était jamais moquée de lui, ni de personne. Elle avait droit à ce cadeau auquel il avait pensé quand il lui avait répondu, après qu'elle lui eût demandé un autographe de Forval : « Je vous apporterai quelque chose de beaucoup mieux. » Jamais il n'aurait fait un présent d'une telle qualité à Olga, qui aurait été incapable d'en apprécier la valeur.

Son plus grand étonnement, en pénétrant dans le cabaret, fut de ne pas voir M. Raoul installé derrière le bar. Le « maître d'hôtel » l'y remplaçait.

— Bonsoir, monsieur, dit-il aimable en reconnaissant le jeune client qui, pour lui, était doublement important : n'était-il pas déjà un habitué et un ami du « patron » ?

— M. Raoul n'est pas là ?

— Non. Je crois qu'il a ce soir une réunion syndicale de tous les patrons de cabarets. Il est question d'une grève éventuelle du personnel des établissements de nuit et ces messieurs doivent étudier les modalités d'un accord.

— Mais Olga est là ?

— Elle doit être dans sa loge.

— J'y vais...

— Je ne sais si je peux vous laisser pénétrer dans les coulisses ?

— J'y étais déjà hier soir pendant une bonne partie de la soirée... M. Raoul m'a donné toutes les autorisations.

— Dans ce cas...

— Inutile de me conduire : vous avez beaucoup de travail entre le bar et la salle. Je connais le chemin...

Ce fut avec dégoût et écœurement qu'il retrouva le couloir crasseux.

Il alla d'abord frapper à la porte de la loge de la strip-teaseuse dont la voix claire dit : « Entrez ! »

— Ah ! c'est vous ?

— Bonsoir, Maguy... Voici ma promesse : une page entièrement manuscrite d'André Forval... Elle faisait partie d'une pièce qu'il a finalement renoncé à écrire...

La fille brune prit, avec une étrange ferveur, le feuillet avant de répondre :

— C'est merveilleux ! Je ne sais comment vous remercier ?

— C'est très normal, au contraire... J'ai voulu vous prouver, par ce geste bien modeste, que je n'attache aucune importance à votre présence ici et que je sais la véritable femme qui se cache en vous...

— Merci... Vous êtes charmant.

Pour elle, il n'était pas « très gentil » comme pour Olga. Il n'était que charmant... Il sut savourer la nuance.

Une silhouette venait de s'encadrer dans la porte,

restée ouverte : celle d'Olga... Une Olga qui dit sur un ton assez désagréable :

— Vous êtes donc là ?

— Mais oui... J'avais un cadeau à apporter à Maguy.

— Un cadeau ? Voyez-vous ça !... Je n'ai pas encore eu cette chance, moi !

— Patientez un peu : je vous en ai réservé un qui vous étonnera...

— Vrai ?

— Oui.

— Vous venez dans ma loge ?

— Je vous suis... A bientôt, Maguy !

— Merci !

Olga attendit d'être avec lui et d'avoir refermé sa porte pour demander :

— Alors, tu me délaisses ?

— Plutôt moins que toi...

Ça lui avait échappé. Il le regretta mais c'était trop tard.

— Que veux-tu dire ?

Puisqu'il venait de laisser percer le fond de sa pensée, autant déballer tout le paquet ! La rage, qui lui remplissait le cœur, l'empêchait de se contenir davantage. Ce fut en cela qu'il montra à nouveau qu'il était encore jeune, trop jeune pour dissimuler longtemps. Oubliant ses résolutions, il attaqua :

— Contente de la répétition de cet après-midi ?

— Enchantée !

— Il a été aimable, Vernon ?

— Adorable...

— J'ai complètement oublié de te prévenir qu'il avait une fichue réputation...

— A quel point de vue ?

— Au point de vue « femmes »... On dit qu'il ne peut pas en voir une sans sauter dessus...

— Tu as de ces expressions !

— Elles sont vraies.

— Eh bien, avec moi, il s'est montré correct.

— Tu as de la chance !
— Peut-être ne suis-je pas à son goût ?
— Il serait vraiment difficile !
— Avec les hommes, on ne sait jamais, mon petit ! Ce n'est pas parce que je te plais qu'il en est de même avec d'autres !
— Toi ? Tu plais à tout le monde !
— Ne crois pas cela ! dit-elle mollement pendant qu'elle se réasseyait devant sa table à maquillage.
Interloqué par son calme, il resta un moment silencieux, debout derrière elle, la dévisageant intensément. A la fin, il se décida à demander :
— Ça va durer longtemps ?
— Quoi ?... Mon maquillage ?
— Cette comédie...
— Quelle comédie ?
— Celle que tu me joues depuis le premier jour où tu m'as dit que je te plaisais...
— Tu me plais toujours...
— Malheureusement, je ne suis pas le seul !
Sa voix répéta instinctivement, comme s'il avait appris, lui aussi, ces répliques par cœur : « *Je savais que nous deviendrions des amis... Tu dois être un amant merveilleux...* »
Les yeux glauques s'immobilisèrent et le fixèrent à leur tour — dans le miroir de la coiffeuse — avec une dureté inconnue pendant que la voix, redevenue rauque, demandait :
— Où étais-tu cet après-midi ?
— Au théâtre...
— Voilà qui est nouveau ! Et qu'est-ce que tu y faisais ?
— Je te surveillais...
— Déjà ?
— Et je ne le regrette pas ! J'ai tout compris !
— Qu'est-ce que tu as compris ?
— Que demain, à trois heures, tu serais chez LUI...
— Tu as même écouté aux portes ? Sais-tu que ce n'est pas très joli, ni très élégant ?

— Parlons d'élégance !

— Tu m'amuses, mon petit... Tu es comme un poulain rageur...

— Un poulain ?

— Un poulain qui aurait déjà la férocité d'un étalon...

— Tu te crois aux courses, comme M. Raoul ? A propos, où est-il donc passé, celui-là ?

— Celui-là ?... Il boude.

— Tu continues à te moquer de moi ?

— Aucunement ! Raoul est furieux parce que cet après-midi, on l'a prié de quitter la salle pendant la répétition... Ça l'a vexé, figure-toi ! Il se croyait indispensable, lui aussi !... Mais tu dois bien savoir que Langlois l'a fait sortir, puisque tu étais là ?

— Je le sais, en effet... C'est même le seul point sur lequel tu as dit la vérité ! Alors, cette histoire de syndicat, dont vient de me parler l'un de ses sbires, c'est faux ?

— Il fallait bien que j'invente quelque chose à l'usage du personnel, qui est toujours prêt à faire des gorges chaudes des petits ennuis qui peuvent arriver à la direction.

— Où est-il alors ?

— Mystère ! Et c'est bien le cadet de mes soucis !

— Comme tu l'aimes !

— Je l'adore !

— Es-tu seulement capable d'aimer quelqu'un ?

— Moi, figure-toi !

— Je m'en doutais un peu...

— Toi aussi, je t'aime... parce que tu m'aimes !

— Tu le crois !

Il se tut un moment, avant d'ajouter, plus bas :

— Oui... je t'ai aimée, c'est vrai ! Mais c'est fini...

— Tu m'aimes toujours, Alain... Sinon tu ne serais pas ici en train de me faire la première scène de jalousie de ta vie ! Sais-tu que ça te va très bien d'être jaloux ? Tu me plais énormément ce soir...

— Tais-toi !

— Veux-tu que je t'en donne une preuve ?

Et, comme il la regardait, affolé et éperdu, elle continua :

— Tu vas retourner t'asseoir bien gentiment au bar... Tu attendras que j'aie fait mon tour de chant... Ensuite tu partiras le plus naturellement du monde et tu m'attendras dehors, à l'angle de la première rue : arrange-toi pour que le chasseur de l'entrée ne te remarque pas... Ça pourra durer vingt minutes, peut-être plus : le temps de me changer... Et je te rejoindrai par la sortie des artistes... Comme tu seras sorti pas mal de temps avant moi, personne ne s'apercevra de rien dans la maison...

— Où irons-nous ?

— Tu le sauras quand je t'aurai rejoint.

— Tu ne « feras » donc pas la salle comme les autres nuits ?

— Il n'y a aucune raison que je me fatigue quand Raoul se promène !

— Pourquoi tout cela ?

— Pourquoi ? Puisque tu m'as entendue cet après-midi, tu as pu te rendre compte que j'avais un besoin fou d'aimer quelqu'un d'autre... Autant que ce soit toi qui es sincère...

— Tu le ferais ?

— Mais oui, mon petit Alain... Cette nuit, tu vas devenir mon jeune amant...

Les yeux de l'adolescent marquèrent l'affolement.

— Ça te fait peur ?

— Je... je ne sais plus...

— Alors, ne pense à rien et attends-moi.

— Mais... demain ?

— Demain ? C'est loin, demain ! Pourquoi parles-tu toujours de demain ?

— L'autre ?

— Vernon ? Tant pis pour lui ! C'est toi qui gagnes... Maintenant, va-t'en !

Il s'était penché vers elle dans un élan pour l'embrasser. Elle le repoussa doucement en murmurant :

— Un peu de patience, jeune poulain ! Tu n'attendras plus longtemps... Je te le promets !

— Olga !

Elle lui mit un doigt sur les lèvres en disant :

— A tout de suite !

Il sortit de la loge, comme s'il était ivre.

L'attente, dans la rue et dans la nuit de Paris, fut pour lui l'un des moments les plus grisants qu'il eût connus jusqu'alors. Il n'était encore que « l'adolescent », mais bientôt il serait « le jeune amant »... C'était cette pensée surtout qui le fascinait. A chaque bruit de pas se rapprochant, à chaque silhouette se dressant dans l'ombre, son cœur battait plus vite mais, comme ce n'était jamais ELLE, l'amoureux retombait dans une demi-prostration. Malgré tout, il avait maintenant confiance : il était sûr qu'elle viendrait... Elle ne tarderait pas à être là... Une aussi belle femme avait l'habitude de prendre son temps pour changer de robe : c'était normal. Elle ne pouvait pas venir le rejoindre en robe de scène ! Il se plut à imaginer comment elle serait habillée pour ce rendez-vous décisif, « leur » premier véritable rendez-vous... Son imagination, une fois de plus en fièvre, parait successivement la belle des toilettes et des atours les plus extraordinaires... Cette fois, elle ne serait pas dans le négligé désastreux qu'il avait tant regretté le premier après-midi où il était venu la faire « travailler ». Dans quelques instants, elle serait là, splendide, éblouissante !

Les vingt minutes, dont elle avait parlé, étaient passées depuis longtemps... La demi-heure aussi... Peu importait ! Elle viendrait ! N'avait-il pas également pour lui ce soir la chance que la nuit fût douce et magicienne d'étoiles ? Mais même s'il avait plu à torrents, si le froid avait été glacial, il serait resté, immobile, à la même place, pendant des heures et des heures... Le temps ne compte plus quand on attend l'Amour.

Enfin, elle surgit de la nuit. Il eut d'abord une toute petite désillusion, très courte : la femme de rêve ne portait ni robe somptueuse ni fourrure. Vêtue d'un simple manteau de cuir noir, elle n'avait même pas pris le soin de se débarrasser de son maquillage de scène. Mais, après tout, si elle ne l'avait pas fait, n'était-ce pas parce qu'elle n'avait pas voulu qu'il attendît davantage ? Et ne l'aimait-il pas maquillée ? N'était-ce pas ainsi qu'elle lui était apparue, quelques nuits plus tôt, pour la première fois dans le halo des projecteurs ? Pour protéger sa coiffure, elle avait noué un foulard de soie autour de sa tête : ce qui la faisait ressembler à une très belle et très étrange paysanne. Les lunettes noires enfin achevaient de faire d'ELLE la femme qui ne veut pas être reconnue au moment où elle va retrouver l'amant. Ce besoin de pudeur, bien compréhensible et tout à son honneur, acheva de dissiper la courte déception.

— Viens, dit-elle en glissant gentiment son bras sous le sien.

— Où allons-nous ?

— C'est tout près d'ici et c'est très discret... Surtout, quand nous serons arrivés, ne dis rien et laisse-moi faire : toi, tu n'as pas encore l'habitude...

Il n'osa pas demander : « Et toi ? », tellement il était heureux de l'avoir à son bras. Puérilement, il regrettait presque de ne pas être au grand jour et que la rue fût déserte. Il aurait voulu pouvoir étaler son bonheur en pleine lumière et que tout le monde pût l'envier d'avoir à ses côtés une aussi merveilleuse créature.

Après avoir tourné dans la première rue à droite, ils prirent la première ruelle à gauche, marchant vite, en silence. Le martèlement des talons de la Belle sur le trottoir rythmait les battements de plus en plus précipités du cœur de l'adolescent qui se laissait conduire vers son destin d'amoureux.

Arrivée devant un immeuble sur lequel se détachait, assez peu éclairée, une enseigne portant la simple enseigne « Hôtel », elle dit :

— C'est ici... Suis-moi...

Il l'aurait suivie n'importe où, ne pouvant plus ni réagir ni résister. Cependant, au moment de franchir le seuil de l'hôtel, il eut un commencement de vertige : ses jambes se dérobaient.

— Qu'est-ce que tu as ? demanda-t-elle.

— Rien... Mais tu comprends : pour moi, c'est la première fois...

— Je l'espère bien ! C'est pourquoi je t'ai dit de me laisser faire...

La porte de la chambre s'était refermée. Ce fut elle qui tourna le verrou.

Entre l'instant où elle fit ce geste, qui les isolait, et celui où ils étaient entrés dans l'hôtel, les événements s'étaient succédés dans un carrousel vertigineux qu'il avait subi, docile et déjà vaincu. Il l'avait entendu répondre au portier, dont la seule demande avait été en les voyant : « Si c'est pour la nuit, il faut remplir des fiches » :

— Non, c'est pour un moment...

Un moment ? avait pensé aussitôt Alain. Mais ce ne pouvait être pour un moment ! Ils s'aimeraient toute la vie ! Il le savait... Enfin, il le croyait.

Ils avaient gravi deux étages, derrière l'homme qui les précédait. Deux étages d'un escalier encore plus sordide que celui au bas duquel elle était apparue, venant de l'appartement, aux *Idées Noires.* Ensuite, ils avaient longé un couloir à peu près aussi sombre que celui des loges, au théâtre. Comme au théâtre, chaque porte, donnant sur ce couloir, avait un numéro. La seule chose dont il se souvenait vraiment — et qu'il ne pourrait jamais oublier par la suite — était le numéro de la chambre où ils étaient entrés : le 7. Un chiffre porte-bonheur...

Olga avait glissé un billet dans la main du veilleur en disant :

— Ça va, gardez le reste.
La porte s'était refermée...

Ils étaient dans la chambre.

Une triste pièce, destinée à être louée « au mois ou à la journée », mais, le plus souvent, « à l'heure ». Ce devait être la raison pour laquelle tout luxe superflu en était exclu. Le papier à fleurs, collé sur les murs, étaient tellement délavé que l'on avait l'impression que les pauvres fleurs étaient mortes le jour même où elles avaient été peintes... Le mobilier se réduisait au strict minimum : un fauteuil sans âme, une chaise au dossier dur, un lit enfin... Le couvre-lit était déjà replié, indiquant que tout était prêt... Au pied du lit, mais d'un seul côté, il y avait une carpette posée sur un parquet rarement ciré. Face au lit, accrochée au mur, une grande glace, légèrement inclinée, permettait à ceux qui se vautraient de s'admirer, dc se repaître de leurs ébats... A la tête du lit, le dominant, suspendue également au mur, une gravure qui se voulait libertine — deux femmes enlacées — mais qui n'était que pornographique. Le lit était véritablement le centre de tout : il n'y avait que lui qui comptait. Plus même que les occupants qui s'y succédaient, il était « le personnage » indispensable de la chambre aux volets clos...

Il y avait aussi, masqué par un paravent hideux, un semblant de cabinet de toilette... Il y avait surtout, imprégnant l'atmosphère, une odeur de mauvais parfums...

Mais, à tout cela, Alain ne faisait pas attention. La seule chose importante était qu'il fût seul avec Olga... Olga qui lui semblait plus belle qu'elle ne l'avait jamais été ! Olga, qui venait de retirer les lunettes mystérieuses et dont le regard le dévisageait avec une voracité qu'il ne lui avait encore jamais connue. Il se sentait la proie de ce regard et cela l'enivrait d'un plaisir inconnu...

Elle se rapprocha et tendit ses lèvres, savamment dessinées, rendues immenses, voluptueuses, par le rouge du maquillage... C'étaient ces lèvres-là, sophistiquées, qu'il avait eu envie d'embrasser — et pas des lèvres normales — dès qu'il les avait vues sur la scène du cabaret... Il les prit avec volupté... Et elles marquèrent les siennes... Après une longue étreinte, elle repoussa de la main le jeune visage en disant :

— Maintenant, mon chéri, tu as l'air d'un vrai « mignon » !

Mais il n'avait même plus la force de se révolter contre l'appellation infamante. Elle le tenait et elle ne le lâcherait plus jusqu'à ce que tout fût consommé.

— Déshabille-moi ! ordonna-t-elle.

Il commença à le faire, maladroitement.

— Tu n'avais jamais déshabillé une femme ?... Ne déchire pas mes bas surtout ! J'y tiens !... C'est sur le côté que se détache ce soutien-gorge... Enfin ! Ce n'est pas trop mal pour la première fois...

Elle se dressa nue devant lui, impudique, sculpturale, splendide, insolente... Il la contempla à la fois avec désir et avec crainte, n'osant approcher.

— Tu n'avais donc pas encore vu de femme complètement nue ? demanda-t-elle, comprenant l'hésitation.

— Jamais !

Elle s'allongea nonchalamment sur le lit en ordonnant encore :

— Déshabille-toi à ton tour...

Il obéit. Elle l'observait... Quand il fut nu à son tour, elle murmura doucement :

— Approche... Sais-tu que tu es très beau ? Et bien proportionné ? J'aime tout ce qui est harmonieux ! Viens...

Elle l'attira, frémissant, sur le lit à côté d'elle. Presque aussitôt il sentit les mains — de très douces mains de femme — qui prodiguaient leurs caresses... Dès lors, il n'y eut plus qu'une chose qui comptât : le plaisir... Celui de la femme était surtout fait d'une perversité décidée à révéler au garçon des joies physiques auxquelles il n'avait pas encore goûté ; celui du jeune mâle venait du besoin de s'abandonner enfin dans l'acte d'amour... Alain était assoiffé de cette tendresse qu'il n'avait encore jamais connue pendant sa jeunesse solitaire. Cette nuit, les caresses tiendraient lieu de tendresse.

En quelques instants, la Belle avait su faire de l'adolescent une Bête. Bientôt, elle put dire de sa voix chaude, celle qui exprimait si bien l'amour dans les chansons :

— Je te tiens, mon petit... A chaque fois que je le voudrai, tu seras mon prisonnier...

Brusquement, le garçon s'arracha à l'étreinte et se réfugia dans un coin du lit, le visage enfoui dans l'oreiller, sanglotant...

— Qu'est-ce qui te prend ? demanda-t-elle, stupéfaite.

Il ne répondit pas. Son corps continuait à être secoué par les sanglots. Elle se rapprocha, murmurant :

— Tu m'en veux ?

Il secoua la tête pour dire : non !

— Alors, tu t'en veux à toi-même ?

Les sanglots redoublèrent : elle avait découvert la raison du chagrin.

— Tu regrettes ce que tu viens de faire ?... Mais pourquoi, mon petit ? Il fallait bien qu'un jour ou l'autre, tu deviennes un homme... Ne te plains pas trop ! Tu as beaucoup de chance : entre toi et moi, c'est très beau... Plus tard, tu en garderas un bon souvenir... Ce n'est pas comme moi !

La voix continua, dans une sourde confession :

— ... J'étais bien plus jeune que toi : quinze ans... Oh ! J'étais déjà formée mais j'ignorais tout de l'homme... J'étais belle mais je ne m'en préoccupais même pas... Je travaillais comme petite bonne là où l'Assistance Publique m'avait placée... Je voyais bien que les hommes commençaient à me rôder autour, mais ça ne faisait que m'amuser : ça me flattait peut-être aussi ? Et puis, un jour, mes patrons m'ont mise à la porte en m'accusant d'un vol que je n'avais pas commis... La vérité — je ne l'ai comprise que longtemps plus tard — c'est que la femme était jalouse de la très belle fille que je promettais d'être... J'ai fait une autre place, puis une troisième... Partout, c'était la même histoire ! Partout j'étais flanquée à la porte au bout de quelques jours... Et un soir, je me suis retrouvée dans la rue... J'étais comme toi tout à l'heure : seulement je n'attendais personne... Toi, tu savais que j'allais venir et cela te rendait heureux... La nuit aussi a été belle, clémente pour toi... Moi, il pleuvait... Je ne savais pas où aller avec ma petite valise où j'avais empilé une jupe, un pull-over, un pyjama, quelques objets de toilette : enfin tout ce que je possédais !... Je me souviens que je me suis réfugiée sous une porte cochère... Devant moi, les gens passaient vite, pressés, détestant la pluie... Je voyais des couples qui me faisaient envie parce que je savais qu'ils avaient un « chez eux » où ils pouvaient rentrer... Un homme seul s'est approchée... Il avait une gabardine... Il m'a demandé ce que je faisais là ? Je lui ai répondu que je cherchais du travail... Il a éclaté de rire en me disant : « Ici ? Mais ce n'est pas là que tu en trouveras, ma petite ! » J'entends encore sa voix et son rire qui m'ont fait très mal ! « Viens, a-t-il ajouté, on va aller dans un endroit où on sera bien au chaud. » Je l'ai suivi : après tout, celui-là ou un autre au point où j'en étais !... On est entré dans un hôtel... Il a payé la chambre, il a mis le verrou... Tu devines le reste ! C'est comme ça que j'ai découvert l'amour... Avoue que tu as tout de même eu plus de chance que moi ?

Pendant qu'elle parlait, les sanglots du garçon avaient cessé. Il finit par tourner vers elle son visage, en demandant :

— C'est pour cela que tu m'as emmené ici ?

— Oui... Je voulais que, pour la première fois où tu connaîtrais l'amour, toi qui as toutes les chances et qui vis dans le luxe de Forval, tu aies un peu les mêmes impressions que moi... J'ai pleuré, moi aussi, longtemps... L'homme m'a dit que j'étais une idiote et que, faite comme je l'étais, j'avais bien tort de m'en faire ! Que je pouvais gagner ma vie facilement... Et il m'a laissée... Mais, avant de quitter la chambre, il a jeté sur le lit un billet de banque : c'était le premier que je recevais de cette façon-là... Oh ! ce n'était pas un gros billet, mais quand même... Ça voulait dire : « Voilà quel sera ton travail à l'avenir ! » Peut-être qu'aussi l'homme avait eu un peu pitié ? Il y a, comme ça, des gens qu'on n'a jamais vus, qu'on ne reverra jamais et qui sont cependant capables de comprendre qu'on est dans la détresse, qu'on est perdu s'ils ne vous aident pas... Et ils le font, à leur manière ! Tu m'en veux de ce que je te raconte ?

— Non.

— Je ne sais pas d'ailleurs pourquoi je te dis tout cela à toi qui n'es encore qu'un gosse... un gamin qui pleure parce qu'il vient de découvrir le plaisir ! Au fond, c'est peut-être justement parce que tu as pleuré que je te fais mes confidences ?... Personne ne les connaît !

— Même M. Raoul ?

— Même lui !

— Pourtant il m'a dit, le premier jour où j'ai parlé avec lui, qu'il t'avait ramassée dans le ruisseau ?

— C'est vrai ! Mais il n'aurait pas dû te le dire, le salaud !

— Tu l'aimes pourtant ?

— Tais-toi ! Je crois que je n'aime personne... Que je ne pourrai jamais !

— Même moi ?

— Même toi, mon petit... Pour le moment, tu me plais ; n'en demande pas plus ! Je ferai de toi un véritable amant ! Tu es beau, tu es jeune, tu es intelligent, tu as tout ! Tu verras que bientôt toutes les filles te courront après.

— Les filles ?

— Ou les femmes, c'est pareil ! Elles ne valent pas mieux !

— J'ai bien senti que tu ne m'aimais pas quand nous étions l'un à l'autre... Tu me désirais, c'est tout...

— C'est vrai : je voulais être la première...

— Tu es un monstre !

— Je suis femme ! N'importe laquelle, à ma place, aurait voulu la même chose...

— C'est horrible !

— C'est beau, au contraire ! Très beau ! C'est une loi ! En amour, l'homme donne et la femme reçoit !

— Et si moi je t'aimais ?

— Tu me désirais, toi aussi. Ne cherche pas plus loin !

— Je sais que je t'aime... Je t'ai aimée tout de suite, dès quc jc t'ai vue... Je te l'ai prouvé...

— En faisant quoi ?

— Tout ce que je pouvais pour t'aider à réussir le jour de l'audition... A cause de toi seule, j'ai tout risqué, mêmc de perdre ce soi-disant « luxe » que tu sembles me rcprocher.

— Il t'a mis à la porte ?

— Ça viendra sûrement !

— Et alors ? J'ai connu cela avant toi : c'est un patron comme un autre... Les patrons, c'est fait pour vous mettre à la porte ! Toi aussi, il faut que tu connaisses tout ce que j'ai connu... Ce ne sera qu'à ce prix que tu finiras par me comprendre et que tu m'aimeras peut-être vraiment.

— Je t'aime, Olga... Je t'ai comprise... Tu vois : j'ai écouté tout ce que tu viens de me dire et je ne t'en veux pas...

— Alors ? Pourquoi as-tu pleuré tout à l'heure ?

— Parce que j'ai honte de moi... Je n'aurais pas

voulu que ça se passât ainsi... Dans cet hôtel, dans cette chambre !

— Qu'est-ce qu'elle a, cette chambre ? Elle est comme toutes les autres, avec un lit... Tu n'as même pas eu le temps de la regarder !

Maintenant je la vois... Elle me fait horreur !

— Tais-toi !

Il avait quitté brusquement le lit.

— Qu'est-ce que tu fais ?

— Je me rhabille...

— Tu es donc si pressé ?

— Il faut que je parte ! Tu ne peux pas comprendre... C'est plus fort que moi ! Si je reste plus longtemps ici, je sens que je deviendrai fou ! Imaginer que nous deux... Toi que je trouvais si belle, tellement désirable... Et moi... Ici !

— Tu aurais sans doute voulu un palais ?

— Oui... c'est bien cela : un palais ! Tu as raison : j'y ai rêvé tous les soirs depuis que je t'ai vue...

— Malheureusement, mon petit, les palais ça n'est fait ni pour toi ni pour moi !

— Qu'est-ce que tu en sais ?

— Tu penses à l'hôtel particulier de Forval ? Tu n'avais qu'à m'y inviter ce soir... Ça aurait sûrement été plus poétique, puisque c'est cela que tu cherches !

— Toi chez Forval, avec moi ! Tu es folle !

— Il en ferait une tête, hein ? Et toi ? Tu n'aurais pas eu le courage ?

— Le courage ?

— Il en faut pour imposer à tous la femme qu'on aime ! Dire que tu as eu le toupet de me répéter que tu m'aimais ! Tu me fais pitié !... Habille-toi vite : c'est ce que tu as de mieux à faire ! Et va-t'en !

— Tu restes ici ?

— J'ai tout le temps, moi ! On ne m'attend pas...

— M. Raoul ?

— Je m'en f... !

Le corps magnifique était toujours allongé sur le

lit pendant qu'il s'habillait, fébrilement, en silence. Il sentait que, remplis d'une immense lassitude, les yeux continuaient à le fixer, mais il n'avait plus qu'une idée : éviter le regard.

— Tu ne veux plus me voir ? dit-elle doucement.

— Si... Mais j'ai besoin d'être seul.

— Seul ? N'as-tu pas plutôt envie de rejoindre « ton » Forval ? Sois franc, au moins ?

— Je n'ai envie de rejoindre personne... Et il n'est pas « mon » Forval. Il n'est rien pour moi.

— Quoi qu'il arrive à l'avenir, je t'ai eu avant lui, mon petit... Et je t'ai donné le goût de la femme ! C'était ce qu'il fallait... Oh ! je sais : en ce moment, tu me détestes ! Comme tu es un garçon bien élevé, tu n'oses pas me le dire... Seulement demain, ou après-demain, ou beaucoup plus tard, tu me reviendras...

Il resta muet.

— ... Et même si ce n'était pas vers moi que tu revenais, tu en rencontreras un jour une autre et tu iras à elle... Ce jour-là, tu n'auras plus d'appréhension parce que tu sauras... Tout se passera bien ! Et, de femme en femme, tu prendras l'habitude...

— Ce n'est pas vrai ! C'est toi seule qui me plais !

— C'est déjà mieux de me dire que je te plais plutôt que « je t'aime »... Je ne me fais aucune illusion : tu connaîtras beaucoup d'autres femmes ! Mais, plus tu en verras et plus tu penseras à moi... Un moment viendra sûrement où tu oublieras mon visage, où tu ne sauras plus très bien comment j'étais faite, sinon que j'étais grande... Mais, quand même, dans tes souvenirs, un prénom résonnera : Olga...

— C'est ton vrai prénom ?

— Même pas ! Tout est faux en moi, mon petit !

— Quel est ton vrai prénom ?

— Est-ce qu'on demande ça à une fille ? L'homme à la gabardine n'avait pas pris cette peine...

Il était debout, devant le lit, hésitant.

— Eh bien, pars !

— Je ne peux pas te laisser seule ici !

— Ce n'est pas la première fois que ça m'arrive... Souviens-toi... Avant d'entrer dans cet hôtel, je t'ai dit : « *C'est tout près... C'est très discret...* » La preuve que je connais les lieux...

— Tu es venue souvent ?

— Chaque fois que j'ai eu envie d'un homme... Mais ce que je peux te certifier, c'est la première fois que je m'offre un gosse ! Ça ne te fait pas plaisir ? Ça ne te flatte pas ? « La Belle Olga », que tous les clients des *Idées Noires* désirent, amoureuse de toi ?

— Amoureuse ?

— Oui... C'est bête, hein ? Mais rassure-toi : ça me passera...

— Viens... Je vais te raccompagner jusqu'au cabaret.

— Tu n'aurais pas peur de te retrouver en face de M. Raoul ?

— Non.

— Voilà bien la première chose gentille que tu m'aies dite ce soir ! Mais je ne t'imposerai pas ce risque... Il comprendrait vite, l'autre ! Tu ne m'embrasses pas ?

Il se pencha vers le lit... Une fois encore, il l'étreignit.

— Ça ne t'excite pas de tenir une femme nue dans tes bras quand tu es habillé ?

— Oui...

— Je t'ai dit que je t'apprendrais une foule de choses...

— Olga... Qu'est-ce que tu vas faire demain ?

— Encore « demain » ? Pourquoi toujours « demain ? D'abord, nous y sommes... Il est au moins trois heures du matin ! Alors...

— Tu ne vas pas aller chez... Paul Vernon ?

— Ça t'ennuierait vraiment ? Qu'est-ce que ça peut te faire maintenant, puisque tu m'as eue avant lui ?

— Je ne t'ai pas eue... Je le sais très bien !

— Ça t'agace, l'histoire de Vernon ?

— Oui... C'est un mufle !

— Et toi ? N'es-tu pas en train de prendre le même chemin ?

— Je te respecterai toujours ! Si tu l'avais voulu, je t'aurais attendue longtemps, très longtemps...

— Admettons que j'aie été plus impatiente que toi... Et je réponds à ta question : je n'irai pas chez Vernon... Je ne le reverrai que demain soir, à dix-huit heures, au théâtre pour la dernière répétition, en présence de Langlois, de Skermine et même de M. Raoul... Tu es rassuré ?

— Je t'aime !

— Laisse-moi : je crois que, moi aussi, j'ai besoin d'être seule... Apporte-moi mon sac...

Elle y prit un étui à cigarettes et un briquet qu'elle lui tendit :

— Donne-moi du feu.

Il le fit.

Toujours allongée, elle sembla aspirer avec délices une première bouffée. Ses narines se dilatèrent, sensuelles, rejetant la fumée, pendant qu'elle disait :

— C'est merveilleux, une cigarette après l'amour... Vraiment, tu ne veux pas essayer ?

— Non.

— Ça aussi, tu y viendras ! Je te donnerai tous mes goûts...

— Quand pourrai-je te revoir ?

— Tu vois : tu y viens déjà !... Passe me dire bonsoir au cabaret la nuit prochaine : je te raconterai comment se sera passée la répétition...

— Je pourrais très bien aller à nouveau, en secret, au théâtre demain après-midi ?

— Ecoute : je t'ai promis de ne pas aller au domicile de Vernon... Promets-moi à ton tour de ne pas venir au théâtre ? Si j'ai l'impression que tu es là, caché quelque part en train de m'observer, ça me gênera et ça m'ôtera tous mes moyens...

— Mais je suis ton allié, moi !

— Justement : pour gagner une bataille, je préfère n'avoir en face de moi que des ennemis... comme aux *Idées Noires !*

— Des ennemis ? Les gens t'adorent !

— Tu crois cela ? Ils ne m'adorent que parce qu'ils espèrent m'avoir à eux... Mais le jour où ils découvrent que c'est impossible, ils ne reviennent qu'en ennemis... Je rattrape ça en les faisant boire après mon tour de chant : quand ils sont saouls, ils oublient leur rancune... « Ça fait la recette », comme dirait Raoul.

— Dis, celui-là, tu ne vas pas rester avec lui ?

— Cela dépendra de deux choses : pour pouvoir le laisser tomber, il faut que je devienne la grande vedette dont tu rêves.

— Tu le seras ! Je te le promets ! Après-demain, à l'audition, je ferai tout pour que mon patron te donne le rôle... Mais je crois qu'il est déjà décidé à le faire... Jure-moi de ne répéter à personne ce que je vais te confier ?

— Promis.

— André Forval écrit une autre pièce à ton intention... C'est donc qu'il est à peu près sûr que tu seras excellente vendredi.

— Une autre pièce ?

— Oui... Elle s'intitule : *La Fille...*

Elle eut un sourire :

— Un titre qui me convient...

— Non ! Tu n'es plus une fille, Olga ! Tu es ma maîtresse !

— Je ne le serai — et ce sera la deuxième condition à réaliser pour que je quitte Raoul — que si je sens que tu m'adores ?

— C'est fait.

— Malgré tout ce que je t'ai dit ?

— Oui...

— Va-t'en vite !

Au moment où il approchait la main du verrou, elle l'appela :

— Alain ?... Avant de quitter cette chambre, regarde-la une dernière fois... Il n'y a rien qui te frappe dans le mobilier ?

— Il est hideux !

— A part ça ?... Regarde : qu'est-ce qu'il y a sur le mur, face à ce lit ?

— La glace...

— La glace ! Tu me vois dans la glace ?

— Je te vois nue sur le lit.

— Et toi, tu te vois ?

— Oui...

— Alors, regarde bien ton visage : ne trouves-tu pas que c'est celui d'un gosse qui est devenu un homme ?

Il avança, lentement, devant la glace inclinée... Lentement aussi, il passa ses mains sur son visage avec une sorte de stupeur en balbutiant :

— Je crois que tu as raison...

Puis il s'enfuit.

Restée seule, elle s'étira paresseusement et eut un sourire de satisfaction.

Pour la troisième fois, il était rentré, en pleine nuit, dans la demeure silencieuse. Bientôt, il le savait, cela deviendrait pour lui une habitude. Si, un jour, André Forval s'y opposait, il partirait... Il irait n'importe où ! Il ferait n'importe quoi pour pouvoir retrouver Olga... Elle avait eu raison quand elle avait dit : « *Quoi qu'il arrive à l'avenir, je t'ai donné le goût de la femme !* »

Ce soir encore, tout s'était bien passé pour le retour : le lustre ne s'était pas allumé, Forval ne se doutait de rien. Alain avait pu rejoindre rapidement sa chambre dont il tourna la clef à double tour : geste qui lui en rappela un autre, vu quelques heures plus tôt dans une autre chambre infiniment plus misérable, et qui avait marqué son obéissance à la femme.

A nouveau, il se déshabilla mais, quand il se retrouva dans « son » lit, il y éprouva une étrange sensation de solitude... Il pensait à celle qui était peut-être encore en ce moment étendue, fumant une cigarette, contemplant avec complaisance sa nudité dans une glace... Et le prénom, le faux prénom, Olga, que le temps n'effacerait jamais, revint inlassablement sur ses lèvres qui venaient de goûter à la volupté...

LA BLESSURE

En pénétrant dans l'amphithéâtre de la Faculté, où il venait depuis des mois, Alain ressentit une curieuse impression : il lui semblait que ce décor, cependant très familier pour lui, n'était plus le même. Mais il aurait été bien incapable de dire quels étaient les changements ?

Ses camarades aussi paraissaient ne pas être les mêmes que la veille après-midi. Et, pourtant, c'étaient bien les mêmes visages.

Alain ne réalisait pas encore que c'était en lui-même — et non pas autour de lui — que la transformation s'était opérée... La veille, il était encore l'adolescent renfermé et un peu taciturne, perdu dans ses rêves, que les autres avaient surnommé « le misogyne »... Ceci parce qu'il était l'un des rares garçons à garder une prudente réserve à l'égard des étudiantes. C'était cela surtout que les « camarades » lui reprochaient : ne pas avoir, comme chacun d'eux, une « confidente » qui — pour la plupart — devenait rapidement une amie moins chaste.

« Les filles » — c'était sous cette appellation assez vaste, où le sens péjoratif se mêlait à un certain sentiment d'admiration béate, que « les garçons » désignaient les étudiantes — constituaient une solide majorité à la Faculté des Lettres. C'était leur domaine, le tremplin d'où toutes pensaient pouvoir s'élancer pour devenir rapidement, en brûlant les étapes, les jeunes romancières-prodiges qui acquièrent lauriers, gloire et fortune dans un temps record. « Les filles » ne sont-elles pas toujours plus précoces ?

Celles qui entouraient — le mot « encerclaient » serait plus vrai — Alain et ses condisciples, depuis la rentrée d'octobre, l'étaient à un degré rarement égalé, presque inquiétant... Leur comportement, leur liberté de langage et d'allure, leur cynisme même, dépassaient de loin la pétulance sympathique et le côté « potache » des garçons. Les filles, dont l'âge oscillait entre dix-huit et vingt ans au plus, semblaient ne plus rien ignorer de la vie. Elles savaient tout, absolument tout ! Et c'était ce qui avait incité Alain — qui, lui, ignorait encore certaines choses — à rentrer dans sa tour, à se renfermer sur lui-même... Les filles l'intimidaient, le gênaient parfois... Il l'avait bien dit à André Forval : « Je déteste les petites jeunes filles. »

Et voilà que ce matin, brutalement, Alain ne regardait plus ces étudiantes avec une vague inquiétude, mais avec une ironie amusée. Elles lui paraissaient n'être que des gamines prétentieuses et effrontées parce que, la nuit précédente, il avait découvert la FEMME. Qu'étaient toutes ces péronnelles en comparaison d'une Olga qui avait souffert et qui savait se faire adorer ? La jubilation secrète de celui qui croyait sincèrement être devenu un homme était totale. Alain rayonnait.

L'un de ses voisins « d'amphi » ne fut pas sans le remarquer :

— Tu m'as l'air bien joyeux aujourd'hui ? Qu'est-ce qui t'est donc arrivé ?

— Rien...

— C'est parce que tu as « séché » pas mal de cours ces derniers jours que tu es dans cet état ?

— Je fais ce qui me plaît, figure-toi !

L'autre n'insista pas. Mais, pour peu qu'il l'eût fait, Alain aurait sans doute fini par avouer :

— Eh oui, j'aime ! Et je suis aimé par une femme éblouissante ! Une femme qui est tout pour moi et pour qui, bientôt, moi aussi, je serai tout !

Mais ces secrets-là se gardent jalousement.

Au milieu de toute cette jeunesse turbulente et souvent inconsciente, Alain se sentait le coq du village.

Selon la promesse faite à Olga, il n'irait pas ce soir à dix-huit heures au théâtre. Et, pour ne pas penser à cette dernière répétition, qui l'inquiétait un peu malgré tout, il travaillerait d'arrache-pied toute la journée, s'efforçant de rattraper le temps perdu. Il avait même pris soin, ne voulant pas se retrouver trop vite face à face avec Forval — qui serait très capable de déceler qu'il y avait du nouveau dans son existence — de l'informer, par un billet remis de bonne heure à Ali, qu'ayant très peu de temps à midi, il déjeunerait dans un restaurant universitaire du quartier Latin. Il l'avait déjà fait trois ou quatre fois mais, les autres jours, c'était réellement parce qu'il ne pensait qu'à son travail et non pas par crainte d'une explication.

Malgré son désir sincère de travailler consciencieusement, il eut quand même un mal fou à se concentrer, à écouter les professeurs, à prendre des notes... C'était plus fort que sa volonté : le visage, les paroles, le corps nu surtout de la femme s'interposaient, paralysant son travail, envahissant ses pensées et son cœur.

Vingt fois, cent fois pendant la journée, il revécut la nuit, revoyant les moindres moments, les plus petits détails... Il n'était plus dans l'amphithéâtre mais dans la chambre d'hôtel qui, avec le recul, lui semblait moins sordide. Il en arrivait presque à regretter l'horrible papier à fleurs, le lit, la glace dans laquelle tout s'était reflété : l'amour et l'âme de ceux qui y avaient goûté.

Il ne revit Forval qu'au dîner. Comme toujours, la conversation y fut courte, faite des mêmes questions et des mêmes réponses. Vers la fin du repas cependant, le dramaturge demanda :

— Bien que tu sembles avoir beaucoup de travail en ce moment, penses-tu que tu pourras te rendre libre demain après-midi ?

— Pourquoi ? répondit Alain, en jouant les étonnés.

— Aurais-tu oublié que c'est demain à quinze heures qu'a lieu l'audition de « notre » découverte commune ?

— C'est vrai ! J'avoue : je n'y pensais même plus...

— J'aurais aimé t'avoir à mes côtés, au théâtre, pour cette audition... Ce n'est pas que j'attache une telle importance à l'avis des autres sur le jeu d'une artiste, mais je pense que le tien pourrait m'être précieux : n'étant pas un homme de théâtre, tu jugeras cette femme avec toute l'objectivité d'un véritable spectateur... Et même ta jeunesse doit être prise en considération : on a souvent tort, quand on prépare une distribution, de ne pas interroger les jeunes... Il faut que cette Olga plaise à tous, aux aînés et aux cadets... Sincèrement, j'aimerais que tu fusses là... Mais, pour rien au monde, je ne voudrais que tu manquasses des cours importants !

— Si vous y tenez vraiment, parrain, je pourrais m'arranger : je demanderai après-demain à un camarade de me passer ses notes... Je n'ai qu'un cours demain après-midi et il n'est pas capital. Je n'irai à la Faculté que le matin.

— C'est très gentil à toi de faire cet effort... Mais ça doit tout de même t'intéresser de voir comment la belle Olga se tirera d'affaire ? Ce sera enfin pour toi l'unique occasion d'entendre cette petite scène que tu m'as tant reproché de ne pas t'avoir donnée à taper !

— Je reconnais que vous avez piqué ma curiosité...

— Oh ! Tu verras : ce n'est rien... Quelques répliques, c'est tout ! Mais, si elles sont bien dites, ça peut être intéressant... Skermine m'a téléphoné juste avant le dîner, pour m'informer que la répétition d'aujourd'hui avec Paul Vernon s'était bien passée et qu'il avait une excellente impression.

— Tant mieux...

Une fois remonté dans sa chambre, Alain se sentit à nouveau envahir par l'inquiétude : demain serait le grand jour d'où dépendrait l'avenir d'Olga auquel il se croyait, désormais, indissolublement lié. Skermine avait téléphoné que la répétition s'était bien passée mais Alain voulait en avoir la confirmation par la principale intéressée elle-même. C'était d'ailleurs elle qui lui avait dit de venir aux *Idées Noires* le soir : il devait lui obéir. Comment attendre plus longtemps avant de retrouver celle qui, pour lui, était maintenant tout ?

Il ne ressentait même plus cette impression assez pénible de lassitude qu'il avait connue le matin en se réveillant après la nuit d'amour. Impression faite d'un étrange mélange de sensualité assouvie et de regrets, de contentement et de remords, de triomphe et de conscience jaunie... C'était l'impression du réveil, du retour à la réalité... Celle que connaissaient tous ceux qui ont fait acte de chair pour la première fois... La journée était passée et sa soif de caresses était à nouveau brûlante. Olga ne l'avait-elle pas dit : « *En ce moment, tu me détestes... Seulement, demain, ou après-demain, ou beaucoup plus tard, tu me reviendras...* » Une fois encore, c'était elle qui avait vu juste : il n'avait même pas la force d'attendre demain...

Ce soir, M. Raoul avait repris sa place derrière le bar. Un M. Raoul souriant, plus cordial qu'il ne l'avait jamais été et qui accueillit son jeune visiteur en disant :

— J'ai su que vous étiez passé hier soir...

— En effet...

— Le maître d'hôtel me l'a dit, ainsi qu'Olga...
— Olga ?
— Oui... Je sais aussi par elle que vous n'êtes pas resté bien longtemps. Ce qui m'a fait plaisir : cela prouve que, quand votre vieil ami Raoul n'est pas là, vous vous ennuyez devant ce bar ! Qu'est-ce que je vous offre ?
— Ce que vous voudrez.
— Alors ce sera une fine bien tassée...
Et, tout en remplissant le verre, accomplissant une fois de plus le sempiternel geste mécanique, il demanda :
— Dites-moi : Olga ne vous a pas expliqué pourquoi j'étais absent hier ?
— Elle m'a parlé, je crois, d'une réunion syndicale des patrons d'établissements de nuit...
— C'est très bien à elle d'avoir inventé ce mensonge... Elle l'a d'ailleurs fait à tout le monde ici... Seulement, la vérité est tout autre : nous avons eu une scène, elle et moi, hier avant l'ouverture...
— Une scène ?
— Oui... C'est moi qui ai été stupide ! Je le reconnais... Je lui en voulais parce que le directeur m'avait pratiquement mis à la porte du théâtre pendant la répétition...
— Ce ne devait pourtant pas être de la faute d'Olga ?
— Evidemment... Mais elle aurait quand même dû, pour la forme, exiger ma présence dans la salle. Et elle ne l'a pas fait ! Pour la punir, je lui ai fait croire qu'elle n'était pas la seule femme de ma vie et que j'allais en rejoindre une autre...
— Ce n'est pas très gentil cela, monsieur Raoul !
— Je sais... Seulement, que voulez-vous ? Quand je suis en colère, je ne me contrôle plus et je dis n'importe quoi !
— Vous connaissant, elle ne vous a sûrement pas cru ?
— Peut-être pas mais elle a quand même voulu

me donner une bonne leçon... Quand je suis rentré ici vers une heure du matin, elle n'était pas là !

— Ce n'est pas possible ? Et la recette, alors ?

— Catastrophique ! C'est la seule chose que je lui reproche... Aussitôt après son tour de chant, elle a été, elle aussi, se promener... Voyant qu'elle ne venait pas boire avec eux dans la salle, les clients sérieux sont partis furieux et dégoûtés... Ce n'est pas du travail, ça ! Vous ne trouvez pas ?

— Le fait est...

— Le travail, c'est sacré ! Ça doit passer avant tout, même avant nos disputes ! Notez bien que pour le reste, Olga a eu raison ! Je suis juste : je sais reconnaître mes torts... C'est moi qui avais commencé à faire l'imbécile...

— Vous êtes un brave homme, monsieur Raoul...

— Brave ? Pas tant que vous le croyez !... Cela n'empêche pas que j'étais rudement inquiet quand j'ai vu l'heure qui s'avançait et qu'elle ne revenait pas ! Deux heures, trois heures... Elle n'est rentrée qu'à quatre heures du matin ! Vous vous rendez compte ? J'étais fou !

— Alors, forcément, vous lui avez fait une scène ?

— Même pas ! Je l'avoue : j'étais trop content de la voir revenir... Pendant que j'attendais, j'ai tout supposé, même un accident ! Ça aurait été le bouquet ! L'avant-veille du jour où elle tente la grande chance de sa vie !

— La grande chance ?

— L'audition, quoi !

— Ah, oui... Le plus sage était, en effet, de vous réconcilier.

— Ça s'est passé sur l'oreiller... Je peux bien vous dire ça, puisque nous sommes entre hommes... ou presque !

— Nous sommes entre hommes, monsieur Raoul ! affirma Alain avec force, après avoir reçu — comme une gifle — la confidence de l'oreiller... Ainsi Olga, à peine rentrée de l'hôtel où elle lui avait dit qu'elle l'aimait, s'était précipitée dans les bras de l'homme ignoble ! C'était à peine imaginable. C'était à se demander aussi si Olga ne resterait pas toujours celle qu'elle avait avoué avoir été réellement : *La Fille,* qui n'hésite pas à passer de l'un à l'autre sans scrupules... Alain croyait encore l'entendre, disant, alors qu'elle racontait sa première aventure avec l'homme à la gabardine : « *Au point où j'en étais, je me suis dit : celui-là ou un autre !* » Depuis, beaucoup de temps avait passé mais elle n'avait pas changé de mentalité. Elle ne changerait jamais !

M. Raoul le contemplait :

— A quoi songez-vous, jeune homme ?

— A des sottises !

— Ça m'arrive aussi... On se laisse emporter par des idées... Mais c'est mauvais, ça ! Très mauvais ! Une autre fine ?

— Non merci... Olga est dans sa loge ?

— Vous voulez la voir ?

— J'aimerais assez pour qu'elle puisse me raconter la répétition de cet après-midi...

— Epatante, la répétition ! J'y étais... Et, cette fois, ils ne m'ont pas mis à la porte de la salle !

— En somme, vous avez une bonne impression ?

— On ne peut meilleure ! Skermine a dit à Olga que demain, devant votre patron, ça irait tout seul.

— Et Paul Vernon ? Il s'est montré bon camarade ?

— Beaucoup mieux qu'hier, où il avait éprouvé le besoin de piquer une crise !

— Tous les cabotins sont les mêmes !

— Aujourd'hui, il a fait correctement son métier... J'ai l'impression que le directeur, et surtout Skermine, ont dû lui faire la leçon en douce et le prier d'être plus aimable à l'avenir avec sa partenaire.

— C'est possible... Je vais à la loge.

— Ça fera plaisir à Olga... Ça la réconfortera...

— Vous croyez qu'elle en a besoin ?

— Et comment ! Avec tout ce qui s'est passé : les

répétitions, notre petite brouille, elle est encore un peu nerveuse... Dame ! Il y a de quoi à la veille du grand jour !... Dites-lui, comme moi, que tout ira bien...

— Comptez sur moi !

Olga était assise devant la table à maquillage. Dès son entrée dans la loge, Alain regarda les yeux qui l'observaient dans le miroir : des yeux qui n'étaient ni durs ni tendres. Ce n'était pas déjà des yeux d'ennemie, mais ce n'était pas non plus des yeux d'amante : ceux qu'il aurait espéré rencontrer. Ils reflétaient plutôt l'indifférence, comme si rien ne s'était passé...

Alain en éprouva un choc. Lui qui était venu, plein d'espoir et débordant de reconnaissance, ne trouvait plus la femme de « sa » première nuit d'amour ! Etait-ce possible qu'elle eût oublié aussi vite ? Lui se souviendrait toujours... Même s'il ne devait plus y avoir d'autres nuits, il saurait vivre de ce merveilleux souvenir... Mais il y aurait beaucoup d'autres nuits ! Il le savait, il le fallait ! Olga était sienne et il appartenait à Olga... Bouleversé par cet accueil, agacé par les révélations intimes que venait de lui faire M. Raoul, il ne savait plus que dire... Figé sur le seuil de la loge, il n'osait plus avancer. Ce fut elle qui parla. Un seul mot banal, prononcé sans chaleur :

— Bonsoir...

— Bonsoir.

Il crut pouvoir s'approcher.

— Surtout ne m'embrasse pas ! Mon maquillage est fait...

— Je vois... Heureuse de me revoir ?

— Bien sûr... Avais-tu, par hasard, déjà l'intention de ne plus revenir ?

— J'ai bien failli, il y a quelques instants, après avoir écouté M. Raoul !

— Qu'est-ce qu'il t'a encore raconté, celui-là ?

— Que vous aviez fait la paix sur l'oreiller...
— Il t'a même dit ça ?
— Oui...
— Décidément, il est trop bavard ! Cela ne pourra plus durer longtemps !
— Crois-tu ?... En tout cas, toi, tu n'as pas été longue pour arranger les choses !
— Il le fallait ! Tu aurais préféré que je lui explique tout ?
— Peut-être...
— Tu es fou ? Je t'ai dit les deux conditions que j'exigeais avant de le quitter.
— Il y en a déjà une qui est remplie : je t'aime !
— Je vais finir par l'imaginer pour peu que tu continues à me faire une scène à chaque fois que je te revois !
— N'en ai-je pas le droit maintenant ?
— Le droit ? Comme si c'était toi qui pouvais prendre des droits ! Je t'ai déjà dit qu'en amour, les droits étaient réservés à la femme ! Je pensais que tu avais compris ?
— Il y a une chose que je ne peux pas comprendre : c'est que tu me trompes quelques heures à peine après être devenue ma maîtresse !
— Les grands mots, déjà ! Et tout le répertoire : tromper, maîtresse... Quoi encore ?
— Tu es effrayante !
— Et toi un gosse stupide ! D'abord, je ne te trompe pas avec Raoul... C'est lui que je trompe avec toi : il y a une nuance ! Ensuite, la deuxième condition est loin d'être atteinte : je ne suis pas encore une vedette...
— Demain tu le seras !
— Je n'en suis pas aussi sûre que toi... Je ne sais pas pourquoi mais ton Forval m'inquiète...
— Ça alors, je t'assure que tu as tort ! Ce soir, au dîner, il était dans d'excellentes dispositions à ton égard... Skermine venait de lui téléphoner que la répétition avait bien marché. C'est vrai ?

— Oui...

— Et Paul Vernon ?

— Naturellement, il m'a fait la tête, parce que je lui avais fait dire par Skermine, à qui j'avais téléphoné à midi, que je ne pouvais absolument pas me rendre chez lui à quatorze heures, comme convenu entre nous, et que je ne le retrouverais qu'à dix-huit pour la répétition au théâtre... Il était furieux ! Je l'ai bien senti... Seulement, comme tous les autres étaient là, il n'avait plus qu'à rester tranquille... Quand il est arrivé, il ne m'a même pas dit bonjour et, après la répétition, il ne m'a pas dit bonsoir... ce qui, d'ailleurs, m'est indifférent ! La seule chose importante était qu'il me donnât la réplique convenablement : il l'a fait.

— Ce qui prouve qu'il est tout de même un artiste consciencieux.

— Avec lui, ça ira bien demain : il aura oublié et il sera calmé... Mais je te le répète : c'est Forval qui m'inquiète ! Te rends-tu compte de ce que c'est que de jouer, devant un auteur que l'on n'a jamais vu, un texte qu'il a spécialement écrit pour vous ? Si encore je connaissais son visage ! Tandis que lui me connaît ! C'est sa supériorité sur moi...

— Sais-tu ce qu'il m'a demandé à la fin du dîner ? De ne pas aller à la Faculté demain après-midi pour assister à l'audition à ses côtés ! Ce n'est pas une victoire, ça ?

— N'as-tu pas plutôt l'impression qu'une telle amabilité cache quelque chose ?

— Rien du tout ! Il a besoin de connaître mon avis parce que je suis jeune... Il me l'a dit ! Et tu peux compter qu'il sera favorable !

— Tu es bien sûr qu'il ne s'est douté de rien, hier, après ton retour ?

— Il ne sait même pas que je suis sorti ! Il dormait quand je suis rentré.

— Ah ?... Maintenant, mon petit, tu vas me laisser... Je passe en scène dans quelques minutes.

— Veux-tu que j'attende dans les coulisses, ou au bar ?

— Non. Tu ferais mieux de rentrer... Toi aussi, tu as besoin d'être en forme pour convaincre Forval demain si c'était nécessaire... Mais fais-le habilement ! S'il soupçonnait quelque chose, ce serait la fin de tout !

— Ne t'inquiète pas ! Il est convaincu maintenant que je ne t'ai jamais revue.

— Pars vite !

— Tu ne me dis rien de plus gentil ?

— Je t'adore...

— C'est tout ?

— Pour ce soir, oui.

— Bon. Quand nous revoyons-nous ?

— Demain, au théâtre...

— Mais... Je ne pourrai pas t'y parler comme je le désire...

— Tu reviendras ici demain soir... Ça risque d'être une soirée inoubliable ! Si j'enlève le contrat après l'audition, Raoul tiendra parole : il paiera le champagne à tout le monde ; je ferai mon tour de chant pour la dernière fois et, au petit jour, ce sera la fermeture définitive des *Idées Noires !* Tu ne peux pas manquer ce régal !

— Tu as raison... Mais, ensuite, où nous verrons-nous ?

— Ce ne sont pas les endroits discrets qui manquent... Tu l'as bien vu !

— Il faudra donc continuer à nous cacher ?

— Jusqu'à ce que j'aie trouvé un autre domicile...

— Parce que tu es bien décidée, si tu réussis demain, à quitter Raoul ?

— Oui.

— Qu'est-ce qu'il va devenir ?

— Voilà bien le cadet de mes soucis !

— Ne penses-tu pas qu'il fera des histoires ?

— Quelles histoires ? Il ne bougera pas ! Tu as bien vu tout à l'heure comme il était maté ?

— C'est vrai... Tu es une femme formidable !
— Je suis une femme, tout simplement... Et toi, tu es vraiment prêt à abandonner Forval ?
— Je le fais ce soir si tu me le demandes.
— Ce serait vingt-quatre heures trop tôt ! Mais sois tranquille : je n'oublierai pas ce que tu viens de dire... Tu quitteras l'hôtel de Forval quand je le déciderai !
— Et nous habiterons ensemble ?
— Pourquoi pas ? On a vu des choses pires !
— Nous serons heureux !
— Je le souhaite...
— Je te ferai une vie merveilleuse !
— Tu me feras une vie ? N'as-tu pas l'impression que ce sera plutôt moi qui ferai la tienne ?... Ce qui ne me déplaît pas, d'ailleurs ! J'ai souvent rêvé d'un garçon très jeune, auprès de moi, que je formerais, auquel j'imposerais tout ce que je voudrais ! Un bel esclave, quoi !
— Tu sais très bien que je le suis déjà...
— Pour le moment, tu n'en as que le désir, mon chéri... Mais quand la réalité viendra, tu ne pourras plus jamais te passer de moi !
— Vis-à-vis des autres, qu'est-ce que nous dirons ?
— Les autres ? Quels autres ?
— Tous ceux qui nous verront ensemble ?
— Tu t'occupes déjà des autres ? A ton âge ?
— Justement : c'est à cause de mon âge !
Elle réfléchit avant de répondre :
— Eh bien, rassure-toi : je dirai que tu es « mon » secrétaire ! J'ai bien le droit d'avoir, moi aussi, un secrétaire... Toutes les grandes vedettes en ont un ! Ce n'est pas un monopole des auteurs !
— C'est une bonne idée : ton secrétaire ! Tu verras que je te rendrai de grands services ! Je répondrai à ton courrier volumineux... Toutes les vedettes reçoivent une masse de lettres...
— Les admirateurs ?
— Il en faut !

— Tu ne seras pas jaloux ?
— Je ne sais pas...
— Je t'adore ! Va-t'en...
Dans le miroir, il vit les lèvres qui s'entrouvraient, comme si elles lui adressaient un baiser, reflété à distance. Avec amour, il renvoya le baiser, de la même façon.
Au moment où il allait sortir, elle le rappela :
— Alain ! Pour me porter bonheur demain à l'audition, selon l'usage, dis-moi les cinq lettres ?
Il se retourna, surpris : dans le miroir, le regard était malicieux. Il sourit à son tour en disant :
— Tu y tiens vraiment ? Alors disons que j'y pense, à tes cinq lettres...

Pour ne pas se retrouver en présence de M. Raoul, il préféra utiliser la sortie des artistes. Sous le porche de l'immeuble, deux silhouettes chuchotaient : celle de l'illusionniste et de la strip-teaseuse.
— Bonsoir, dit celle-ci avec gentillesse.
— Bonsoir, Maguy, répondit Alain... Bonsoir, monsieur. Vous avez déjà terminé vos numéros tous les deux ?
— Oui, on nous a fait passer plus tôt pour faire patienter la clientèle... Peut-être, monsieur, pourriez-vous nous donner un renseignement à M. de Saint-Fargeau et à moi ?... Voici ce dont il s'agit : nous sommes très inquiets... On dit dans la maison qu'il est possible que la fermeture définitive ait lieu demain soir... Ceci, parce qu'Olga n'y chanterait plus pour pouvoir répéter immédiatement la nouvelle pièce d'André Forval ? J'ai pensé que nul, mieux que vous, ne pourrait être au courant de la vérité, puisque vous êtes le secrétaire de M. Forval ?
— Il m'est difficile de vous répondre... La question sera, je pense, tranchée demain, mais j'ignore absolument dans quel sens !
— Comprenez-nous, expliqua la fille brune. Ce serait terrible cette fermeture pour nous tous ! Je ne

parle pas seulement des artistes, mais aussi du personnel, des musiciens, même des entraîneuses qui risquent de se retrouver d'un jour à l'autre sur le pavé...

— Ne pensez-vous pas que M. Raoul vous aurait déjà donné un préavis ?

— Il n'y est pas obligé par les lois syndicales s'il nous paie huit jours de cachet... Je parle pour les artistes et les musiciens... Quant aux autres, qui ne travaillent qu'aux pourboires, ils n'ont droit à aucune indemnité.

— Cc serait terrible, en effet... Mais vous, mademoiselle, qui avez un excellent numéro et qui obtenez du succès, vous pourriez facilement trouver en huit jours un autre établissement qui vous accueillerait avec plaisir ?

— Ce n'est pas aussi aisé que vous le pensez ! Les programmes sont établis longtemps à l'avance et, dans le strip-tease, il y a de la concurrence... Beaucoup de concurrence ! Comme ça paie généralement bien, toutes les petites danseuses veulent en faire... Enfin, étant donné ma véritable profession, les *Idées Noires* offraient pour moi l'avantage de n'être pas un établissement très connu... Jamais je n'oserai passer dans une grande maison à cause de mes parents et de l'institution où j'enseigne : ce serait épouvantable si l'on y découvrait que le professeur de lettres se déshabille en public toutes les nuits ! Cela ferait un terrible scandale !

— Je comprends...

— Quant à moi, dit le « Maître du Mystère », je n'ai jamais eu de succès nulle part... Aussi étais-je très content d'être ici : ça m'assurait toujours la matérielle !

— Personnellement, je trouve votre numéro très bon ! Il gagnerait certainement à passer ailleurs que dans ce cabaret.

— Où, cher monsieur ? Dites-le moi vite pour que j'y coure ?

Ces derniers mots avaient été prononcés sur un ton d'ironie désabusée. Alain, gêné, bredouilla :

— Vraiment, ne m'en veuillez pas tous les deux... Je me mets dans votre situation... Seulement, je ne suis qu'un petit secrétaire... Je n'ai aucun pouvoir sur personne ! Excusez-moi... J'espère que tout s'arrangera au mieux pour vous tous... Bonsoir !

Pendant le retour vers l'île Saint-Louis, il ne put s'empêcher de repenser aux deux ombres entrevues sous le porche... Oui, c'était angoissant, pour tous ces obscurs, la perspective d'une fermeture imminente ! Mais qu'y faire ? La loi inexorable, qui veut que le bonheur des uns fasse le malheur des autres, allait jouer une fois de plus dans toute sa rigueur tragique. Parce qu'une fille allait enfin pouvoir s'arracher à un milieu dans lequel il était navrant de la voir évoluer, d'autres — beaucoup d'autres — retomberaient encore plus bas ! Mieux valait ne plus y penser, sinon on devenait fou.

Et Olga ne valait-elle pas, à elle seule, que les autres — qui n'avaient ni sa beauté, ni son talent, ni surtout sa féminité — fussent sacrifiés ? Olga, c'était un avenir prestigieux qui s'annonçait, c'était le succès, c'était la grande réussite ! Tout le monde ne peut pas réussir : il faut des vainqueurs et des vaincus, d'éternels vaincus...

Une fois encore, le retour avait été sans histoire : la maison dormait.

★

Il ne revit André Forval qu'au moment du grand déjeuner, mais ce ne fut que vers le milieu du repas que celui-ci dit avec une certaine désinvolture :

— J'allais oublier de te prévenir qu'il y a un petit changement pour l'audition de cet après-midi...

— Quel changement ? répéta Alain, subitement inquiet.

— Paul Vernon m'a téléphoné ce matin pour me

dire qu'il était souffrant et que, malgré tout son désir de m'être agréable, il lui serait impossible de donner cet après-midi la réplique à la belle Olga...

Alain manqua lâcher une épithète à l'adresse du cabotin : « Le salaud ! » mais il parvint à se taire, pendant que Forval poursuivait :

— Nous avons donc dû prendre de nouvelles dispositions : ce sera Skermine qui remplacera Vernon. Comme lui, il lira le texte... J'ai pensé aussi qu'il fallait que cette audition fût plus intime que sur la grande scène du théâtre... « Notre » belle découverte va se sentir déjà assez handicapée de ne pas avoir pour partenaire celui avec qui elle a, paraît-il, très bien répété hier... Aussi, en plein accord avec Langlois, ai-je décidé que l'audition aurait lieu ici, dans le salon.

— Ici ? s'exclama Alain, suffoqué.

— Tu y vois un inconvénient ?

— Aucun... Seulement je crains que ce ne soit encore plus impressionnant pour une débutante ?

— Mon salon n'a rien d'impressionnant ! Tous ceux qui y viennent paraissent s'y sentir très à l'aise...

Alain n'osa pas répondre : « C'est exactement le contraire qui se produit ! Seulement vous, « le Maître », vous ne pourrez jamais vous en rendre compte ! » Il se borna à demander :

— Ne croyez-vous pas qu'il serait préférable de reculer cette audition de quelques jours ?

— Pourquoi ? Puisque Skermine estime que la fille est maintenant capable de jouer la scène, il n'y a aucune raison ! Langlois et lui seront ici avec elle dans une heure... Je n'ai pas voulu du « sieur Raoul », dont m'a parlé Skermine et qui, paraît-il, joue les imprésarios ! Ce personnage, que je n'ai fait qu'entrevoir de loin le soir où nous avons été au cabaret, m'a fait la plus mauvaise impression... A toi aussi, sans doute ?

— Le fait est qu'il est tout, sauf distingué !

— S'il n'y avait encore que cela ! Mais Skermine

m'a fait comprendre que ce monsieur s'occupait non seulement des intérêts de la jeune personne, mais également d'elle-même, dans des conditions assez douteuses... Je m'en voudrais d'accueillir un tel individu chez moi.

— Croyez-vous qu'Olga acceptera de venir ici sans être accompagnée par lui ?

— Il le faudra ! Sinon elle n'auditionnera jamais devant moi ! Langlois et Skermine ont dû aller le lui faire comprendre avec toute l'habileté dont ils sont capables... Si elle n'est pas sotte, elle les écoutera. Si elle l'est, c'est donc qu'elle n'est pas digne d'être mon interprète... Je suis convaincu qu'elle cèdera !

La fin du repas fut silencieuse.

Une fois passé son accès de rage cachée à l'égard de Paul Vernon, Alain réfléchissait : n'était-il pas préférable pour Olga que ce fût Skermine qui lui donnât la réplique ? Avec lui, au moins, on pouvait être certain qu'il ne ménagerait pas d'embûches de la dernière minute à sa partenaire. Ayant été le premier à découvrir l'éventuelle interprète de *La Voleuse*, le metteur en scène ferait tout pour qu'elle fût brillante devant Forval. Il y mettrait son point d'honneur, ne serait-ce que pour prouver qu'il ne s'était pas trompé dans son choix imprévu.

Quant à Vernon, son refus de jouer, quelques heures avant l'audition, correspondait bien à la mentalité qu'Alain lui avait attribuée, dès les premiers instants où il l'avait vu se gonfler d'importance sur la scène du théâtre : Paul Vernon n'était qu'un sinistre individu. Le prétexte de la brusque maladie était cousu de fil blanc : au dernier moment, il refusait d'aider Olga uniquement parce qu'elle avait refusé de se rendre chez lui hier. Ne voulant pas avoir l'air de marquer le coup, il était venu répéter au théâtre en fin d'après-midi. Et traîtreusement ce matin, vexé et furieux, il avait agi.

Eh bien, on se passerait aisément de son odieuse

présence ! Cela n'empêcherait pas Olga de triompher... Ce qui inquiétait davantage le jeune homme, c'était cette audition improvisée dans le salon. Il aurait préféré que la jeune femme ne pût pas voir, pendant qu'elle jouait, le visage de Forval : visage qui, selon sa terrible habitude, saurait se montrer hermétique, impénétrable... Si Forval avait été dans le trou noir de la salle, de l'autre côté de la rampe éblouissante, Olga aurait certainement été moins troublée.

En se levant de table, le dramaturge dit :

— Nous n'avons plus qu'à les attendre... Puisque tu ne vas pas à la Faculté cet après-midi, tu me rendrais bien service en tapant l'article que l'on m'a demandé sur ma conception du théâtre moderne.

— Pour la « Revue des Deux-Mondes » ?

— Oui... Je me suis enfin décidé à l'écrire ce matin... Ces articles, où l'on espère que l'auteur révélera les secrets de son métier, m'ennuient terriblement ! Comme je l'avais promis. je l'ai fait mais je te jure que ce sera le dernier de ce genre ! Plus jamais d'articles !

Ils entrèrent dans le cabinet de travail. Forval s'installa à son bureau et Alain devant la petite table de la machine à écrire. Bientôt, seul le crépitement de cette dernière troubla le silence.

Deux coups discrets venaient d'être frappés à la porte donnant sur le palier. C'était Ali. Dès qu'il apparut, Forval lui dit :

— Ils sont là ? La demoiselle est-elle avec eux ?

Devant l'inclinaison de tête affirmative du muet, il demanda encore :

— Combien sont-ils en tout ?

Ali ouvrit trois doigts.

— C'est bien : « l'imprésario » n'a quand même pas eu le toupet de venir !

Et, pendant que le noir refermait la porte, Forval se retourna vers Alain, toujours installé devant la machine :

— Laisse ça ! Maintenant, mon petit, place au théâtre !

Le jeune homme le suivit dans le salon.

Forval alla tout de suite vers Olga en lui disant avec une affabilité que Langlois, Skermine, et encore moins Alain, ne lui avaient encore jamais connue :

— Je tiens d'abord à vous remercier, mademoiselle, d'avoir consenti à venir chez moi pour cette audition... Vous devez sans doute connaître ma détestable réputation d'homme casanier, qui ne sort que très rarement de chez lui ?... J'ai pensé aussi que cette petite réunion serait infiniment plus sympathique ici qu'au théâtre !

Pendant qu'il parlait, Olga — qui, cette fois, avait pris soin de ne pas cacher ses yeux derrière des lunettes de star — l'avait observé avec la plus grande attention : elle fut cependant incapable de découvrir le véritable fond de ses pensées. Une telle amabilité cachait-elle une sourde ironie ou était-elle sincère ?

Alain aussi était perplexe, osant à peine regarder Olga, ni prendre la main qu'elle lui tendit quand Forval ajouta :

— Permettez-moi de vous présenter mon secrétaire, Alain, qui, je ne vous le cacherai pas, est l'un de vos plus grands admirateurs !

Et, comme le visage du jeune homme changeait de couleur, il continua :

— Vous voyez, il en rougit, le traître... C'est d'ailleurs une traîtrise que l'on comprend et que l'on excuse bien volontiers ! N'est-ce pas, messieurs ?

— Certainement ! répondirent en chœur Langlois et Skermine.

— Je dois vous avouer, mademoiselle, que moi-même, j'ai toujours été sensible à la vraie beauté... La vôtre est éclatante ! Et je dois reconnaître qu'elle résiste aussi bien à la lumière du jour qu'à celle des projecteurs ! C'est la deuxième fois que je vous vois et je ne suis nullement déçu ! Je ne suis d'ailleurs pas le seul à être dans le même cas : Alain aussi... Mais toi non plus, mon petit, tu n'as jamais revu notre belle artiste depuis le soir où nous avons tous été dans ce cabaret ?

— Jamais !

— Pouvez-vous m'expliquer, mademoiselle, pourquoi la direction de cet établissement a eu la curieuse idée de l'appeler : *Les Idées Noires ?*

— Je l'ignore, monsieur.

— En tout cas, après vous y avoir vue, quand on en sort, on ne se sent pas du tout envahi par des idées tristes !... Plutôt par des idées étranges ! On est surpris... C'est intéressant, la surprise !... Maintenant que la glace me paraît rompue, je pense que nous allons pouvoir passer à l'audition... Surtout, mademoiselle, j'aimerais que vous fussiez très détendue !

— Mais... je le suis !

— Voilà qui est parfait ! Et ça me fait plaisir : ceci prouve que, contrairement à l'opinion de mon entourage, je n'ai rien d'un auteur bien terrifiant ! Il est un peu regrettable, évidemment, que ce cher Paul Vernon n'ait pas pu vous donner la réplique aujourd'hui ! Mais enfin, notre ami Skermine saura le remplacer... Alain ? Sois gentil de déplacer ces trois fauteuils que tu mettras côte à côte pour M. Langlois et pour nous deux... Ce qui laissera de la place aux artistes...

Alain fit ce qu'il demandait.

— Cette disposition me semble convenir... Etes-vous prête, mademoiselle ?

— Je pense que oui...

— Comme j'aime cette assurance ! C'est déjà la preuve que vous avez sérieusement travaillé... Le trac viendra plus tard : quand vous aurez joué des milliers de fois ! N'est-ce pas l'émouvant privilège des artistes chevronnés ? Messieurs, prenons place... Mon cher directeur, venez à ma droite : Alain ne se formalisera pas.

Tous trois s'étaient assis. Alain continuait à ne pas oser regarder Olga : c'était lui qui avait le trac, un trac terrible...

Olga remit à Skermine les feuillets du texte. Il y eut un instant de silence pendant lequel tous semblèrent se recueillir avant la redoutable épreuve. Skermine aussi était nerveux. C'était, de loin, Olga qui semblait être la plus calme.

Au moment où elle allait dire la première réplique, Forval s'écria :

— Excusez-moi, mademoiselle, mais je vous demande encore une seconde...

Il parut réfléchir avant d'ajouter :

— Il y a une chose qui m'ennuie... C'est votre présence, mon cher Skermine, sur la scène, si j'ose dire... Oui, étant donné que vous allez diriger les répétitions de *La Voleuse,* je préférerais de beaucoup vous avoir ici, à côté de moi, dans le camp des auditeurs... Malheureusement, vous ne pouvez pas être juge et partie ! Votre jugement sur la façon dont mademoiselle va jouer aujourd'hui me sera très précieux... Celui d'Alain aussi, mais il n'a pas votre expérience... Et nous ne serons pas trop de trois hommes de métier pour nous faire une opinion définitive... C'est qu'elle est très grave, cette audition ! Tout l'avenir de la pièce en dépend ! Et j'aimerais assez qu'il y eût deux voix autorisées en face de la mienne au cas, assez improbable, où nous ne serions pas tous du même avis... Qu'en pensez-vous, Skermine ?

— Evidemment, il aurait été préférable que Vernon fût là...

— Mais puisque nous ne l'avons pas !... Messieurs, il me vient une idée... Peut-être va-t-elle vous paraître assez saugrenue, mais je pense qu'elle se défend... Alain, mon petit, lève-toi, et prends la place de Skermine !

— Moi ? fit le garçon.

— Toi ! Et Skermine va venir s'asseoir ici ; ainsi

il fera partie du jury... Comme, de toute façon, il ne s'agit que d'une lecture pour le partenaire, tu t'en tireras tout aussi bien qu'un autre, mon petit Alain...

— Vous n'y songez pas, parrain ? Je ne connais même pas le texte !

— Eh bien, lis-le tout de suite deux ou trois fois... Il n'a rien de bien sorcier, tu sais !... Skermine, soyez gentil de lui passer les feuillets ?

Skermine s'exécuta, non sans dire :

— Je partage un peu l'opinion de votre filleul, mon cher auteur.

— Messieurs, mettez-vous bien en tête, une fois pour toutes, que la seule décision qui compte est la mienne... Alain donnera la réplique à mademoiselle... Ce n'en sera que plus naturel puisque les choses n'auront pas été trop préparées à l'avance... Vous savez votre texte, Olga ?

— Par cœur !

— Par cœur ! Vous entendez, messieurs ? Je vous en félicite, mademoiselle... Cependant, comme il faut quand même un peu vous habituer à la voix de notre jeune partenaire improvisé, nous allons vous laisser faire seule avec lui une lecture, même deux ou trois si vous jugez que c'est nécessaire... Notez bien que ce n'est pas Alain qui m'intéresse dans cette audition, ma chère petite, mais uniquement vous ! Je suis navré de te le dire, mon garçon, mais tout à l'heure, tu ne compteras absolument pas ! Tu n'as qu'à t'imaginer que tu es un robot ou un magnétophone simplement destiné à débiter des répliques... Surtout, ne cherche pas à jouer ! Tu ne saurais pas ! Essaie seulement d'être naturel : ce sera très bien.

Il s'était levé :

— Venez, messieurs... Nous allons nous retirer dans mon cabinet de travail pour les laisser faire leur lecture en paix... Alain, quand vous serez prêts, tu n'auras qu'à nous appeler...

Langlois et Skermine suivirent Forval sans dire un mot. A cet instant, Olga comprit que ce que lui avait souvent répété Alain était vrai : le seul personnage qui comptait vraiment était le dramaturge. Les autres ne seraient toujours que des comparses.

La porte du cabinet de travail s'était refermée. Olga se retrouva seule avec Alain, qui tournait les feuillets dans ses mains tremblantes. Elle le regarda avec un sourire très vague avant de dire :

— Si tu continues à triturer ces papiers, bientôt tu n'auras même plus de texte à lire !

— Parle plus bas, je t'en prie ! Il peut nous entendre... Il entend tout !

— Sais-tu que je le trouve plutôt sympathique ?

— Tu changeras peut-être d'avis quand tu le connaîtras mieux ! Qu'est-ce que nous faisons ?

— Eh bien, nous sommes censés faire une « lecture » pour que tu puisses découvrir le texte ! Mais pourquoi as-tu dit que tu ne le connaissais pas ?

— Je t'expliquerai plus tard... Il n'a jamais voulu me le montrer !

— Pour quelle raison ?

— Parce qu'il te hait !

— Je n'ai pas eu cette impression...

— Lui, aimable avec une femme ? Ça cache le pire !

— Moi, je trouve son idée excellente : j'aime bien mieux que Skermine soit auprès de lui en cas de discussion finale... C'est un allié.

— Ne t'y fie pas trop ! Lui et Langlois s'inclineront toujours devant Forval. Tu n'as aucun allié et un grand ennemi...

— Mais toi ?

— Moi ?... Je vais faire tout ce que je pourrai pour ne pas te gêner !

— Tu seras très bien : ça te rappellera nos séances de lecture au bar...

— Tu m'aimes toujours ?

— Plus que jamais si tu sais rester calme.

— J'essaierai...

— En tout cas, le texte ne doit pas t'embarrasser :

tu le connais aussi bien que moi, même mieux que moi !

— Précisément, c'est là où va être la difficulté : il faut que je donne l'impression de ne pas l'avoir connu avant aujourd'hui... Sinon, il s'en apercevra !

— En lisant, tu n'auras qu'à te tromper exprès deux ou trois fois, ou reprendre des phrases...

— Oui... C'est égal ! Si j'avais pu prévoir ça !

— Qu'est-ce que tu aurais fait ?

— Je ne sais pas...

— Alors, tais-toi... Veux-tu que nous relisions tout de même une fois la scène ?

— Tu es sensationnelle de calme ! Je ne sais pas comment tu peux y arriver !... Et M. Raoul ? Il a dû être furieux ?

— Pas tant que ça ! Au fond, je crois qu'il a été enchanté que je n'auditionne pas avec Vernon pour partenaire... Il le déteste !

— Pas plus que moi !

— Avoue que c'est quand même curieux : Vernon ne lui a rien fait !

— Il n'a pas eu le temps...

— Parce que tu as été là avant lui ! Ce serait plutôt à toi que Raoul devrait en vouloir.

— Comment cela ? Puisqu'il ne sait rien ! Et, pour lui, je ne compte pas : il me considère toujours comme le « petit ami »...

— Je trouve tout ceci de plus en plus drôle...

— Tu ne le diras peut-être plus tout à l'heure ! On lit ?

— Allons-y !

Ils firent une lecture. Quand elle fut terminée, Olga dit :

— Ça a très bien marché.

— Tu crois ?

— Mais oui, chéri !

— Tu ne veux pas recommencer ?

— Inutile. Je me sens prête...

— Bon. Je les appelle ?

— Oui.
— Je t'aime.
— Chut !
Il alla frapper à la porte du cabinet de travail.
En revenant dans le salon, Forval demanda à Olga :
— Etes-vous parvenue à vous entendre avec votre jeune partenaire ?
— Je crois que ça ira..
— Moi aussi... Messieurs, prenons place...
Tous trois s'installèrent dans les fauteuils. Forval dit alors avec douceur :
— Maintenant, ma chère enfant, imaginez non pas que vous êtes dans un théâtre — ce qui fausse tout — mais dans une pièce quelconque, salon ou chambre, seule avec votre amant qui est Alain... On ne frappe pas les trois coups, il n'y a pas de rideau... Il n'y a que la vie, banale... Nous écoutons...

ELLE

Pourquoi as-tu fait cela ?

LUI

Quoi ?

ELLE

Me combler pour mieux me priver ensuite ?

LUI

Je ne t'ai encore rien donné...

ELLE

Tu m'as tout donné : ta présence, tes sourires, ta force, tes rêves...

LUI

Je ne rêve jamais !

ELLE

Tu le crois mais cela n'a aucune importance puisque je sais rêver pour nous deux...

LUI

J'ai l'impression que tu n'es pas dans ton état normal ?

ELLE

C'est vrai : je ne le suis plus depuis que je t'ai

rencontré... Mais je ne regrette rien ! Je suis heureuse !

LUI

Si ça te suffit !

ELLE

Oh ! je sais : cette nuit n'avait pas d'autre but, chez toi, que de me faire regretter davantage ensuite... Tu as essayé ton charme, ton regard, ton esprit pour voir jusqu'où irait leur pouvoir sur moi...

LUI

Tu as une de ces imaginations !

ELLE

Seulement tu ignores que ton silence, ton absence sont à la fois mon chagrin et mon plaisir ! Rien de ce que tu feras désormais ne pourra m'être indifférent... Je fais partie de toi !

LUI

Tu es libre...

ELLE

Plus jamais ! Je suis liée... C'est pourquoi plus rien ne me paraîtra fade, terne, insipide : je suis deux !

LUI

Pas moi !

ELLE

Tu ne peux pas comprendre aussi que te revoir, ou ne plus te revoir, ne compte pas pour moi... T'avoir trouvé est la seule chose importante !

LUI

Je ne suis cependant pas le premier ?

ELLE

Tu restes le seul ! Il n'y a pas d'épreuve de temps contre moi... Désormais, vis-à-vis des autres, je sais que je serai inaccessible dans ma servitude d'alliée... Je suis ton amante, pour toujours !

LUI

Si cette idée peut te consoler...

ELLE

Toi ! Tu t'en moques ! Mais ça m'est égal ! Quoi que tu fasses pour te détacher de moi, ou pour me détacher de toi, chaque vibration de ton cœur et de ton âme résonne en moi comme un écho...

LUI

Même si tu ne me voyais plus !

ELLE

J'attendrai toujours un signe de toi... Sans trop le désirer... L'attente sera ma joie !

LUI

Tu es étrange...

ELLE

Chaque sonnerie de téléphone me fait sursauter... Ardemment, j'espère que c'est toi... Mais je n'ose pas prendre le récepteur de peur d'avoir une déception... Et puis je me décide enfin... Ce n'est jamais toi ! C'est toujours un autre dont la voix m'indiffère... Je le laisse parler en m'imaginant que c'est toi... Et je raccroche, un peu plus désespérée...

LUI

Tu es folle !

ELLE

Et ça dure, cette attente !... Après la souffrance, elle se transforme pour moi en un délice... Si tu le faisais cesser, mon amour, je ne pourrais plus en jouir !

LUI

Je t'assure que tu attaches trop d'importance à certaines choses...

ELLE

Tout ce qui me vient de toi est important : même ton oubli... C'est pour cela que je te dis merci ! Mais je veux, j'ai le droit de savoir si tu as agi ainsi avec toutes les autres ? Tu te tais ? Merci de cette franchise ! Elle est horrible !

LUI

Je ne veux pas te faire de peine...

ELLE

Mais tu y arrives bien !... Rassure-toi, je ne t'en veux pas... Il fallait qu'il y en eût au moins un comme toi dans ma vie ! Aujourd'hui, j'ai le bonheur de te revoir... Demain, après-demain, tu seras loin... Enfin, tu le croiras... Seulement moi je ne te quitterai pas : même si nous ne devions plus jamais être physiquement l'un à l'autre, tu m'as donné assez de vitalité, assez de forces, pour que mes pensées continuent à être les tiennes... Merci !

LUI

Tais-toi...

ELLE

Non ! Par toi, près de toi, loin de toi, sans toi, tout vibre, tout frémit, tout est joie ! Tout est tempête, lumière ou douleur... Je t'aime !

LUI

Je crois que, moi aussi, je t'aime...

ELLE

Alors, dis-le !

LUI

Nous ne sommes pas comme vous, les femmes... Il y a des sentiments que nous ne parvenons pas à exprimer...

ELLE

C'est pourtant si simple !

LUI

Oui, tu as raison, c'est simple...

ELLE

Tu ne recommenceras pas ? Tu ne me laisseras plus seule, pendant une journée entière, sans me donner signe de vie, sans me dire où tu es, ni ce que tu fais ?

LUI

J'essaierai...

ELLE

Promets-le ?

LUI

Je promets...

ELLE

Chéri ! Le téléphone aussi, c'est très simple : utilise-le ! Je sais que c'est banal mais ça peut quand même tout changer en quelques secondes !

LUI

Je préfère venir.

ELLE

Je serai toujours là. Je ne bougerai pas. Tu es chez toi... Réponds-moi maintenant : pourquoi m'as-tu fait attendre ? Pour m'éprouver ? Pour voir si tu me manquais ?

LUI

Je ne sais plus...

ELLE

Pourquoi as-tu fait cela, mon amour ?

La pièce était jouée.

Il y eut un long silence.

Forval dit enfin :

— Mademoiselle, Skermine vous donnera ma réponse en fin d'après-midi... Alain, sois gentil de raccompagner mademoiselle et de lui trouver un taxi. Dès que ce sera fait, reviens ici... Nous avons à parler, ces messieurs et moi... Au revoir, mademoiselle et, comme dans la scène que vous venez d'interpréter : merci !

Dès qu'ils furent dans la rue, Olga demanda à Alain :

— Quelle est ton impression ?

— Avec lui, c'est très difficile à dire... Et j'étais très mal placé pour juger de ses réactions... A un moment, je l'ai regardé : il était impassible.

— Tu avais raison : cet homme est terrifiant... Sa présence m'a glacée. Je me suis sentie paralysée et ça m'a retiré la moitié de mes moyens.

— Moi, je t'ai trouvée parfaite.

— Mais les autres ?

— Skermine semblait satisfait.

— Langlois ?

— Celui-là ! Il pensera ce que Forval voudra bien qu'il pense... Je ne t'ai pas trop gênée ?

— Tu m'as aidée, au contraire ! Sais-tu pourquoi ?

C'était prodigieux de jouer après ce qu'il y a eu entre nous...

— Pour moi aussi ! Mais c'était terrible !

— C'était bien... Seulement, si jamais une scène pareille devait avoir lieu un jour pour de vrai entre toi et moi, ce ne serait pas du tout ainsi que les choses se passeraient. Ce serait moi, mon petit, qui ne te donnerais plus signe de vie et ce serait toi qui me le reprocherais ! Je ne suis pas de la race de celles qui attendent... Quand nous revoyons-nous ?

— Tu rentres chez toi ?

— Il le faut... L'autre doit s'impatienter...

— L'autre ! Toujours l'autre ! Je te garantis que si tu es engagée, tu ne resteras plus une seconde avec lui ! Je retourne vite là-haut... Dès que je saurai quelque chose, je ressortirai pour t'appeler d'une cabine téléphonique. Ce sera peut-être dans un quart d'heure tout au plus...

Et, au moment de refermer la portière du taxi, il ajouta :

— Tu as été fantastique de cran ! Je t'aime...

Dans l'encadrement de la vitre, il vit les lèvres qui s'entrouvraient pour donner un baiser à distance, comme dans le miroir de la loge...

Quand il revint dans le salon, Forval était en train de dire à ses visiteurs :

— Je crois que nous sommes tous d'accord ?

Langlois et Skermine acquiescèrent de la tête pendant que Forval se tournait vers Alain :

— Oui, comme je l'expliquais à nos amis, cette fille est incapable de jouer *La Voleuse,* ni aucune de mes pièces... C'est dommage, d'ailleurs, parce qu'elle avait dans son physique un atout de premier ordre... Malheureusement, la beauté, ça ne suffit pas ! Il faut aussi du talent !

Alain avait écouté, blême.

— Par contre toi, mon petit, tu as été étonnant ! N'est-ce pas, messieurs ?

— Le fait est... reconnu Langlois.
— Tu nous as tous stupéfiés ! C'est vrai : lire aussi bien un texte dont tu n'avais pris connaissance que quelques minutes plus tôt, c'est magnifique ! Sais-tu que tu as de sérieuses dispositions pour jouer les amants ? Une aisance, une passion ! Je vais finir par regretter de ne pas t'avoir orienté vers le Conservatoire... Ce n'est pas cette femme qui a été la révélation, mais toi ! Bravo, mille fois bravo, mon petit ! Et tu sais que je suis plutôt avare de compliments...
Alain avait continué à écouter, de plus en plus pâle.
— Maintenant, mes amis, oublions cette demoiselle qui nous a fait perdre un temps précieux et pensons à « notre » pièce... Qui va bien pouvoir interpréter ce satané rôle ?
— Voulez-vous que je me remette immédiatement en chasse pour essayer de dénicher une autre inconnue ? demanda servilement Skermine.
— Une inconnue ? Je finis par me demander si mon idée est vraiment bien fameuse ? Je crains que nous ne nous trouvions à nouveau devant le même néant... Ce serait grave : nous devons passer en générale dans trois mois au plus tard... Finalement, je crois que ce serait plus sage de choisir la solution d'une artiste consacrée.
— Edwige Maniel ? suggéra Langlois.
— Vous revenez à votre idée ?... Sans aucun doute, Edwige est une grande artiste... Seulement, je vous le répète, je crains qu'elle ne paraisse un peu âgée en face d'un Paul Vernon ?
— Quand on a son talent, l'âge s'estompe...
— C'est vrai aussi... Vous ne voyez personne d'autre pour le personnage ?
— C'est elle qui s'en rapprochera le plus...
— Et vous, Skermine ?
— Je suis de l'avis de M. Langlois : si l'on abandonne l'idée d'une femme nouvelle, il faut prendre Edwige Maniel sans hésiter.

— Je ne suis pas buté... Je ne demande qu'à me ranger à l'avis de la majorité s'il est raisonnable... Alain, mon petit, va dans mon cabinet et appelle tout de suite Edwige Maniel par téléphone... Quand tu l'auras au bout du fil, préviens-moi...

Le jeune homme sortit du salon avec une démarche d'automate, comme quelqu'un qui n'est plus capable de commander ses réflexes. Quelques instants plus tard, il revint en disant :

— Mme Edwige Maniel est à l'appareil.

— Venez, mes amis...

Langlois et Skermine entrèrent dans le cabinet de travail où Forval avait déjà pris l'appareil :

— Allô ? Chère Edwige... J'ai une grande nouvelle à vous annoncer... Nouvelle qui, j'espère, vous fera plaisir... Je viens de terminer une pièce intitulée *La Voleuse,* dont j'ai toujours pensé vous réserver le principal rôle...

En l'entendant, Alain ne put s'empêcher de penser : « Comme il sait mentir ! J'ai été fou de faire confiance à un homme pareil ! »

Après avoir écouté la réponse de sa correspondante, Forval continua au téléphone :

— J'étais sûr que l'idée d'être mon interprète vous sourirait. Depuis des années, je me disais : « Il faudra qu'un jour j'écrive un rôle pour la grande Edwige Maniel... » Voilà qui est fait ! Et savez-vous qui vous avez pour partenaire ? Paul Vernon !... La grande équipe, n'est-ce pas ? C'est Skermine qui mettra en scène : les répétitions commenceront lundi... Langlois va vous porter aujourd'hui même un manuscrit... Le rôle est beau, vous verrez ! A lundi !

En raccrochant, il dit au directeur :

— Inutile de lui révéler, quand vous la verrez tout à l'heure, que nous avions d'abord songé à une inconnue ! Il n'y a pas une comédienne qui ne soit ravie à l'idée qu'une pièce a été écrite spécialement pour elle... Cela la flatte ! Et, quand elle est flattée, elle joue moins mal !

— Je crois sincèrement, dit Langlois, que nous nous sommes ralliés à la solution la plus raisonnable. Avec une débutante, on court de tels risques !

— Au revoir, mes amis... Si je ne vous en veux pas trop de m'avoir entraîné dans ce cabaret, c'est uniquement parce que j'y ai reçu une leçon... Même une excellente leçon !

— Une leçon ? Un homme comme vous ? dit Skermine. Pourrait-on savoir de quel ordre ?

— Ceci ne regarde que moi...

Il resta un moment songeur avant d'ajouter :

— Il serait bon de dire sans tarder à la belle pensionnaire des *Idées Noires* qu'elle ne convient pas pour le rôle... Ce n'est pas la peine que cette jolie personne continue à se faire trop d'idées roses en pensant qu'elle va devenir une grande comédienne ! Il ne faut jamais laisser trop se prolonger les illusions... Ce n'est pas charitable !

— Je vais tout de suite téléphoner au cabaret, dit Skermine.

— Peut-être serait-ce mieux que vous y alliez ? remarqua Forval.

— Bien sûr, ce serait plus correct... Seulement, je me méfie un peu des réactions du protecteur de la demoiselle...

— M. Raoul ?

— Oui... M. Raoul... Il doit facilement pouvoir devenir violent quand les événements ne prennent pas tout à fait le chemin qu'il aurait souhaité... Ce sera plus prudent de téléphoner !

— Surtout soyez très aimable ! dit Forval. Faites comprendre que je suis sincèrement désolé... et que le fait de ne pas convenir pour un rôle ne retire rien au talent d'une artiste... Insistez particulièrement sur ce point ! Cela adoucira l'amertume... Naturellement, pour éviter que l'on ne vous fasse trop de reproches, à vous, Skermine, qui avez eu cette idée de la belle Olga, n'hésitez pas à tout mettre sur mon dos : je sais prendre mes responsabilités... Chaque fois, cela m'apporte quelques solides ennemis de plus mais ça ne me déplaît pas : l'existence serait trop insipide si l'on n'y rencontrait que des amis ! Je crois que nous n'avons plus grand-chose à nous dire, tous les trois.. Nous nous retrouverons au théâtre, lundi à quinze heures, pour la lecture de *La Voleuse*... Voulez-vous qu'Alain vous raccompagne jusqu'au vestibule ?

— Absolument pas ! Nous connaissons le chemin...

Mais comme le jeune garçon se dirigeait quand même vers la porte en suivant les deux hommes qui venaient de sortir, Forval le rappela :

— Alain ? Nos amis viennent de dire que ce n'était pas la peine... J'ai besoin de toi... Tu vas profiter de ce restant d'après-midi pour achever de taper l'article de la « Revue des Deux-Mondes »... Ensuite, je te donnerai le premier acte de *La Fille* pour que tu m'en fasses quatre exemplaires... Oh ! ce n'est encore qu'un acte très provisoire !

— Parce que vous avez toujours l'intention d'écrire cette pièce ?

— Plus que jamais ! Pourquoi cette question saugrenue ?

— Je ne sais pas... Ou plutôt si : je pensais que vous n'aviez conçu cette pièce que pour la faire jouer, après *La Voleuse*, par Olga ? Et comme il n'y a plus d'Olga dans vos projets !

— Mon petit, je n'écris jamais pour telle ou telle artiste... Je n'écris que quand ça me fait plaisir à moi ! Ce n'est que quand la pièce est terminée que je fais croire aux interprètes, comme cela vient de se produire avec Edwige Maniel, que je n'ai pensé qu'à eux... C'est ce qu'on appelle de la bonne politique de coulisses... Maintenant travaillons ! Toi sur ta machine et moi sur mon deuxième acte de *La Fille*...

— Je n'en taperai certainement pas le premier acte, ni la fin de votre article pour la « Revue »... Puisque vous avez déjà fait preuve d'un réel talent de dactylographe pour la scène que nous venons d'entendre, je ne vois vraiment pas pourquoi je vous priverais d'un tel plaisir ?

— Ah, ça, tu es fou ? Qu'est-ce qui ne tourne pas rond, mon garçon ?

— Rien, en effet, ne tourne rond...

— Depuis l'instant où j'ai jugé que ta belle amie serait incapable de faire une comédienne ?

— Elle n'est pas ma belle amie !

— Pourquoi mens-tu encore ? Tu es donc bien décidé à ne plus jamais me dire la vérité ?... Tu as couché avec cette fille !

— Qu'est-ce qui vous fait dire ça ?

— La façon dont tu lui as donné tout à l'heure la réplique...

— Je ne connaissais même pas le texte !

— Tu le savais par cœur ! Mieux qu'elle peut-être et tu t'es donné inutilement un mal fou pour me faire croire que tu le lisais... Par contre, ce qui était sincère, c'étaient certaines de tes intonations... surtout vers la fin de la scène quand tu lui as dit : « *Je ne veux pas te faire de peine* »... et « *Je crois que, moi aussi, je t'aime* ». Vois-tu, ce sont des mots très simples, que j'ai trop utilisés dans mes pièces pour ne pas en connaître le sens et la portée ! S'ils avaient été prononcés devant moi par un Paul Vernon, cela ne m'aurait pas autrement intrigué puisque je le sais comédien... Mais, dits par toi qui ignores tout de ce métier, ils ont brutalement pris une signification étrange... En quelques secondes, ce masque d'indifférence voulue — dont tu t'es affublé pour me faire croire que la fille ne t'intéressait pas — est tombé... Tu es redevenu toi-même : le petit Alain ! Mais un Alain follement épris de sa maîtresse ! ELLE, ce n'était pas du tout Olga, mais LUI, c'était sûrement toi ! Tu ne parvenais même plus à tricher ! C'est pourquoi je t'ai dit, devant Langlois et Skermine, que tu nous avais étonnés et que tu avais de sérieuses dispositions pour jouer les amants... Les jouer ? Parbleu, cela t'était facile : tu es son amant ! Enfin, tu le crois, petit imbécile !

— Oui, je le suis ! Et vous voulez savoir depuis quand ?

— Je le sais aussi...

— Vous savez tout ?

— Tout ! Ça s'est passé avant-hier, pendant la nuit...

— Vous aviez posté vos observateurs ?

— Il m'a suffi de contempler ton visage hier soir au dîner. Si tu avais pu te voir dans un miroir...

— Ne parlez pas de miroir !

— T'y serais-tu donc déjà contemplé parce que tu te sentais coupable ?

— Coupable de quoi ? J'ai le droit d'aimer !

— C'est un droit que je ne t'accorderai que lorsqu'il en vaudra la peine...

— Que vous m'accorderez ?... Mais vous n'êtes ni mon père, ni mon parent, ni mon tuteur ! Vous n'êtes qu'un faux parrain et moi un filleul d'invention ! Vous n'êtes pour moi qu'un ennemi !

— Tu peux être certain que je le note... Hier soir, continua-t-il d'une voix altérée, ton visage était à la fois pitoyable et satisfait, inquiet et sûr de lui... Le visage d'un garçon qui vient de dire adieu à son adolescence, à sa pureté, à tout ce qui lui donnait encore le droit de conserver quelques merveilleuses illusions ! Et tout cela, parce qu'une fille a passé ! Une fille abjecte qui s'est jouée de toi comme de tous les autres ! Et tu es tombé dans le panneau, petit malheureux ! Tu as cru que c'était arrivé parce qu'elle a su attiser tes désirs de jeune chien ! Elle a même peut-être réussi à te faire croire qu'elle t'aimait... Comme si une femme pareille était capable d'aimer !

— Elle l'est !

— Tu oses encore dire cela après l'avoir vue interpréter cette scène tout à l'heure ?... C'est vrai que tu lui donnais la réplique et que tu ne pouvais pas très bien te rendre compte ! Tandis que moi j'ai pu l'observer tranquillement, en spectateur... Mais tout de même, mon petit, quand elle a prononcé ces mots que j'avais intentionnellement écrits pour elle afin de juger son véritable tempérament : « *T'avoir trouvé est la seule chose importante* » et « *Je suis ton alliée pour toujours !* » tu as vraiment eu l'impression qu'il y avait en elle de la sincérité ? Il n'y en avait pas l'ombre, mon garçon ! Il n'y avait que le mensonge ! Cette fille ne pourrait même pas jouer les maîtresses, à défaut des amantes ! Elle est tout juste bonne pour interpréter les aventurières de second plan... et encore, à condition que l'aventure soit courte ! Bonjour, bonsoir, et c'est fini ! Et tu aurais voulu que je lui confie le rôle de *La Voleuse ?* Mais je ne sais pas ce qui a pu vous passer dans la tête à tous ? A Skermine, à Langlois et à toi ! Les deux autres, encore, se sont bien gardés de la prendre au sérieux, mais toi, Alain ! Pour voler réellement un homme, il faut avoir une autre envergure que cette fille ! Sais-tu que c'est intransigeant et follement possessif, une voleuse ? Que ça prend et que ça garde tout pour soi ? Cette fille, te garder ? Mais elle n'y tient même pas ! Elle ne faisait semblant de s'intéresser à toi que parce que tu vivais auprès de moi et qu'un jour ou l'autre, tu pourrais lui être utile !

— Ce n'est pas vrai ! Elle m'a voulu pour moi seul !

— Tu crois ça ? Eh bien, maintenant qu'elle doit savoir par le coup de fil de Skermine qu'elle n'a plus aucun espoir d'être un jour mon interprète, essaie donc d'aller la retrouver ! Tu verras l'accueil qu'elle te fera !

— Elle m'aime !

— Et tu l'as cru quand elle te l'a dit ! Mon pauvre enfant !... Après tout, peut-être as-tu bien fait de profiter d'elle avant qu'il ne soit trop tard ? Cela m'étonnerait qu'elle continue à t'accorder longtemps ses faveurs !

— Je n'ai pas profité d'elle ! Je l'aime, moi aussi...

— Alors, c'est elle, la garce, qui a profité de toi ! Oui, elle t'a bien eu, comme un gamin ! Elle a dû se délecter ! Jamais elle n'a eu sous sa dent de putain un tendron de ta qualité ! Ah, ça, elle peut être fière d'elle... Seulement, moi, je ne le lui pardonne pas !

— Vous la haïssez parce qu'elle a été plus forte que vous, parce qu'elle a réussi là où vous avez échoué avec moi ! Je ne regrette rien ! Je suis fier, je suis heureux d'être devenu l'amant d'Olga ! Je le dirai à tout le monde, s'il le faut !

— Petit imbécile !... Le pire, c'est que toi, tu as été sincère...

Il s'était tu, le regardant avec des yeux hagards, fous de rage et de chagrin. Ce fut d'une voix brisée qu'il continua :

— Ça aussi je l'ai vu quand tu as joué la scène : c'est pourquoi tu t'y es montré, sans le faire exprès, incomparable alors qu'elle était exécrable !

— Vous pouvez le dire maintenant : vous avez fait exprès de me tendre ce piège de l'audition à la dernière minute ?

— Oui, je l'ai fait exprès...

— Et tout ce qui a précédé aussi ?

— Tout...

— C'est vous qui avez téléphoné à Paul Vernon pour lui dire de ne pas venir, que ça n'en valait pas la peine ?

— C'est moi...

— Et moi qui ai cru que c'était lui, Vernon, le salaud ! Il l'était, mais pas de la même façon...

— Tu veux dire que ce n'était rien en comparaison de moi ?

Alain ouvrit la bouche mais il resta silencieux, le dévisageant fixement.

— Oui, continua Forval, je me suis conduit comme un monstre... Mais il le fallait ! C'est moi aussi qui ai voulu que l'audition ait lieu ici, chez moi, pour pouvoir étudier de plus près tes réactions quand mon texte t'obligerait à lui dire devant moi : « *Nous ne sommes pas comme vous, les femmes... Il y a des sentiments que nous ne parvenons pas à exprimer...* » Si tu savais comme tu le lui as dit ! Ça m'a fait très mal !... Qu'est-ce que tu voudrais savoir encore ? Si je suis sorti exprès pendant tout un après-midi pour t'inciter à recopier en cachette la scène que j'avais glissée intentionnellement dans le manuscrit de *La Voleuse ?* Oui.. Et tu as commis l'erreur d'utiliser la machine pour ce travail : j'avais laissé un point de repère, que tu n'as pas remarqué, dans la position du clavier. Quand je suis rentré, un simple regard m'a suffi pour constater que tu t'étais servi de la machine. Je savais aussi que tu remettrais en place, dans le manuscrit, les feuillets en double que j'avais tapés moi-même... Seulement, là aussi tu as commis une erreur : ils étaient bien entre la première et la deuxième page, mais à l'envers !... Dès lors, te sachant en possession de mon texte, il ne m'était pas très difficile de deviner l'usage que tu en ferais... Comme tu es loin d'être sot pour les choses de l'esprit, après l'avoir lu, tu t'es aperçu de ses difficultés cachées... Et tu t'es dit : « Jamais la belle Olga ne s'en tirera seule si on ne l'aide pas à travailler d'arrache-pied !... » Tu t'es précipité chez elle, en amoureux éperdu, pour voler à son secours ! Sincèrement, farouchement, tu t'es cru indispensable : sans ton aide, la fille ne serait jamais prête à affronter nos foudres... Skermine, Paul Vernon, ce n'était rien, absolument rien ! Ce serait toi seul, débordant d'amour aveugle, qui arriverais à un résultat... Ce n'est pas ça, ce que tu as pensé ? Et tu as obligé la belle Olga à répéter avec toi une fois, deux fois, vingt fois... À relire mon texte pour bien s'en imprégner... A l'apprendre par cœur comme un perroquet... Et tu as cru que c'était du bon travail ! Seulement, tu es tout de même un peu jeune pour avoir la science infuse ! En tout cas, tu n'as certainement pas encore celle du dialogue ! C'est toi qui, en voulant trop en faire, a été le commencement de la perte de cette fille dans mon esprit...

— Vous l'avez détestée tout de suite, dès que vous l'avez vue !

— Pas exactement... Ce n'est pas quand je l'ai vue, chantant dans son beuglant, que je l'ai haïe, mais quand je t'ai vu, toi, la regarder passionnément... Tu étais déjà fou à la première seconde ! Ce n'était même pas croyable pour moi : me dire qu'il avait suffi de l'apparition d'une inconnue pour tout bouleverser en toi en quelques instants, pour démolir le savant mur d'amour et de tendresse que j'avais construit patiemment autour de toi depuis trois années, pour te voler à moi sans vergogne !... Oui, je le reconnais : là, elle a su montrer des qualités de *voleuse*... Mais une voleuse de basse classe qui veut aller trop vite, qui ne sait pas attendre comme moi et dont l'effondrement sera aussi rapide que sa victoire éphémère !

— Qu'est-ce que vous en savez ? Je l'aime de plus en plus... Je suis à elle... Et plus vous essaierez de la détruire dans mon esprit, plus elle y grandira !

— Ton esprit !... Sais-tu ce qui te reste d'elle en ce moment : le relent de quelques caresses, le souvenir d'un plaisir bestial peut-être... Mais c'est strictement tout ! Jamais ton cœur n'a été pris par ses simagrées ! Il est beaucoup trop fort, trop ardent, trop pur aussi, ton cœur, pour se commettre là, où il se sent diminué, avili... Heureusement, tu as un cœur et un vrai ! C'est lui qui va te sauver : tu ne retourneras pas la voir.

— J'irai !

— Ce n'est pas vrai ! Tu n'oseras pas tenter l'expérience : te rends-tu compte de ce que serait ta désillusion si elle ne t'accueillait, maintenant que je l'ai balayée, que comme tu le mérites : en gamin dont on ne peut plus se servir ? N'y va pas, Alain ! Ça te ferait mal à nouveau inutilement !... Reste plutôt avec moi, qui suis ton ami, ton seul véritable ami... Ne l'ai-je pas prouvé en essayant de te défendre en secret, malgré toi, malgré tes instincts ? Tu vois : je suis déjà prêt à tout te pardonner, à tout oublier, à agir comme si rien ne s'était passé, comme si elle n'avait pas existé ! Mais il faut que tu me promettes de ne plus jamais la revoir ?...

Le garçon restait silencieux. L'homme continua :

— Tu as tellement de choses plus intéressantes à faire et à apprendre ! Tu as tes études à poursuivre, tu as toute la vie qui ne peut se résumer à une aventure sordide, tu as moi aussi...

Alain avait quitté le siège où il était resté assis, devant la machine à écrire, pendant tout le temps de la conversation. Sans dire un mot, il se dirigea vers la porte donnant sur le palier.

— Où vas-tu ? cria l'homme.

— La rejoindre...

André Forval n'avait pas bougé du cabinet de travail où il était resté prostré pendant des heures, incapable, pour la première fois de sa vie, d'y œuvrer. Il n'avait pensé à rien, comme si son cerveau s'était brusquement vidé de toute substance créatrice, de toute idée dominatrice aussi...

Quand Ali vint frapper à la porte donnant sur le salon, pour annoncer que le dîner était servi, l'homme hébété dit d'une voix blanche :

— Oui, Ali... Va voir si Alain est dans sa chambre...

Quelques instants plus tard, le muet revint en faisant comprendre par gestes que le jeune homme n'était pas dans sa chambre, qu'il n'était nulle part...

— C'est bon, répondit Forval. Nous attendrons, pour dîner, qu'il soit rentré. Préviens la cuisinière.

C'était bien la première fois aussi que le « Maître » attendait quelqu'un... Ali comprit qu'il se passait des choses graves et il repartit se cacher dans l'office. La maison retrouva sa tristesse...

Les heures passèrent. L'homme ne sortait toujours pas du cabinet de travail. Vers minuit, le timbre de la sonnette intérieure retentit dans l'office. Ali monta l'escalier en courant et frappa avec appréhension à la porte.

— Entre ! cria Forval.

Le serviteur le vit, debout, dressé derrière son bureau comme s'il était en proie à une intense exaltation. La voix cassée — presque une voix de vieillard — hacha des ordres :

— Va me chercher un taxi... Je sors... Ne te couche pas surtout ! Reste auprès du téléphone... Il se peut que je t'appelle pendant la nuit et que j'aie besoin de toi...

Quand Ali revint avec le taxi, Forval était déjà sur le seuil, fébrile, emmitouflé dans sa pelisse... Il s'engouffra dans la voiture en disant seulement au chauffeur :

— En route !

Quelques minutes plus tard, le taxi s'arrêtait devant l'entrée des *Idées Noires*. Le portier famélique s'était précipité. Après avoir laissé un billet au chauffeur, le « client » entra rapidement dans le cabaret et là — sans prêter attention au maître d'hôtel qui s'était avancé en demandant : « Monsieur désire sans doute une bonne table ? » — il se dirigea vers le bar, derrière lequel trônait M. Raoul... Un M. Raoul qui l'avait vu s'approcher et qui l'avait tout de suite reconnu : l'homme aux cheveux gris, le seul des quatre personnages qui n'était encore jamais revenu au cabaret, le seul également qui avait de l'importance.

— Je crois savoir, monsieur, dit Forval, que vous êtes le directeur de cet établissement ?

— Oui, monsieur ! répondit le gros homme en essayant de contrôler sa rage à l'égard de celui qui n'avait pas voulu d'Olga.

— Je désirerais parler immédiatement à Mlle Olga.

— C'est impossible... Elle est actuellement dans sa loge et l'accès des coulisses est interdit au public.

— Je n'appartiens pas au public, monsieur. Au

cas où vous ne m'auriez pas reconnu, je suis André Forval...

— Et alors ? Ça ne change rien !

— Ça peut tout changer, au contraire ! Vous savez certainement que cet après-midi, je n'ai pas été très enthousiasmé par le jeu dramatique de votre pensionnaire ?

— Je sais... « On » nous a téléphoné...

— Je regrette sincèrement que « l'on » ne soit pas venu : c'était la moindre des corrections à l'égard de cette jeune femme et de vous-même.

— Oh ! vous savez : la correction ! Il y a longtemps qu'on a compris, Olga et moi...

— C'est en partie pour réparer cette erreur que j'ai tenu à venir moi-même ce soir...

— Vous êtes vraiment trop aimable, monsieur Forval ! Ce n'était pas la peine de vous déranger pour si peu... et pour nous !

— Pourquoi ce ton agressif ?

— Vous avez le toupet de le demander ? Fichez le camp, monsieur ! Je suis ici chez moi et je n'y accepte que qui je veux ! J'ai tout autant le droit de vous mettre à la porte que vous, quand vous avez remercié Olga.

— Vous avez tort de vous énerver... Je comprends très bien que vous ayez un peu de ressentiment contre moi mais je ne pense pas qu'il durera longtemps... Voilà : après le départ de Mlle Olga et de MM. Langlois et Skermine, j'ai longuement réfléchi... Et je me suis dit qu'après tout si cette belle jeune femme n'avait pas fait preuve de qualités dramatiques transcendantes à l'audition, c'était surtout par ma faute...

— Je ne comprends pas ?

— Suivez mon raisonnement : j'avais écrit pour cette audition une scène spéciale... C'était une erreur... J'aurais dû tout de suite donner à apprendre à votre pensionnaire une scène de la pièce pour laquelle nous avons tous pensé à elle : *La Voleuse*... Son travail aurait été plus aisé. Je ne me pardonne pas de lui avoir demandé quelque chose de trop difficile. N'importe quelle artiste, à sa place, aurait trébuché sur un texte qui n'était pas vertébré... Aussi ai-je pris la décision de ne tenir aucun compte de cette audition manquée et de confier définitivement le rôle de *La Voleuse* à Olga...

— Ce n'est pas vrai ? balbutia M. Raoul, éberlué.

— Tout ce qu'il y a de plus vrai ! C'est même la seconde raison pour laquelle je suis venu... J'ai désiré le lui annoncer moi-même...

— Ça alors !... Mais ça change tout ! Qu'est-ce que je vous offre ?

— Rien...

— Vraiment, « Maître » ?

Forval pensa qu'il était superflu de l'empêcher de prononcer ce qualificatif qui lui empâtait la bouche et qu'il n'avait dû apprendre que très récemment. Il eut même un vague sourire intérieur à l'idée que quelqu'un s'était donné la peine d'expliquer à ce rustre qu'il paraîtrait un peu moins rustre s'il lançait des « Maître » à un auteur qui pouvait faire réussir la belle Olga.

— Alors comme ça, reprit M. Raoul, elle a le rôle pour de bon ?

— Elle a le rôle... Pensez-vous maintenant que je pourrai la voir ?

— Mais... certainement ! Je vais vous conduire à sa loge... Votre visite va lui faire une de ces surprises ! Si vous voulez bien me suivre... Je m'excuse de passer le premier, seulement je connais la boutique !

— Je vous en prie, cher monsieur...

Ils arrivèrent dans le couloir misérable.

— Olga ! dit triomphalement M. Raoul en entrouvrant la porte de la loge. J'ai pour toi une nouvelle du tonnerre ! Devine qui est là ?... Le Maître !

Et, avant que la fille n'ait pu réaliser exactement ce qui se passait, il s'était retourné vers l'illustre visiteur.

— Entrez... Vous êtes chez vous...

En voyant la silhouette de Forval s'encadrer dans le miroir de la table à maquillage, Olga connut un court moment de stupeur mais, très vite, elle se reprit. Son regard devint dur.

— Bonjour, mademoiselle, dit le dramaturge avec une douceur voulue.

Elle ne répondit pas, continuant à l'observer dans le miroir.

— Je sais que je vous dérange mais j'ai voulu vous annoncer moi-même qu'après réflexion, j'ai décidé de vous confier le rôle de *La Voleuse*.

— Je n'en veux pas ! répondit sèchement la fille.

— Tu es folle ! s'exclama M. Raoul. Tu ne te rends pas compte ?

— Je me rends très bien compte que monsieur n'a pris cette décision que parce qu'il ne pouvait pas faire autrement !

— Que voulez-vous dire ? demanda Forval, toujours avec une douceur appuyée.

— Ça me regarde !

— Je crois, continua Forval sans se départir de son calme, qu'il serait préférable que nous ayons tous les deux une conversation en tête-à-tête. Si monsieur — il désignait Raoul — n'y voyait pas d'inconvénient ?

— Au contraire, Maître ! Ça arrangera tout... Je vous attends au bar, après...

Rapidement, il referma la porte, les laissant seuls.

Aussitôt le ton de voix de Forval changea, passant sans transition de la douceur tranquille à la violence inquiète :

— Où est-il ?

— Qui cela ? répondit la fille dont le visage, toujours reflété par le miroir, restait impassible.

— Vous le savez !

Elle prit tout son temps avant de répondre :

— Je ne sais rien... Et qu'est-ce que vous voulez que ça me fasse ?

— Je l'ai prévenu, le pauvre enfant, répondit-il amer, qu'il vous serait vite indifférent !

— Comme il est à plaindre, ce cher petit !

— Je savais aussi que vous n'aviez aucun cœur !... Oui, il est à plaindre... Il n'est donc pas venu vous voir ? Il m'avait cependant dit...

— Il est venu... et il est reparti !

— Il y a combien de temps ?

— Une demi-heure environ... Je venais d'arriver dans cette loge.

— Mais alors il ne peut être loin ?... A moins qu'il ne soit très loin ! Ce serait épouvantable !

— Qu'est-ce qui serait épouvantable ?

— Ah, ça ! Vous ne comprenez donc pas ou vous le faites exprès ? Mais il se peut qu'à l'heure actuelle, il ait déjà accompli le geste fatal... Vous ne pouvez savoir à quel point je l'ai vu désemparé cet après-midi ! Il est parti de chez moi vers seize heures sans rien dire : il n'est pas revenu depuis...

— Et vous avez attendu jusqu'à minuit pour partir à sa recherche ?

— J'espérais d'abord qu'il rentrerait pour le dîner... Il avait toujours été là à tous les repas, à l'exception de trois fois où il déjeunait au quartier Latin après m'avoir prévenu... Mais, ce soir, rien ! Je l'ai attendu désespérément pendant des heures et, finalement, il a fallu que je fasse quelque chose...

— Et vous êtes venu me trouver avec l'unique intention de savoir si je ne le cachais pas dans ce cabaret ? Parce que j'ai très bien compris, moi, que la soi-disant décision de dernière heure de me confier le rôle de *La Voleuse* n'était qu'un prétexte pour justifier votre visite... En réalité, vous vous en fichez pas mal en ce moment de l'interprète de votre pièce et même de votre pièce ! Il n'y a plus qu'une chose qui compte : la disparition de votre petit ami !

— Ne parlez pas ainsi ! Alain est beaucoup plus pour moi qu'un jeune ami... Il est même plus qu'un fils !

— Vraiment ? La fibre paternelle qui se réveille chez le grand homme ?

— Je vous en prie, mademoiselle, ayez un peu de tact, si cela vous est possible ! Il ne s'agit plus en ce moment que de sauver un adolescent en l'empêchant de faire une folie... Vous devez m'aider ! Vous seule pouvez le faire ! Vous n'avez pas le droit de vous dérober ou de dire la monstruosité de tout à l'heure : « Qu'est-ce que vous voulez que ça me fasse ? »

— Vraiment ?

— Oui, mademoiselle ! Parce que si le pire arrivait...

— Qu'entendez-vous par le pire ?

— La mort d'Alain !... Oui, je la sens rôder en ce moment autour de lui, la mort...

— Fakir ?

— Taisez-vous !... Si cet enfant était aussi désespéré en vous quittant tout à l'heure qu'en partant de chez moi, il est capable de se tuer... Dites-moi au moins la vérité : était-il heureux quand il vous a revue ?

Elle resta silencieuse. Son visage, demeuré hermétique jusqu'à cette minute, commençait à s'altérer. Il insista :

— Il vous a parlé ?... Et vous, que lui avez-vous dit ?... Quand il est reparti, était-il plus heureux qu'en arrivant ou... plus malheureux ?

Elle ne répondait toujours pas mais il sembla à son visiteur que, dans le miroir, le regard glauque prenait une expression douloureuse. Il continua :

— C'est très important ce que je vous demande, Olga ! Tout dépend de l'état d'esprit dans lequel il vous a quittée... S'il s'est senti réconforté, épaulé par vous... Eh oui ! Pourquoi ne pas le dire : *aimé* par vous, il peut avoir retrouvé son courage mais si ce fut le contraire...

Elle dit alors lentement :

— Je n'ai rien fait pour le retenir.

Le cri lui avait échappé. L'homme qui, dans le miroir, se penchait vers elle, crispé, n'avait plus rien du personnage hautain de l'après-midi, qui cachait sous une fausse amabilité la volonté de briser — dès le départ — la carrière artistique que Skermine et Langlois avaient fait miroiter à une fille de cabaret. Forval, le grand Forval, n'était plus qu'un homme comme les autres — plus pitoyable même que tous les autres — affolé, bouleversé à l'idée que le seul être au monde qui l'intéressait vraiment, à l'exception de lui-même, et qu'il aimait peut-être, n'était plus...

Il poursuivit, la voix altérée :

— Moi aussi, je ne suis qu'un misérable... Vous et moi, nous sommes les deux responsables de ce qui arrive : deux criminels !

— Vous peut-être ! Pas moi !

— J'ai été très coupable de me montrer trop intransigeant, trop exclusif, trop tyrannique dans mon amitié... dans ma tendresse ! Mais vous ! Pensez-vous que vous aviez le droit d'agir comme vous l'avez fait ? De jeter votre dévolu de fille sur un adolescent ? De lui faire croire qu'il vous plaisait alors que vous ne pensiez qu'à satisfaire vos instincts de femelle ? De lui révéler l'acte sacré de l'amour dans des conditions sordides, alors que vous-même êtes incapable de savoir ce que c'est qu'aimer ?

— Je l'ai su bien avant lui !

— Mais vous l'avez oublié pour toujours !... Savez-vous aussi que c'est grave d'entraîner un mineur ? Que ça peut vous mener très loin et que, si un malheur arrivait, je saurais me montrer sans pitié ?

— Des menaces ? Elles ne me font pas peur ! Ce garçon est venu à moi librement, de son plein gré, comme il aurait été, tôt ou tard, trouver n'importe quelle femme ! Que vous le vouliez ou non, il avait besoin de connaître la femme !

— Vous voudriez me faire croire que vous vous êtes sacrifiée ?

— Je ne suis pas comme vous, monsieur Forval :

je n'aime pas mentir... Ce que je vais vous révéler va sûrement vous être très désagréable mais cela m'est égal : vous l'avez été suffisamment avec moi ! Nous serons quittes... Votre « protégé » a l'étoffe d'un amant... Un jour, il en sera un, je le sais ! Mais si cela peut vous rassurer, je sais aussi que ce ne sera pas avec moi ! Je n'ai été pour lui que la première femme nécessaire... Je ne regrette rien et j'espère qu'il ne conservera pas un trop mauvais souvenir...

— Je ne vous pardonnerai jamais ce que vous avez fait et ce que vous me dites...

— Je m'en doute : vous êtes incapable de pardonner parce que vous vous estimez un être exceptionnel qui vit dans des sphères inaccessibles aux autres mortels et surtout pas aux filles ! Eh bien, moi je vous pardonne d'être ainsi, vous me faites pitié ! Vous êtes peut-être un grand auteur, mais cela ne vous empêche pas de n'être qu'un pauvre homme...

— Savez-vous que c'est la première fois qu'on ose me dire des choses pareilles ?

— C'est bien regrettable ! Vous auriez encore plus de succès — puisque ce n'est que ça, dans le fond, que vous recherchez ! — si vous vous donniez la peine de comprendre les femmes telles qu'elles sont et non pas telles que votre cerveau torturé les imagine !... Nous sommes beaucoup plus simples que vous ne le pensez : la plupart d'entre nous ne cherchent qu'à satisfaire leurs désirs...

— Et, pour y arriver, vous asservissez les hommes ?

— Uniquement ceux qui le veulent bien, monsieur Forval ! Les autres... nous vous les laissons !

— En tout autre circonstance, votre insolence m'intéresserait... Malheureusement, ni vous ni moi n'avons le temps ce soir de faire de tels assauts... Il s'agit, que nous l'aimions ou qu'il vous indiffère comme vous venez de me le faire comprendre, d'un garçon de dix-huit ans que nous avons déçu, vous et moi... Vous me comprenez ?

— Oui...

— Notre responsabilité, je vous le répète, est écrasante... Mais peut-être pouvons-nous encore, l'un et l'autre, faire quelque chose pour lui ?

— Quoi ? Quoi ? demanda-t-elle brusquement avec une grande sincérité.

— Vous m'avez dit qu'il était venu ici tout à l'heure ? Racontez-moi exactement comment les choses se sont passées ?

Elle commença — dominée malgré tout par l'autorité de l'étrange visiteur — sur un ton monocorde, comme si elle faisait le récit d'événements auxquels elle aurait assisté, non pas en actrice essentielle, mais en spectatrice anonyme.

— Il est entré dans cette loge, sans même avoir frappé à la porte... J'ai tout de suite compris qu'il n'était pas passé par la salle pour éviter d'y rencontrer ceux qu'il ne voulait pas y voir... Il était venu par la cour intérieure de l'immeuble... Il était très pâle... Sa voix était douce, presque résignée, et il m'a dit :

« — Je n'ai plus que toi...

« — Qu'est-ce que tu as fait ?

« — Je l'ai quitté pour toujours... C'est un mons-
« tre !

« — Ces hommes-là sont tous pareils : ils ont trop
« bien réussi ! Ils croient que tout doit plier devant
« eux... Il a dû tout de suite m'en vouloir parce qu'il
« a senti qu'il ne m'impressionnait pas.

« — Ce n'est pas pour cela qu'il te hait, Olga : il
« sait que tu es devenue ma maîtresse...

« — Ta maîtresse ! N'exagère pas... Je t'ai fait cou-
« cher avec moi, c'est tout... Ne va surtout pas t'ima-
« giner que toutes celles avec qui ça t'arrivera seront
« obligatoirement ta maîtresse !

« — Mais je n'en veux pas d'autre que toi !
« — Il faudra tout de même bien qu'il y en ait
« d'autres... Evidemment, si j'avais eu le rôle, je ne
« dis pas que nous n'aurions pas pu nous organiser
« tous les deux... mais, maintenant, c'est une autre
« histoire !
« — Tu ne veux plus que nous vivions ensemble ?
« — Tu es fou ! Avec quoi ?
« — Je travaillerai... Je ferai n'importe quoi !
« — Tu abandonnerais tes études ?
« — S'il le fallait...
« — Cela te rendrait très malheureux, mon petit...
« Je suis sûre que si tu as enduré Forval depuis trois
« années, c'est surtout pour pouvoir continuer tes
« études... Ce n'est pas vrai ?
« — Si...
« — Alors, qu'est-ce que tu deviendrais ? Et moi,
« il faut que je me débrouille.
« — Tu pourrais continuer à chanter... mais ail-
« leurs ! Il y a des tas d'autres boîtes où tu aurais
« encore plus de succès.
« — Je croyais que tu n'aimais pas me voir faire
« ce métier ?
« — Je le déteste quand tu es ici... Mais ailleurs, ça
« pourrait être différent : tu ne ferais que chanter
« sans être obligée de faire ensuite l'entraîneuse avec
« les clients pour apporter une recette à « Mon-
« sieur » Raoul !
« — Nous y venons : avoue que c'est surtout lui
« que tu détestes ? Plus que ma vie de boîte de
« nuit ?
« — C'est vrai.
« — Eh bien, vois-tu, j'ai eu tout le temps de ré-
« fléchir depuis le coup de téléphone de Skermine
« m'informant que ma façon de jouer n'avait pas eu
« l'agrément du Grand Homme ! Et je me suis dit
« qu'au fond, Raoul c'était encore la meilleure solu-
« tion pour moi...
« — Mais tu m'as dit que tu ne pouvais plus le

« voir et que c'était moi seul que tu voulais main-
« tenant ?

« — J'ai dit cela parce que j'avais envie de le
« tromper... Ce sont des choses qui arrivent, même
« chez les femmes les plus honnêtes : alors, à plus
« forte raison chez moi ! Seulement ça ne veut pas
« dire que, dans le fond, je n'aie pas un homme dans
« la peau...

« — M. Raoul ?

« — Raoul... Sais-tu qu'il s'est montré très gentil
« avec moi quand il a su que ça ne marchait pas
« pour la pièce ? Il m'a dit simplement : « Ne t'en
« fais pas ! On y arrivera ! Il n'y a pas que Forval
« dans ce métier... Pour le moment, j'ai eu un rude
« flair en attendant de fermer la boîte... Elle nous
« permettra toujours de vivre... Ce n'est pas le Pé-
« rou, bien sûr, mais enfin on se défend gentiment
« tous les deux... On n'a pas de frais, on vit ensem-
« ble, on n'est pas heureux comme ça ? » Il a rai-
« son, Raoul...

« — Parbleu ! C'est toi qui le fais vivre !

« — Lui aussi m'a fait vivre quand il m'a ramas-
« sée... Je t'assure que j'étais bien près de faire le
« grand plongeon : celui qui vous débarrasse de
« tout ! Tu n'as jamais connu ça, toi ? Alors tu ne
« peux pas comprendre... Raoul, lui, était là... Et il
« a compris qu'il devait m'aider tout de suite. Il l'a
« fait, il m'a ramenée ici... Il m'a dorlotée... Oui, à
« sa manière ! Mais ça m'a fait du bien... Et puis il
« m'a dit : « Au lieu de faire le tapin, pourquoi
« n'essaierais-tu pas le tour de chant, une belle fille
« comme toi ! Ce n'est pas sorcier... Il y en a une
« foule d'autres, qui n'ont pas ta personnalité, ni
« ton allure, et qui arrivent à s'y débrouiller très
« bien... On va chercher des chansons avec le pia-
« niste de mon orchestre... Il te fera répéter : je lui
« paierai les heures supplémentaires qu'il faudra... »
« C'est comme cela que ça a commencé... J'avais une

« raison de vivre puisque j'avais quelque chose à
« faire... Je lui dois beaucoup à Raoul !
« — Et lui donc !
« — Lui ? Il a été correct... Je ne te l'ai pas encore
« dit, je ne l'ai d'ailleurs jamais dit à personne : il
« m'a laissée tranquille pendant des semaines... Je
« logeais chez lui, je couchais dans son lit, mais il
« me respectait... Ça te paraît peut-être invraisem-
« blable, mais c'est quand même la vérité ! Je te
« jure que ça me changeait rudement auprès de la
« vie que j'avais menée... Je crois qu'au début, je
« l'intimidais... Oui, il me disait tout le temps : « Ce
« que tu peux être belle !... » et, un soir, c'est moi
« qui ai voulu... Voilà !
« — Tu as eu envie de lui... comme tu as eu envie
« de moi ?
« — Comme j'aurai envie de beaucoup d'autres !
« Seulement Raoul, c'est ma sûreté... C'est un
« homme, quoi ! Avec toi, c'était excitant mais tu
« n'es encore qu'un gamin... Je ne peux pas trop
« compter sur toi !
« — Tu es injuste ! J'ai tout fait pour toi ! Tout
« ce que je pouvais...
« — Tu me l'as déjà dit : tu as plaqué Forval, tu
« as volé... Au fait, qu'est-ce que tu as donc volé
« pour moi ?
« — Le texte de la scène pour bien la connaître
« avant de venir te faire répéter.
« — C'est tout ? Et tu voudrais qu'à cause de cela,
« je quitte Raoul ? Sais-tu ce qu'il a encore fait pour
« moi, Raoul ? A force de me ramasser dans des
« rafles, les « poulets » m'avaient mise en carte...
« J'avais bien été obligée d'y passer, pour éviter des
« ennuis. Je l'ai dit à Raoul et il s'est rendu à la
« Préfecture pour déclarer que je renonçais au mé-
« tier et que j'allais devenir une artiste, qu'il répon-
« dait de moi... Ils ont supprimé ma carte : j'ai cru
« que j'allais étouffer de joie ! Ce n'est pas une
« preuve d'amour, ça ?

« — J'en aurais fait autant...
« — A ton âge ? Tu te vois arrivant à la Préfec-
« ture et disant : « Je m'appelle Alain, j'ai dix-huit
« ans, et je réponds à l'avenir de l'honorabilité de
« cette fille qui a sept ans de plus que moi. » On
« nous aurait flanqués en taule, tous les deux ! Toi,
« tu aurais encore eu l'avantage d'aller dans une
« maison de redressement pour jeunes délinquants,
« mais moi !... Non ! Vois-tu, mon petit, il vaut mieux
« qu'on se quitte gentiment : je vais rester aux
« *Idées Noires* tant que Raoul n'aura pas trouvé
« mieux et toi, tu vas rentrer bien sagement dans le
« bel hôtel particulier de ton vieil ami... Tu y es
« bien ! C'est confortable, la cuisine doit être bonne,
« tu n'as pas de soucis et tu risques de devenir un
« jour quelqu'un d'aussi célèbre que Forval...
« — Je me moque de la célébrité, c'est toi que
« je veux !
« — Tu ne m'auras plus ! C'est fini... Il faudra en
« faire ton deuil, mon petit... et m'oublier...
« — Je ne pourrai pas...
« — Tu y arriveras très bien, tu verras ! De temps
« en temps, si ça te fait plaisir, viens nous dire un
« petit bonjour, à Raoul et à moi... On ne t'en veut
« pas... On sait très bien, comme tu le dis, que tu as
« fait tout ce que tu pouvais... Seulement, voilà : tu
« pouvais peu... Tu es encore trop jeune !
« — Toujours « trop jeune » ! Mais je suis devenu
« un homme, tu le sais bien maintenant !
« — Un homme ?... C'est tout autre chose, un
« homme, mon petit... »

— ... Il m'a regardée, termina la voix monocorde, une dernière fois dans ce miroir, sans rien dire. Il avait un pauvre visage... On aurait dit un gosse qui venait de recevoir une taloche... Et il est parti.

— Vous n'avez même pas essayé de le rappeler ?

— A quoi cela aurait-il servi ? Et vous, quand il

vous a quitté cet après-midi, qu'est-ce que vous avez fait ?

La question le laissa sans réponse. Il n'avait même pas crié « Alain », lui non plus... Il avait cru, dans son orgueil, que le jeune homme reviendrait, que ce n'était qu'un accès de mauvaise humeur passagère, qu'il le retrouverait à l'heure du dîner. Mais cette fois, c'était sérieux.

Pendant tout le temps où Olga avait parlé, André Forval n'avait pas cessé de la fixer, à travers le miroir, dans la volonté bien arrêtée de lui arracher la vérité. Il savait maintenant que la fille n'avait rien caché ; trop contente de son triomphe de femme, elle avait tout dit.

— Je vous remercie pour votre franchise...

— Qu'allez-vous faire ? demanda Olga, anxieuse.

— Tenter de le retrouver, s'il en est encore temps !

— Il faut le retrouver, monsieur Forval ! Ce serait trop bête qu'il n'eût pas la chance de rencontrer, comme ça m'est arrivé, quelqu'un au moment où il allait faire une sottise...

— Il n'y a pas toujours un M. Raoul !

— Peut-être devriez-vous prévenir la police ?

— C'est vous qui me donnez ce conseil ?

— Et pourtant je la déteste ! Seulement, il y a des cas où il n'y a guère plus qu'à elle qu'on peut s'adresser...

— Vous devez avoir raison : je crois que je vais avertir la police... Si, par malheur, on m'y répondait : « Vous dites : un jeune homme brun de dix-huit ans ?... Vous devriez aller faire un tour du côté de la morgue », je sais que je dirais aussi : « Arrêtez-moi ! Je suis un criminel : c'est moi qui, par ma tyrannie et sous le couvert de ma soi-disant tendresse, ai poussé ce garçon au suicide... » Et vous, mademoiselle Olga, seriez-vous prête à faire le même aveu ?

Les yeux de la fille redevinrent durs pendant qu'elle répondait :

— Je ne l'ai pas tué, moi, monsieur Forval ! Au contraire ! Je l'ai aidé à se révéler à lui-même...

Il la fixa une dernière fois, longuement. Elle comprit qu'il y avait de tout dans ce regard : de la haine, du mépris, de la détresse... beaucoup de détresse.

Quand il sortit de la loge, elle eut l'impression que ce n'était plus un homme dans la force de l'âge qui se cachait sous la pelisse, mais un très vieil homme.

Dans le couloir, l'homme accablé se heurta à une jeune femme brune qui lui dit :

— Maître... Je viens d'apprendre par M. Raoul que vous étiez là... Serait-ce indiscret de vous demander un autographe ?

La petite strip-teaseuse lui tendait de quoi écrire. Un instant, il parut sortir de sa torpeur pour répéter :

— Un autographe ?

Et il signa. Mais, avant de s'éloigner, il demanda :

— En échange, puis-je vous demander à mon tour s'il est possible de quitter cet établissement sans repasser par la salle ?

— Rien n'est plus simple, Maître ! Cette petite porte, que vous voyez au fond, donne directement sur une cour... De là, vous n'aurez qu'à utiliser le porche pour rejoindre la rue.

— Merci, mademoiselle.

Dix minutes plus tard, un autre taxi le déposait devant l'entrée de son hôtel. La porte s'entrouvrit sans qu'il ait eu besoin de sonner. Ali semblait, lui aussi, avoir vieilli en quelques heures. André Forval n'eut pas besoin de l'interroger pour savoir si le jeune homme était rentré ? Le visage triste du muet apportait la réponse.

Sans prendre le temps de retirer sa pelisse, Forval désigna un appareil téléphonique placé sur un guéridon du vestibule, au bas de l'escalier :

— Appelle-moi tout de suite Police-Secours...

Quand tu auras formé le numéro, passe-moi l'appareil...

Le Noir exécuta l'ordre et tendit le récepteur.

— Allô ? Police-Secours ? dit Forval, mais il ne continua pas : la porte, donnant sur la rue, venait de s'ouvrir lentement... C'était Alain.

— Toi ! Enfin toi ! s'exclama l'homme angoissé qui — après avoir balbutié dans l'appareil un très vague « Excusez-moi » — posa le récepteur en disant au jeune homme :

— Tu vois, cette fois j'appelais la police... Si tu savais ce que tu nous as fait peur, à Ali et à moi ! N'est-ce pas, Ali ?

Les gros yeux du Noir allaient alternativement en roulant et en cherchant à comprendre, de son maître à l'adolescent : le maître était fébrile, exalté, joyeux du retour de l'enfant prodigue... L'adolescent, au contraire, restait morne, silencieux, désabusé : on aurait dit que, si sa personne physique était réellement là, son âme était ailleurs... Il semblait ne plus rien voir autour de lui, bien que ses yeux fussent grand ouverts... Ne pas reconnaître non plus le vestibule, l'escalier, la maison où il vivait cependant depuis trois années. Il regardait tout, les hommes et le décor, avec détachement et indifférence. Tout semblait lui paraître banal, désuet ou inutile. Plus rien ne comptait pour le jeune visage, marqué par le chagrin.

Alain faisait penser à ces oiseaux blessés qui parviennent, dans un dernier effort, à rejoindre le nid d'où ils se sont envolés pour courir à leur perte... Il ne battait plus que d'une aile.

Devant sa détresse, toute la joie de Forval s'évanouit et ce fut d'une voix infiniment douce qu'il demanda :

— Tu dois avoir faim, mon petit ? Ali va tout de suite servir le dîner... J'avais dit qu'on attende ton retour : ce sera un souper, voilà tout... Je savais, j'étais sûr que tu me reviendrais !

Mais le jeune homme ne parut pas entendre non plus ces paroles. Lentement, très lentement, comme s'il était accablé par un fardeau trop lourd pour sa jeunesse, il commença à gravir l'escalier.

— Tu viens à la salle à manger ? demanda Forval en le suivant dans la montée douloureuse.

Mais, arrivé sur le palier du premier étage, Alain ne fit que le traverser pour reprendre l'autre escalier qui le conduisait à sa chambre. Forval comprit : c'était là où il voulait se réfugier... Il n'était pas possible de le laisser seul avec son chagrin en un tel moment ! Il fallait rester auprès de lui jusqu'à ce que son visage ait retrouvé le calme ou, tout au moins, une certaine sérénité.

Forval continua à monter lui aussi jusqu'au seuil de la chambre, où le garçon était entré sans prendre même la peine de refermer la porte derrière lui. Médusé, l'homme le regarda faire : il alla, l'adolescent, vers la commode où Ali avait l'habitude de ranger son linge avec tant de soin... Il y prit une pauvre chemise et quelques mouchoirs. Ensuite il passa dans le cabinet de toilette d'où il rapporta quelques menus objets : une brosse à dents, du dentifrice, un peigne... Il posa tout cela sur le couvre-lit et ouvrit une penderie d'où il sortit un vieux veston et une modeste valise. Après avoir retiré le veston neuf qu'il avait sur lui, il endossa l'usagé, puis il jeta dans la valise ce qu'il avait mis sur le lit. Il y joignit quelques cahiers et deux ou trois livres d'études... Cela avait été accompli, en silence, avec des gestes mécaniques.

— Qu'est-ce que tu fais ? demanda Forval, angoissé.

Il n'y eut pas de réponse.

Alors l'homme s'avança, barrant la porte et disant :

— Tu ne vas pas partir ? Alain, tu ne vas pas faire ça ?... Où irais-tu, malheureux ? Tu sais très bien que tu ne peux plus aller la rejoindre... qu'elle ne veut plus de toi ! Elle me l'a dit ! Je viens de la voir :

elle m'a tout raconté... C'est pour cela que j'ai cru que, cette fois, tout était fini... Mais rien n'est fini puisque tu es là, bien vivant, devant moi ! Alain, reste, mon enfant !... Qu'est-ce que tu veux que je fasse pour toi ?... Ecoute-moi : elle jouera le rôle... J'ai été exprès la voir pour le lui annoncer... Tu dois être content ? Comme cela, tu pourras continuer à la voir... Je ne te le reprocherai plus jamais si tu restes auprès de moi, dans cette maison où « nous » avons été si heureux, tous les deux, pendant ces trois années... Tu n'as pas été heureux ? Souviens-toi : il y a eu des jours, des moments où tu ne te plaignais pas d'habiter avec moi ? Oh ! Je sais : la plupart du temps tu ne disais rien, comme maintenant... Tu te taisais ! Ton silence obstiné, pire que celui d'Ali... Mais, malgré tout, malgré toi, j'essayais quand même de te comprendre : de savoir ce que tu pensais réellement ? Si nous en sommes là aujourd'hui, mon enfant, c'est justement parce que tu ne m'as jamais livré complètement ton cœur... Et cependant ! J'étais le seul qui ne demandait qu'à le comprendre, qu'à le choyer aussi !... J'aurais trouvé en moi des ressources et des réserves de tendresse que tu ne peux pas soupçonner ! Depuis longtemps déjà, nous connaîtrions, toi et moi, cette communion totale, absolue, de deux êtres qui ne vivent plus que l'un pour l'autre... Alain ! Ne pars pas, je t'en supplie !... Si tu le veux, je retournerai « la » voir : je lui dirai qu'elle doit rester ton amie, ta maîtresse... Je la supplierai au besoin, je saurai me faire éloquent, je m'abaisserai pour ton bonheur, mon petit... Je lui dirai même qu'elle peut venir te voir ici... Tu ne veux pas ? Réponds, Alain !... Mais que puis-je faire d'autre ?

Pendant qu'il parlait, l'adolescent avait continué à le regarder comme s'il ne le voyait pas, comme s'il n'était plus pour lui qu'une ombre...

Sans dire un mot, il l'écarta du seuil pour franchir la porte en emportant dans sa valise tout ce qu'il possédait. Puis il commença à descendre.

Forval le suivait, cette fois, s'agrippant au vieux veston, essayant de le retenir, criant haletant :

— Non ! Tu ne partiras pas, Alain ! Tu n'as pas le droit après tout ce que j'ai fait pour toi, après tout ce que je t'ai appris... Tu dois rester ! C'est ton devoir, Alain ! C'est le mien aussi de continuer à t'aider, à te protéger, à te défendre surtout ! Personne ne saura jamais le faire comme moi ! Je ne te veux plus jamais dans la rue, mon enfant ! Je te veux heureux, très heureux.

Ils étaient déjà au premier étage. Sans même jeter un regard vers la porte de ce cabinet de travail, où il avait lu et vu naître tant d'œuvres éblouissantes, le jeune homme continua sa marche pendant que la voix, de plus en plus saccadée, de l'homme disait :

— Oui, je comprends : tu as voulu me donner une leçon en ne revenant que pour reprendre les quelques affaires personnelles que tu avais apportées quand tu t'étais installé ici, il y a trois ans... Mais tu ne peux pas partir ainsi ! Tu sais très bien que toute ta garde-robe, tous ces vêtements que je t'ai fait faire et que tu portais avec tant d'élégance, sont à toi seul... Dis-moi au moins où tu vas ? Je te les ferai parvenir par l'intermédiaire d'Ali, si tu ne veux pas me revoir ! Tu n'as même pas de manteau, mon petit ! Il fait très froid cette nuit ! Et il y aura beaucoup d'autres nuits !... Comment vas-tu vivre ? As-tu encore un peu d'argent, au moins ? Mais réponds, Alain... Dis quelque chose ?

Le jeune homme allait atteindre le bas de l'escalier.

— Ali ! cria Forval. Empêche-le de passer ! Je te l'ordonne ! Mets-toi devant la porte !

Le Noir étendit ses bras en croix mais, très vite, ils retombèrent quand la voix d'Alain lui dit avec douceur :

— Au revoir, Ali... Toi seul, tu étais mon ami...

— Comment ? demanda Forval. Tu parles à Ali et pas à moi ?

L'adolescent avait déjà ouvert la porte par laquelle s'engouffra une bouffée d'air froid qui glaça le vestibule. C'était comme si la rue et toute sa misère pénétraient brutalement dans la demeure luxueuse pour rappeler à ses habitants qu'une porte est insuffisante quand il faut marquer la limite de deux mondes...

Avant de la franchir, Alain se retourna, non pas pour avoir un dernier regard à l'intention de l'homme, mais seulement pour jeter sur le carrelage du vestibule un petit objet brillant qui tinta lugubrement en glissant sur le sol : c'était la clef dont il ne se servirait plus jamais...

La porte s'était refermée.

La chaleur ne revint quand même pas dans le vestibule où il n'y avait plus que deux personnages : André Forval et Ali, le muet.

— Qu'est-ce que tu as à me regarder ainsi ? demanda Forval. Va-t'en ! Je ne veux plus te voir parce que tu n'as rien fait pour le retenir !

Mais le Noir ne bougeait pas, continuant à le regarder avec des yeux qui reflétaient le respect et le reproche : respect du Maître, reproche d'avoir voulu exiger de l'adolescent des choses impossibles.

La voix de Forval continua, brisée :

— Tu voudrais bien savoir ce que je pense en ce moment ? Eh bien, je vais te le dire, à toi qui ne pourras rien répéter... Et même si tu l'écrivais sur un bout de papier, ça me serait égal !... Ce que je pense ? J'ai perdu parce que je n'ai pas été honnête avec moi-même... Ça t'étonne, hein ?... Oui, quand j'ai vu cette Olga, j'ai tout de suite compris que Skermine ne s'était pas trompé : qu'elle était l'héroïne rêvée de ma prochaine pièce ! Et quand j'ai surpris dans cet immonde cabaret le regard qu'Alain avait pour elle, j'ai deviné qu'elle saurait jouer admirablement le rôle puisqu'elle allait me le prendre, mon petit Alain ! J'ai tout fait pour lutter, mais elle s'est montrée la plus forte... Et, cependant, elle ne l'aimait pas ! Dès qu'elle a eu sa victoire, elle ne s'est plus intéressée à lui... Elle s'est conduite exactement comme je l'avais imaginé dans la pièce avant de la connaître : c'est donc qu'elle était faite pour être *La Voleuse*... Et lui ! Il était encore bien jeune mais il aurait pu être aussi, sur une scène, la plus émouvante victime de la femme... Si mon drame avait été joué par de tels interprètes, il aurait été mon plus grand triomphe, mais comme il ne sera créé, dans deux mois, que par des professionnels se nommant Edwige Maniel et Paul Vernon, ce sera un échec !

Le Noir vit le « Maître » remonter péniblement l'escalier en s'agrippant à la rampe. Quand il entendit se refermer la porte du cabinet de travail, Ali éteignit le grand lustre. Puis il s'enfuit, à son tour, dans la nuit. Ce fut à nouveau le silence dans la maison où André Forval resterait seul, absolument seul...

TABLE DES MATIERES

ROMANS-TEXTE INTÉGRAL

ARNOTHY Christine
343** Le jardin noir
368* Jouer à l'été
377** Aviva

ASIMOV Isaac
404** Les cavernes d'acier

BARCLAY Florence L.
287** Le Rosaire

BIBESCO Princesse
77* Katia (mars 1972)

BODIN Paul
332* Une jeune femme

BORY Jean-Louis
81* Mon village à l'heure allemande

BRESSY Nicole
374* Sauvagine

BUCHARD Robert
393** 30 secondes sur New York

BUCK Pearl
29** Fils de dragon
127** Promesse

CARRIERE Anne-Marie
291* Dictionnaire des hommes

CARS Guy des
47** La brute
97** Le château de la juive
125** La tricheuse
173** L'impure
229** La corruptrice
246** La demoiselle d'Opéra
265** Les filles de joie
295** La dame du cirque
303** Cette étrange tendresse
322** La cathédrale de haine
331** L'officier sans nom
347** Les sept femmes
361** La maudite
376** L'habitude d'amour
399** Sang d'Afrique
I. L'Africain
400** Sang d'Afrique
II. L'amoureuse

CARTON Pauline
221* Les théâtres de Carton

CASTILLO Michel del
105* Tanguy

CESBRON Gilbert
6** Chiens perdus sans collier
38* La tradition Fontquernie
65** Vous verrez le ciel ouvert
131** Il est plus tard que tu ne penses
365* Ce siècle appelle au secours
379** C'est Mozart qu'on assassine

CHABRIER Agnès
406** Noire est la couleur

CHEVALLIER Gabriel
383*** Clochemerle-les--Bains

CLARKE Arthur C.
349** 2001 - L'odyssée de l'espace

CLAVEL Bernard
290* Le tonnerre de Dieu
300* Le voyage du père
309** L'Espagnol
324* Malataverne
333* L'hercule sur la place

CLIFFORD Francis
359** Chantage au meurtre
388** Trahison sur parole

COLETTE
2* Le blé en herbe
68* La fin de Chéri
106* L'entrave
153* La naissance du jour

COURTELINE Georges
3* Le train de 8 h 47
59* Messieurs les Ronds de cuir
142* Les gaîtés de l'escadron

CRESSANGES Jeanne
363* La feuille de bétel
387** La chambre interdite
409* La part du soleil

CURTIS Jean-Louis
312** La parade
320** Cygne sauvage
321** Un jeune couple
348* L'échelle de soie
366*** Les justes causes
413** Le thé sous les cyprès (février 1972)

DAUDET Alphonse
34* Tartarin de Tarascon
414* Tartarin sur les Alpes (février 1972)

DEKOBRA Maurice
330** Mon cœur au ralenti

DHOTEL André
61* Le pays où l'on n'arrive jamais

DUCHE Jean
75* Elle et lui

FAURE Lucie
341** L'autre personne
398* Les passions indécises

FLAUBERT Gustave
103** Madame Bovary

FLORIOT René
408** Les erreurs judiciaires

FRANCE Claire
169* Les enfants qui s'aiment

FRONDAIE Pierre
314* Béatrice devant le désir

GENEVOIX Maurice
76* La dernière harde

GILBRETH F. et E.
45* Treize à la douzaine

GREENE Graham
4* Un Américain bien tranquille
55** L'agent secret
135* Notre agent à La Havane

GUARESCHI Giovanni
1** Le petit monde de don Camillo
52* Don Camillo et ses ouailles
130* Don Camillo et Peppone

GUTH Paul
236* Jeanne la mince
258* Jeanne la mince à Paris
329** Jeanne la mince et l'amour
339** Jeanne la mince et la jalousie

HOUDYER Paulette
358** L'affaire des sœurs Papin

HURST Fanny
261** Back Street

KIRST H.H.
31** 08/15. La révolte du caporal Asch (février 1972)
121** 08/15. Les étranges aventures de guerre de l'adjudant Asch (mars 1972)
139** 08/15. Le lieutenant Asch dans la débâcle
188*** La fabrique des officiers
224** La nuit des généraux
304*** Kameraden
357*** Terminus camp 7
386** Il n'y a plus de patrie

KOSINSKI Jerzy
270** L'oiseau bariolé (février 1972)

LANCELOT Michel
396** Je veux regarder Dieu en face

LENORMAND H.-R.
257* Une fille est une fille

LEVIN Ira
324** Un bébé pour Rosemary (février 1972)

LEVIS MIREPOIX Duc de
43* Montségur les cathares

L'HOTE Jean
53* La communale
260* Confessions d'un enfant de chœur

LOVECRAFT Howard P.
410* L'affaire Charles Dexter Ward

LOWERY Bruce
165* La cicatrice

MALLET-JORIS Françoise
87** Les mensonges
301** La chambre rouge
311** L'Empire Céleste
317** Les personnages
370** Lettre à moi-même

MALPASS Eric
340** Le matin est servi
380** Au clair de la lune, mon ami Gaylord

MARKANDAYA Kamala
117* Le riz et la mousson

MASSON René
44* Les jeux dangereux

MAURIAC François
35* L'agneau

MAUROIS André
71** Terre promise
192* Les roses de septembre

MERREL Concordia
336** Le collier brisé
394** Etrange mariage

MONNIER Thyde
Les Desmichels :
206* I. Grand-Cap
210** II. Le pain des pauvres
218** III. Nans le berger
222** IV. La demoiselle
231** V. Travaux
237** VI. Le figuier stérile

MOORE Catherine L.
415** Shambleau (février 1972)

MORAVIA Alberto
115** La Ciociara
175** Les indifférents
298*** La belle Romaine
319** Le conformiste
334* Agostino
390** L'attention
403** Nouvelles romaines

MORRIS Edita
141* Les fleurs d'Hiroshima

MORTON Anthony
352* Larmes pour le Baron (février 1972)
356* Le Baron cambriole
360* L'ombre du Baron
364* Le Baron voyage
367* Le Baron passe la Manche
371* Le Baron est prévenu
375* Le Baron les croque
382* Le Baron chez les fourgues
385* Noces pour le Baron
389* Le Baron et le fantôme
395* Le Baron est bon prince
401* Le Baron se dévoue
411* Une sultane pour le Baron
420* Le Baron et le poignard (mars 1972)

MOUSTIERS Pierre
384** La mort du pantin

NATHANSON E.M.
308*** Douze salopards

NORD Pierre
378** Le 13e suicidé

OLLIVIER Eric
391* Les godelureaux

PEREC Georges
259* Les choses (mars 1972)

PEYREFITTE Roger

17** Les amitiés particulières
86* Mademoiselle de Murville
107** Les ambassades
325*** Les Juifs
335*** Les Américains
405* Les amours singulières
416** Notre amour (mars 1972)

RENARD Jules

11* Poil de carotte

ROBLES Emmanuel

9* Cela s'appelle l'aurore

ROMAINS Jules

Les hommes de bonne volonté
(14 volumes triples)

ROSSI Jean-Baptiste

354** Les mal partis

ROY Jules

100* La vallée heureuse

SAINT PHALLE Thérèse de

353* La chandelle

SALMINEN Sally

263** Katrina

SEGAL Erich

412* Love Story (février 1972)

SIMAK Clifford D.

373** Demain les chiens

SIMON Pierre-Henri

82* Les raisins verts

SMITH Wilbur A.

326** Le dernier train du Katanga

STURGEON Theodore

355** Les plus qu'humains
369** Cristal qui songe
407** Killdozer — Le viol cosmique

TROYAT Henri

10* La neige en deuil
La lumière des justes :
272** I. Les compagnons du coquelicot
274** II. La Barynia
276** III. La gloire des vaincus
278** IV. Les dames de Sibérie
280** V. Sophie ou la fin des combats
323* Le geste d'Eve
Les Eygletière :
344** I. Les Eygletière
345** II. La faim des lionceaux
346** III. La malandre

URIS Leon

143*** Exodus

VAN VOGT A.-E.

362** Le monde des Ã
381** A la poursuite des Slans
392** La faune de l'espace
397** Les joueurs du A
418** L'empire de l'atome (mars 1972)
419** Le sorcier de Linn (mars 1972)

VIALAR Paul

57** L'éperon d'argent
299** Le bon Dieu sans confession
337** L'homme de chasse
350** Cinq hommes de ce monde T. I
351** Cinq hommes de ce monde T. II
372** La cravache d'or
402** Les invités de la chasse
417* La maison sous la mer (mars 1972)

WEBB Mary

63** La renarde

L'AVENTURE MYSTÉRIEUSE
du cosmos et des civilisations disparues

ANTEBI Elisabeth
A. 279** **Ave Lucifer**
Aujourd'hui, bien des sectes fanatisées adorent un dieu plus proche de Satan que de la divinité; pensons à la disparition des enfants du Mage de Marsal ou au meurtre rituel de Sharon Tate. Mais le démon a pris à l'heure actuelle des dehors technologiques plus effrayants encore que ces manifestations passées.

BARBARIN Georges
A. 216* **Le secret de la Grande Pyramide**
Cette construction colossale qui défiait les techniques de l'époque représente la science d'une grande civilisation pré-biblique et porte en elle la marque d'un savoir surhumain qui sut prédire les dates les plus importantes de notre Histoire.

BARBARIN Georges
A. 229* **L'énigme du Grand Sphinx**
L'obélisque de Louksor, depuis qu'il a été transporté à Paris, exerce une influence occulte sur la vie politique de notre pays. De même, le grand Sphinx joue un rôle secret dans l'histoire des civilisations.

BARBAULT Armand
A. 242* **L'or du millième matin**
Cet alchimiste du XXe siècle vient de retrouver l'Or Potable de Paracelse, premier degré de l'élixir de longue vie. Il nous raconte lui-même l'histoire de cette découverte.

BERGIER Jacques
A. 250* **Les extra-terrestres dans l'Histoire**
Par l'étude de cas précis et indubitables, Jacques Bergier prouve qu'il subsiste sur Terre des traces du passage et des actions d'être pensants venus d'autres planètes.

BERGIER Jacques
A. 271* **Les livres maudits**
Il existe une conspiration contre un certain type de savoir dit occulte, qui a fait détruire systématiquement tout au long de l'Histoire des livres au contenu prodigieux.

BERNSTEIN Morey
A. 212** **A la recherche de Bridey Murphy**
Sous hypnose, une jeune femme se souvient de sa vie antérieure en Irlande et aussi du « temps » qui sépare son décès de sa renaissance. Voici une fantastique incursion dans le mystère de la mort et de l'au-delà.

BIRAUD F. et RIBES J.-C.
A. 281** **Le dossier des civilisations extra-terrestres**
La vie existe-t-elle sur d'autres planètes? Des civilisations fondées sur une vie artificielle sont-elles concevables? Des contacts avec des êtres extra-terrestres sont-ils prévisibles dans un proche avenir? Voici enfin des réponses claires par deux astronomes professionnels.

CHARROUX Robert
A. 190** **Trésors du monde**
Trésors des Templiers et des Incas. Trésors du culte enfouis lors des persécutions religieuses. Trésors des pirates et des corsaires, enterrés dans les îles des Antilles. L'auteur raconte leur histoire et en localise 250 encore à découvrir.

CHEVALLEY Abel
A. 200* **La bête du Gévaudan**
Les centaines d'adolescents dont les cadavres, durant des années, jonchèrent les hauteurs de la Margeride, furent-ils les victimes d'une bête infernale, de quelque sinistre Jack l'Eventreur ou d'une atroce conjuration?

CHURCHWARD James
A. 223** **Mu, le continent perdu**
Mu, l'Atlantide du Pacifique, était un vaste continent qui s'abîma dans les eaux avant les temps historiques. Le colonel Churchward prouve par des documents archéologiques irréfutables qu'il s'agissait là du berceau de l'humanité.

CHURCHWARD James
A. 241** **L'univers secret de Mu**
La vie humaine est apparue et s'est développée sur le continent de Mu. Les colonies de la mère-patrie de l'homme furent ainsi à l'origine de toutes les civilisations.

DARAUL Arkon
A. 283** **Les sociétés secrètes**
Un grand voyageur fait le point sur les principales sociétés secrètes actuelles, ou du passé, tels les disciples du Vieux de la Montagne, des Thugs indiens, des Castrateurs de Russie, des Tongs chinois et des étranges Maîtres de l'Himalaya.

DEMAIX Georges J.
A. 262** **Les esclaves du diable**
Depuis l'assassinat rituel de Sharon Tate jusqu'aux messes noires de la région parisienne, l'auteur brosse le panorama de la sorcellerie et de la magie depuis l'antiquité jusqu'à nos jours.

FLAMMARION Camille
A. 247** **Les maisons hantées**
Le grand savant Camille Flammarion a réuni ici des phénomènes de hantise rigoureusement certains prouvant qu'il existe au-delà de la mort une certaine forme d'existence.

GERSON Werner
A. 267** **Le nazisme société secrète**
Les origines du nazisme sont millénaires et plongent dans les pratiques des sociétés secrètes, tels que la Sainte Vehme, les Illuminés de Bavière ou le groupe Thulé. Nous découvrons ici leurs ramifications actuelles et leurs liens avec l'antique sorcellerie.

HUTIN Serge
A. 238* **Hommes et civilisations fantastiques**
Nous voici entraînés dans un voyage fantastique parmi des lieux ou des êtres de légende : l'Atlantide, l'Eldorado, la Lémurie, la cité secrète de Zimbabwé ou la race guerrière des Amazones. Chaque escale offre son lot de révélations stupéfiantes.

HUTIN Serge
A. 269** **Gouvernants invisibles et sociétés secrètes**
Les hommes qui tiennent le devant de la scène publique disposent-ils du pouvoir réel? Le sort des nations ne dépend-il pas plutôt de groupes d'hommes, n'ayant aucune fonction officielle, mais affiliés en puissantes sociétés secrètes?

LARGUIER Léo
A. 220* **Le faiseur d'or, Nicolas Flamel**
Nicolas Flamel nous introduit dans le monde fascinant de l'alchimie où le métal vil se transmute en or et où la vie se prolonge grâce à la Pierre philosophale.

LE POER TRENCH Brinsley
A. 252* **Le Peuple du ciel**
« Les occupants des vaisseaux de l'espace ont toujours été avec nous », écrit l'auteur. « Ils y sont en cet instant, bien que vous les croisiez dans la rue sans les reconnaître. Ce sont vos amis, le Peuple du ciel. »

LESLIE et ADAMSKI
A. 260** **Les soucoupes volantes ont atterri**
Le 20 novembre 1952, George Adamski fut emmené à bord d'une soucoupe volante. C'est ainsi qu'il put nous décrire la ceinture de radiations Van Allen découverte ensuite par les cosmonautes.

MILLARD Joseph
A. 232** **L'homme du mystère, Edgar Cayce**
Edgar Cayce, simple photographe, devient, sous hypnose, un grand médecin au diagnostic infaillible. Bientôt, dans cet état second, il apprend à discerner la vie antérieure des hommes et découvre les derniers secrets de la nature humaine.

MOURA J. et LOUVET P.
A. 204** **Saint-Germain, le Rose-Croix immortel**
Le comte de Saint-Germain traversa tout le XVIIIe siècle sans paraître vieillir. Il affirmait avoir déjeuné en compagnie de Jules César et avoir bien connu le Christ. Un charlatan? Ou le détenteur des très anciens secrets des seuls Initiés de la Rose-Croix?

OSSENDOWSKI Ferdinand
A. 202** **Bêtes, hommes et dieux**
Fuyant la révolution russe, l'auteur nous rapporte sa traversée de la Mongolie, où un hasard le mit en présence d'un des plus importants mystères de l'histoire humaine : l'énigme du Roi du Monde : « L'homme à qui appartient le monde entier, qui a pénétré tous les mystères de la nature. »

RAMPA T. Lobsang
A. 11** **Le troisième œil**
Voici l'histoire de l'initiation d'un jeune garçon dans une lamaserie tibétaine. En particulier, L. Rampa raconte l'extraordinaire épreuve qu'il subit pour permettre à son « troisième œil » de s'ouvrir, l'œil qui lit à l'intérieur des êtres.

RAMPA T. Lobsang
A. 210** **Histoire de Rampa**
L'auteur du « Troisième œil » entraîne le lecteur plus loin dans son univers ésotérique et lui dévoile d'importants mystères occultes : c'est un voyage dans l'au-delà qu'il lui fait faire, une évasion totale hors des frontières du quotidien.

RAMPA T. Lobsang
A. 226** **La caverne des Anciens**
C'est dans cette caverne, lieu de l'initiation du jeune L. Rampa, que sont conservées les plus importantes connaissances des civilisations préhistoriques aujourd'hui oubliées et que l'auteur nous révèle enfin.

RAMPA T. Lobsang
A. 256** **Les secrets de l'aura**
Pour la première fois, Lobsang Rampa donne un cours d'ésotérisme lamaïste. Ainsi, il apprend à voyager sur le plan astral et à discerner l'aura de chacun d'entre nous. Tout ceci est expliqué clairement et d'un point de vue pratique.

RAMPA T. Lobsang
A. 277** **La robe de sagesse**
T. L. Rampa fait le récit de ses épreuves d'initiation et de ses premiers voyages dans l'Astral. Il explique longuement l'usage de la boule de cristal et les vérités qui permettent de découvrir la Voie du Milieu et de gagner le Nirvâna.

SADOUL Jacques
A. 258** **Le trésor des alchimistes**
L'auteur prouve par des documents historiques irréfutables que les alchimistes ont réellement transformé les métaux vils en or. Puis il révèle, pour la première fois en langage clair, l'identité chimique de la Matière Première, du Feu Secret et du Mercure Philosophique.

SAURAT Denis
A. 187* **L'Atlantide et le règne des géants**
Le cataclysme qui engloutit l'Atlantide porta un coup fatal à la civilisation des géants dont les traces impérissables subsistent dans la Bible, chez Platon, et dans les monumentales statues des Andes et de l'île de Pâques, antérieures au Déluge.

SAURAT Denis
A. 206* **La religion des géants et la civilisation des insectes**
Avant le Déluge, avant l'Atlantide, avant les géants du tertiaire, les premières civilisations d'insectes, à travers d'étranges filiations, ont modelé les civilisations humaines, même les plus modernes.

SEABROOK William
A. 264** **L'île magique**
Haïti et le culte vaudou ont suscité bien des légendes, mais l'auteur a réussi à vivre parmi les indigènes et à assister aux cérémonies secrètes. C'est ainsi qu'il put constater l'effroyable efficacité de la magie vaudou et qu'il eut même l'occasion de rencontrer un zombi.

SÈDE Gérard de
A. 185** **Les Templiers sont parmi nous**
C'est une tradition vieille de 40 siècles qui a donné aux Templiers leur prodigieuse puissance. Mais leur trésor et leur connaissance des secrets des cathédrales provoquèrent la convoitise des rois, et ce fut la fin de l'Ordre du Temple.

SÈDE Gérard de
A. 196* **Le trésor maudit de Rennes-le-Château**
Quel fut le secret de Béranger Saunière, curé du petit village de Rennes-le-Château, qui, entre 1891 et 1917, dépensa plus de un milliard et demi de francs? Mais surtout comment expliquer que tous ceux qui frôlent la vérité — aujourd'hui comme hier — le fassent au péril de leur vie?

SENDY Jean
A. 208* **La lune, clé de la Bible**
L'Ancien Testament n'est pas un récit légendaire, mais un texte historique décrivant la colonisation de la Terre par des cosmonautes venus d'une autre planète (les Anges). Des traces de leur passage nous attendent sur la Lune qui sera alors la « clé de la Bible ».

SENDY Jean
A. 245** **Les cahiers de cours de Moïse**
A travers l'influence « astrologique » du zodiaque, la prophétie de saint Malachie et le texte biblique, Jean Sendy nous montre les traces évidentes de la colonisation de la Terre par des cosmonautes dans un lointain passé.

TARADE Guy
A. 214** **Soucoupes volantes et civilisations d'outre-espace**
Des descriptions très précises de soucoupes volantes ont été faites au XIXe siècle, au Moyen Age et dans l'Antiquité. La Bible en fait expressément mention. Une seule conclusion possible : les « soucoupes » sont les astronefs d'une civilisation d'outre-espace qui surveille la Terre depuis l'aube des temps.

TOCQUET Robert
A. 273** **Les pouvoirs secrets de l'homme**
L'occultisme étudié pour la première fois par un homme de science. Ses conclusions aboutissent à la reconnaissance de phénomènes para-normaux : télépathie, voyance, hypnose, formation d'auras, etc.

TOCQUET Robert
A. 275** **Les mystères du surnaturel**
Suite du précédent ouvrage, ce livre étudie les grands médiums, les cas prouvés de hantise, les phénomènes de stigmatisation et de guérison para-normale. Ces deux volumes forment une véritable réhabilitation scientifique de l'occulte.

VILLENEUVE Roland
A. 235* **Loups-garous et vampires**
L'auteur traque ces êtres monstrueux depuis l'antiquité jusqu'à nos jours et illustre d'exemples stupéfiants leurs étranges manifestations, leurs mœurs, et leurs amours interdites. Mieux, il les débusque jusqu'au fond des repaires secrets qui les abritent encore.

ÉDITIONS J'AI LU
31, rue de Tournon, Paris-VIe

Exclusivité de vente en librairie:
FLAMMARION

IMPRIMÉ EN FRANCE PAR BRODARD ET TAUPIN
6, place d'Alleray - Paris.
Usine de La Flèche, le 20-12-1971.
6194-5 - Dépôt légal, 4e trimestre 1971.